La agonía
del dragón

Juan Luis Cebrián

La agonía del dragón

ALFAGUARA

ALFAGUARA

© 2000, Juan Luis Cebrián
© De esta edición:
2000, Grupo Santillana de Ediciones, S. A.
Torrelaguna, 60. 28043 Madrid
Teléfono 91 744 90 60
Telefax 91 744 92 24
www.alfaguara.com

• Aguilar, Altea, Taurus, Alfaguara S. A.
Beazley 3860. 1437 Buenos Aires
• Aguilar, Altea, Taurus, Alfaguara S. A. de C. V.
Avda. Universidad, 767, Col. del Valle,
México, D.F. C. P. 03100
• Distribuidora y Editora Aguilar, Altea,
Taurus, Alfaguara, S. A.
Calle 80 N° 10-23
Santafé de Bogotá, Colombia

ISBN: 84-204-4208-9
Depósito legal: M. 48.540-1999
Impreso en España - Printed in Spain

© Fotografía de cubierta:
Manifestación de estudiantes. Agencia Efe

Carta al autor, que puede utilizarse como manual de uso

Señor:

Durante años he investigado sobre la vida y la muerte de los dragones, a quienes muchos se empeñan en confundir con animales mitológicos, como denunciando su inexistencia por el simple hecho de que pertenezcan, con todo derecho, a la realidad virtual. Las leyendas y mentiras tejidas en torno de ellos no nos permiten, las más de las veces, formarnos un juicio acertado y la iconografía clásica tergiversa frecuentemente sus dimensiones y características. Incluso he encontrado en Internet un anciano de noventa y ocho años que, desde su retiro en Sakescheuán, clama haber visto el último dragón vivo de la tierra, exhibido en cautividad en un parque zoológico de Nebraska, como si se tratara de una fiera apresable, o como si sus necesidades alimenticias, basadas fundamentalmente en el consumo de sangre humana —lo que ha llevado a algunos a confundirles con los vampiros, incurriendo en lamentable equivocación—, pudieran atenderse por los servicios habituales de cualquier institución de ese género. Yo he conocido una extensísima bibliografía, he recorrido decenas de miles de kilómetros en busca de fósiles y evidencias científicas, he participado en numerosas excavaciones y he asistido a infinidad de seminarios y congresos sobre esta materia; ello me ha permitido llegar a unas pocas conclusiones ciertas, cuyo conocimiento puede servir a los propósitos de su consulta.

Queda fuera de dudas no sólo la existencia histórica de los dragones, sino su permanente presencia entre nosotros. Podemos datar sus orígenes en los tiempos del Génesis y existen numerosos documentos que nos hablan de su importancia para el devenir de las civilizaciones. Los chinos y otros pueblos orientales los celebran como fuente de fertilidad y los veneran como a divinidades, pero las especies más difundidas son oriundas de la India y de Etiopía, según consta en el bestiario latino en prosa de la Universidad de Cambridge, citado luego por Ignacio Malaxecheverría en su Bestiario Medieval, e inspirado probablemente en el Fisiólogo de Grecia. De todas formas, el peculiar proceso de reproducción de estos temibles seres, vecino a la partenogénesis, junto con el paso de los años, ha llevado al establecimiento de un buen número de diferentes colonias, con una significativa distinción de razas que podemos considerar autóctonas, aunque en todas ellas es fácil identificar rasgos comunes. Contra los que suponen que el descubrimiento de cultos y celebraciones draconianas de signo festivo en las culturas orientales significaría la existencia, al menos, de una subdivisión de notable importancia entre dragones buenos y malos, mis estudios prueban que constituye un craso error atribuirles categorías morales fruto de la invención humana. La expresión ambivalente de las culturas del dragón, constatada a lo largo de los siglos, pone de relieve la naturaleza paradójica y aun contradictoria de su existencia, lo que justifica la ambigüedad de la liturgia construida a su alrededor. No podemos olvidar que los dragones son espíritus puros, aun si la propia denominación de pureza se presta a interpretaciones equívocas, cuyos componentes esenciales, según las autopsias realizadas, son el miedo y la fuerza. Del equilibrio que se guarde entre estos dos elementos depende en gran medida el comportamiento del que podríamos llamar —aunque bien impropiamente— bicho. En realidad, la fuerza del dragón procede de su pánico y me permito suponer que la ausencia de éste, el reconocimiento de su propia seguridad y permanencia en la comunidad en la que se asienta, disminuye precisamente su voluntad de destrucción e incluso su capacidad de ejercerla. Lo que nos llevaría a concluir que un dragón bueno —en la jerga popular— no es más que un dragón contento, aunque no acabo de estar muy convencido de lo acertado de semejante proposición.

Pero no quiero apartarme del discurso principal de esta misiva, que no tiene por objeto sino responder a su muy preciso requerimiento en torno a la probabilidad de que los hechos acaecidos en las últimas décadas en España tengan que ver con las contiendas que pudieran haberse entablado entre dragones, o con el estertor final de alguna especie que se resistiera a su extinción. He de aclararle a este respecto que los dragones son seres mutantes y que, aunque está científicamente comprobada la muerte de muchos, las más de las veces migran entre ellos cuando ven amenazada su supervivencia, dando cobijo el cuerpo de uno al espíritu del otro y acrecentando así, en ocasiones, su naturaleza paradójica y pluripersonal, lo que les vuelve extremadamente peligrosos cuando se enojan, pues son verdaderas tribus de dragones distintos las que se manifiestan ante el exterior con una sola e impresionante presencia física. Al referirnos a ésta, y aun siendo muchas las diferentes representaciones que pueden adquirir, es lícito establecer que los dragones, en su materialización corpórea, se asemejen siempre a reptiles, unas veces con alas y otras con plumas, por lo que poseen, en cualquier caso, una poderosa cola. Otro rasgo común a todos ellos es el fuego interior que les consume y que expulsan indistintamente por ojos y bocas, provocando su sola presencia una subida de la temperatura del ambiente, que puede volverse insoportable aun si no escupen su abrasador aliento. Éste es fruto de las irregulares proporciones entre miedo y fuerza que albergan sus vísceras. Desde un punto de vista exclusivamente empírico, hemos logrado demostrar que sus pulmones y su sangre dan alojo también a una cantidad considerable de gas metano. Por eso, un chasquido de los dientes, un simple rechinar, basta para provocar las chispas que encienden su poderosa hoguera interior. De ahí que algunos consideren que el origen de su poder está en la dentadura y es verdad que, en la Grecia clásica, si uno sembraba las muelas de un dragón florecían en su lugar guerreros valerosos. Pero siendo el metano algo tan unido a las proyecciones físicas de estos seres resulta muy improbable que una explosión de gas, e incluso una explosión cualquiera, pueda acabar con su vida. Antes bien podría suceder lo contrario: que, en medio de una apariencia de destrucción, el dragón sumara fuerzas y se revitalizara con los fluidos liberados en el incidente. En realidad la única forma segura de darles muerte es con la espada, y en esto se asemejan también a los vampiros, aunque en el caso de aquéllos es el acero y no la estaca lo que debe horadarles la entraña para dar fe de su completo aniquilamiento. Por último, pues no quiero aburrirle con un tema que a mí me apasiona pero que no suele atraer el interés general, es muy importante insistir en que, aunque el poder de tan temibles monstruos resida en la boca, la fuerza está en su impresionante cola con la que asfixia, inmisericorde, a sus enemigos enroscándose en torno suyo como si fuera una pitón; también puede aplastar barrios enteros, y aun ciudades, sólo con dejarla caer desde gran altura. Testigos presenciales de la muerte de algún dragón, que en ocasiones fueron también sus verdugos, han relatado por escrito que el monstruo, en su momento agónico, no cesa de dar horribles coletazos por lo que son sus últimas horas de existencia las más peligrosas, aun si su poderío puede haber sido mellado por la edad o las heridas infligidas en la lucha. La agonía del dragón es un espectáculo digno de verse y de narrarse, pero conviene contemplarlo desde lugar seguro, pues entre las llamaradas, los golpes, y sus grandes y sonoros lamentos, que a veces se confunden con amenazas e improperios, no existe ser humano que no experimente auténtico terror ni que pueda considerarse a salvo en muchas leguas a la redonda.

Creo que estas breves consideraciones podrán servir a sus lectores como discreto manual de uso para el manejo del relato que me adjunta. Aprecio mucho la advertencia que me hace en el sentido de que los datos, fechas y concreciones del texto son fruto exclusivo de su memoria, mala o buena, y que podría detectarse alguna falta de rigor o de precisión. Le pongo de relieve que eso es irrelevante para mi dictamen, pues siendo los dragones divinidades degradadas —y quizá eso explique el culto diferente que reciben en la China, pues en su caso no habrían recibido el castigo que las arrojó al abismo— no están sujetos a los límites que el calendario establece. La Historia de los pueblos se construye más a base de emociones que de hechos y el recuerdo personal que tengamos de nuestro pasado es más importante que el pasado mismo. Esto resulta especialmente verdad a la hora de escribir sobre dragones, puros espíritus que se resisten a ser juzgados exclusivamente por sus manifestaciones materiales, y que moran en los recónditos parajes de las almas de los hombres. Cuanto le digo bastará para hacerle comprender al menos dos cosas: primera, que no creo que los dragones hayan desaparecido de la faz de la tierra, ni que puedan ser mostrados en una jaula como el de Nebraska, cuyo solo registro en los archivos constituye toda una impostura. Segunda, y más importante para los efectos que nos ocupan, que es muy improbable que el dragón de su relato muriera por los efectos devastadores de las diversas agresiones que contra él se ejercieron. Por eso, aun siendo científicamente poco permisible que usted describa este episodio como su agonía, podemos considerarlo como una licencia literaria, absolutamente lícita cuando se trata de seres tan ligados a la mitología y la leyenda.

Espero ansioso la segunda parte de la narración si, como supongo, está usted dispuesto a continuarla. Quizá pueda en ese trance serle de mayor utilidad y extender, entonces, el certificado de defunción de la bestia.

Atentamente,

(Firma ilegible)

La agonía
del dragón

*A mis hijos, a los hijos de mis hijos,
para que no se pierda la memoria de
nuestras generaciones.*

I

*Otra señal apareció en el cielo: un
dragón color de fuego, con siete cabezas y diez cuernos; sobre sus cabezas,
siete diademas; su cola arrastraba la
tercera parte de las estrellas y las lan-
zó sobre la tierra.*

(San Juan. Apocalipsis, XII, 3)

Uno

—Yo le dije lo que tenía que decir: quien a los veinte años no es comunista es que no tiene corazón, y el que lo sigue siendo a los cuarenta es que no tiene cerebro.

Apagó el puro en el cenicero de latón, que utilizaba también como pisapapeles. Su mirada se desvió, involuntariamente, hacia uno de los documentos salpicados de ceniza, y desplegó una mueca sarcástica al reconocer el matasellos de *confidencial*.

—Pero una cosa es lo que dije y otra lo que pienso. Has ido demasiado lejos, muchacho.

Había un retrato del Generalísimo, con capote de campaña y un aura celestial orlando su figura, colgado en alguna pared del despacho, y otro más reciente sobre una mesita. En éste, una fotografía, se le veía vestido de mariscal y tenía la mirada perdida, como sucede cuando uno posa para la eternidad. Un autógrafo, al pie, con una dedicatoria ilegible.

—O sea —continuó él su perorata— que te tomas unas vacaciones y descansas. Vete al mar, a la sierra, al extranjero incluso. Y recuerda lo que decía mi madre: no hay que firmar nunca nada, no vayas a hacerlo un día con tu sentencia de muerte. Esta vez no ha sido así, pero casi, casi.

Rió escandalosamente y se levantó, entre afectuoso y autoritario, para acompañarle hasta la puerta.

Ya en ella, le abrazó como si se tratara de un viejo camarada o de un familiar.

—Tu padre sigue bien, ¿no? La verdad es que, a pesar de sus males, está hecho un chiquillo. Le das mis recuerdos, como siempre. Sabes que le quiero mucho. Y a ti, como a un hijo.

Cuando le estrechó la mano, en un gesto que se suponía afectuoso, Alberto sintió un sudor frío en la palma y un embarazo indescriptible le recorrió el cuerpo. Hubiera querido explicarle a don Epifanio la verdad, que él no era comunista, ni socialista, ni nada, a lo mejor socialdemócrata, pero sólo si le apretaban. ¿No había franquistas que también decían que lo eran? ¿Y no aseguraba la Falange que entre ella y el socialismo únicamente había un malentendido, lo mismo que con los fascistas? Mussolini había comenzado, incluso, como militante de la izquierda. Claro que no era momento para dar explicaciones. El día en que le presentaron el papel a la firma, le pareció lo más natural sumarse a la protesta. Sindicalistas, nacionalistas vascos y catalanes, estudiantes detenidos durante los últimos disturbios, testimoniaban sobre las sevicias, innumerables y horribles, cometidas en las comisarías. Encabezaba el documento Joan Miró, el pintor español vivo más admirado y respetado después de Picasso, muy por encima de las extravagancias de Dalí, definitivamente sojuzgado por el imperio del dólar. ¿Cómo iban, a estas alturas, a enfrentarse con Miró? Mientras estampaba su nombre y número de carné de identidad en la larga lista de adhesiones, pensaba también que aquello no podía ser muy peligroso. De modo que no iba a ponerse a discutir con don Epifanio, al que en cierta forma apreciaba pero que, por otra parte, representaba mucho de lo que le gustaría destruir, era tan cavernícola como cualquiera. Además le tenía que estar agradecido: un permiso es mil veces mejor que un expediente, y a otro le habrían puesto en berlina. A saber si no hubiera perdido la carrera. O sea que apenas balbució palabra, no protestó, y se limitó a mirarle a la cara con desinterés, sin hacerle patente los sentimientos encontrados que su figura le producía.

Don Epifanio había sido desde siempre su protector, en los estudios, en la oposición, en el destino. Le unía a su padre una vieja y estrecha amistad. Como no había tenido descendencia, prohijó a Alberto a poco de nacer y había cuidado de su educación —incluso económicamente— con un esmero y una solicitud que la familia no supo nunca cómo agradecer. Allá por los años cincuenta, durante los veranos, acostumbraba a llevar al chico a pasar unos días con él, cosa que todos parecían festejar muchísimo, salvo el propio Alberto, desgajado momentáneamente del hogar familiar y obligado a comportarse con una circunspección excesiva, «no vaya a molestarse don Epifanio, con lo bien que se porta contigo», insistía su madre. El chico desgranaba aquellas tardes de julio suspirando por un ambiente menos atosigante, más placentero, en el que no fuera necesario dedicar de forma obligatoria un par de horas a la lectura de unos libros a los que sólo su protector concedía importancia. Por lo general, los firmaban algunos buenos estilistas dedicados a narrar la guerra civil española con sonrojante parcialidad desde el bando de los vencedores. A Alberto le llamaba la atención que aquellas plumas privilegiadas, o al menos fáciles, incisivas como decían los petulantes, se pusieran de manera tan incondicional al servicio de una historia manipulada y falsa, la misma que desde la escuela había escuchado en torno al glorioso Alzamiento Nacional. Todas esas circunstancias explicaban que, cuando cumplió los catorce años y empezó a adquirir cierta autonomía, se plantara por fin, negándose a continuar con tan tediosas vacaciones, cuya brevedad no compensaba en absoluto la falta de cariño que él presentía, camuflada de atenciones untuosas y recomendaciones sobre todo tipo de asuntos, desde cómo doblar la servilleta hasta el número de veces que era preciso lavarse los dientes. Durante la adolescencia logró, así, liberarse un poco de la agobiante tutela, que se hizo menos explícita y más efectiva con ocasión de su ingreso en la universidad. Don Epifanio pudo recomendarle con éxito a algunos de los profesores más huesos y ayudó a orientarle en las oposiciones, para incorporarle más tarde a su propio despacho. No tenía más que motivos de reconocimiento para él, y no existía razón alguna para demostrarle que, en su dualidad de sentimientos, encarnaba ciertas nostalgias del pasado pero también aquello que le gustaría ver desaparecer para siempre. Algo que el otro no podía ni siquiera sospechar cuando apretó su mano con una sonrisa torpe y musitó unas tímidas gracias, a media voz, antes de darle la espalda con presteza y lanzarse, escaleras abajo, camino de la calle, en busca de un poco de aire fresco.

Los escaparates hacían honor a los fastos de la Navidad y, a esas horas de la tarde, comenzaban a lucir algunas guirnaldas y se arremolinaban las gentes en las aceras, ansiosas de comprar lo que fuere, con tal de cumplir con el rito obligado. Ya decía la propaganda oficial que España había entrado, felizmente, en la sociedad de consumo. Caía una suave escarcha sobre Madrid. Alberto se levantó las solapas del abrigo para proteger sus mejillas del vientecillo serrano que se colaba por las esquinas, enfiló la calle de Alcalá y se metió en el primer bar que encontró a su paso. Era ya hora de llamar a Marta.

Se habían conocido, hacía apenas tres meses, en la fiesta de su primo Ramón. «Mis padres han vendido el chalé —había dicho éste— y nos lo dejan para que acabemos con todo antes de entregarlo. Pero no podemos esperar a Año Nuevo, o sea que, si te parece, lo celebramos ahora, que es lo mismo. Total, cuanto más pronto llegue 1969, mejor. Con ese número tiene que ser el año de la liberación sexual. ¿A ti te gusta el 69?».

Tenía menos edad que Alberto y, en realidad, no eran sino primos segundos o terceros. Pertenecía al ala adinerada de la familia que resultaba ser también, por pura paradoja, la única más o menos librepensadora, al menos de boquilla. Su padre, un azañista de poca monta, tuvo que exiliarse tras la guerra a Venezuela o a Colombia, donde consiguió hacer un verdadero platal, al tiempo que cultivaba su pasión antifranquista. Volvió a España a principios de los sesenta, atraído por las noticias que hablaban de cierto aperturismo político y de un formidable desarrollo económico, y espantado, también, con el triunfo de Fidel Castro en Cuba y la amenaza de un reguero revolucionario en América Latina. Alberto sentía una curiosidad casi morbosa por aquel tío suyo, republicano a machamartillo y que se las daba de liberal, pero que vivía anclado en un mundo de valores sociales rayano en lo reaccionario. Su caso era el de muchos exiliados españoles a México o Argentina, que habían contribuido sobremanera a hacer progresar aquellos países. Se trataba de intelectuales, profesionales, escritores y artistas comprometidos con la causa de la República cuya llama mantuvieron viva durante décadas, contra viento y marea. El precio que pagaron por ello fue su complicidad, o al menos una especie de conchabeo, con las autoridades y los poderes públicos de los lugares de acogida. Se integraron en sus instituciones, las fecundaron con su creatividad, casaron a sus hijos con las hijas de los magnates locales y acabaron por confundirse con ellos en una mezcolanza de intereses y gratitudes que les llevaba a un curioso compadreo entre su ferocidad antifranquista y su absoluta sumisión a las oligarquías dominantes, cuando no su encastramiento en ellas. También profesaba Alberto una admiración no oculta por su primo Ramón, un joven extraordinariamente seductor, de aspecto deportivo, siempre dispuesto a la jarana y la diversión, que combinaba sus cualidades de *play-boy* con una militancia política inequívocamente de izquierdas. Sus aficiones de activista y su dedicación a la vida nocturna eran las causas de que anduviera tan retrasado en la carrera, gracias a lo cual pudo ser compañero de Marta en el tercer año de universidad. Fue él quien se la presentó al tiempo que le brindaba un guiño cómplice: «Es italiana, ¿sabes? Y de buena familia».

El teléfono estaba ocupado y Alberto optó por no insistir mucho. Necesitaba pensar o, mejor todavía, no pensar en nada, dejarse discurrir por el frío húmedo de la ciudad, a empellones en la avenida de José Antonio, contra el gentío que avizoraba con pasión las compras de Reyes. Una auténtica riada humana se apretujaba a las puertas de los grandes almacenes, en donde los que querían entrar no permitían el paso de los que pugnaban por salir. Tirados sobre las aceras, unos cuantos pobres de pedir, apostados al acecho, alzaban la mano lastimosamente, algunos exhibían muñones horribles —«soy mutilado de guerra», decía el cartel— y un par de gitanillas jóvenes daban el pecho a sus hijos ante los ojos golosos de los viandantes. No muy lejos, un puñado de adolescentes con aire de iluminados y fanática mirada echaban en cara a los burgueses su afición al pavo y a los mazapanes, al tiempo que predicaban, sin que nadie les oyera, la necesidad de santificar las fiestas. Necesitaba, en efecto, abstraerse: cualquier análisis sobre lo que estaba sucediendo le parecía ya superfluo, irrelevante. Los disturbios habían comenzado en noviembre, bueno, los disturbios mayores, porque desde principios de año ya se había visto que la agitación estudiantil iba en aumento. A poco pierde el curso por culpa de ellos, con lo que las oposiciones al ministerio se hubieran ido también al carajo. Pero en noviembre fue el follón de verdad. Después del mayo parisino la sociedad vivía aturdida. Los estudiantes encarnaban una forma de rebeldía distinta, una revolución diferente que erizaba los ánimos de las clases poderosas. En la Sorbona, durante los sucesos de la primavera pasada, la policía había tenido que emplearse a fondo contra los ocupantes del recinto universitario. En Tlatelolco, la plaza de las Tres Culturas de la capital mexicana, los soldados habían disparado contra una multitud despavorida de jóvenes. Ramón decía que aquello era poco menos que el final de todo y el principio de todo lo demás. ¿Cuál sería aquel *todo*? Marta, por su parte, tan fascinada como aparentemente lo estaba su primo, le llevó un día casi a rastras a la Facultad.

—Va a ser emocionante. Hoy juzgan a un catedrático —le espetó.

En el aula magna había cientos de personas. Aunque unos grandes avisos prohibían fumar, la gente hacía caso omiso de ellos y la sala parecía una ciénaga entre brumas, chapoteando los jóvenes en medio de los bancos de madera, desconcertados por el ruido ambiente, deslumbrados por aquel traicionero sol de otoño, descubriéndose unos a otros entre el vaho de su aliento y el humo de los cigarrillos. Al cabo de un rato apareció, seguido de un par de ayudantes, un hombre mayor, lindando la sesentena, semicalvo y con gafas. Iba vestido severamente, más juez que reo, y se deslizaba sobre la tarima como si flotara. Hirsuto, pálido, sereno, se sentó tras la mesa. Un adolescente con una barba imposible se encaramó al estrado para pedir silencio con la ayuda de un micrófono y del siseo de los que presumían de enterados. Ya se habían celebrado algunos juicios populares a profesores, pero ésa era la primera vez que un acto así tenía lugar ante multitudes y con la colaboración expresa, aunque adusta, del encausado. Establecida la calma, el acto comenzó. No hubo introducción alguna, ninguna liturgia prevista de antemano. Sólo manos que se alzaban pidiendo la palabra a no se sabía quién. Los más osados no aguardaron a que nadie se la concediera.

—Profesor Castaño, ¿está usted a favor o en contra del aborto?

La pregunta la hizo una chiquilla de baja estatura, con unas tetas enormes, descaradas, que provocaron silbidos de admiración y lascivia entre el auditorio.

—Señorita —contestó él quedamente—, soy catedrático de Cálculo de Estructuras, no ginecólogo.

Apenas pudo acabar la frase. Una rechifla general inundó el aula mientras se oían gritos de fascista y se levantaban, indecisos, algunos puños. El del micrófono reclamó silencio, luego adoptó un tono cortés:

—Profesor Castaño, desde el principio hemos apreciado su colaboración, pero eso no significa que esto vaya a ser fácil para usted. Los alumnos de la Facultad han decidido someterle a juicio público por su absentismo, que contrasta con la dureza que aplica en el cumplimiento de las normas académicas. También hay dudas sobre la calidad científica de su docencia. Y, lo que es más grave, sobre su responsabilidad por haber llamado a la Fuerza Pública, a fin de que desalojara violentamente el centro. Éstos son los temas centrales del debate, pero la libertad de los participantes es absoluta y pueden dirigirse a usted acerca de otros asuntos.

—Caballeros —replicó el interpelado con visible irritación y levantándose del asiento—, esto no es lo que se me había informado, me siento engañado por completo. Si ustedes insisten en seguir por esa vía, yo abandono.

Otra vez se destapó el griterío. El hombre hizo ademán de marcharse mientras dos o tres profesores acudían presurosos al estrado para convencerle de que permaneciera en su sitio. Si el acto no se celebra son capaces de quemar el edificio, argumentaron. En la sala, la confusión crecía.

—Vámonos —dijo Alberto en tono enérgico, mientras intentaba arrastrar a Marta hacia la calle.

—Vete tú si quieres. Yo no me lo pierdo.

—Vamos, he dicho, que esto acaba a golpes.

—Aquí nadie es violento —protestó la chica, mientras se debatía por desasirse, inútilmente, en el camino hacia la puerta.

—Yo sí, si es necesario.

Y, agarrándola con fuerza del brazo, se precipitó a la salida.

Los periódicos del día siguiente dieron cuenta somera de los hechos. Señalaban que la asamblea duró dos horas y se desarrolló en un tono de «gran seriedad y madurez». «Se desconocen las conclusiones definitivas de este juicio estudiantil, primero que se celebra en España», añadían en una coletilla. Sólo un diario, al que se atribuía alguna desafección al gobierno, desafiaba las normas de la autocensura al apostillar que, al final, el encausado tuvo que cumplir una severa sentencia: fue llevado por el gentío, materialmente en volandas, hasta la fuente que presidía la placeta vecina al centro, y arrojado al agua entre el estrépito y el alborozo de la multitud.

Marta se desternillaba al leerlo:

—Te acojonaste, Alberto, ya dije yo que no iba a pasar nada.

Después de aquello la universidad se vio convulsionada por toda clase de huelgas, manifestaciones y disturbios. Los padres de Alberto no podían ocultar su angustia ante las noticias de Radio Nacional; la madre, doña Flora, daba incesantemente gracias al cielo porque su hijo hubiera terminado ya la licenciatura.

—¿Y Epifanio? —se interesaba su padre, Aniceto—, ¿qué es lo que dice Epifanio?

Pero Epifanio no decía nada, al menos de momento. Alberto, parapetado en su escritorio, le observaba en silencio cuando abría, pausado, la puerta del despacho y atravesaba la sección camino del lavabo, arrogándose aires de patricio. No eran muchos los funcionarios destinados en aquella sala, y los más antiguos solían entonces abordarle en el pasillo que formaban las viejas mesas de cerezo, testigos de mil crisis de gobierno. Él, displicente, comentaba el estreno teatral de anoche, o el último partido del Madrid, y miraba luego hacia el techo, expulsando con fuerza el humo del cigarro, mientras alguien aprovechaba la ocasión para sacudirle, con ademán discreto, la ceniza derramada sobre la pechera del traje azul. Hasta que aquel mismo día se detuvo inopinadamente frente a Alberto, le miró con severidad paternal, desde lo alto de sus lentes medio empañados, y le dijo con un tono que quería aparentar cordialidad: «Cuando puedas, pasas a mi despacho». Entonces le soltó enseguida lo del corazón, el cerebro y el comunismo, como una forma de expresar la preocupación que le asaltaba y la comprensión de que quería hacer gala con su ahijado. Sus razones tenía. Semanas atrás habían incendiado la Universidad de San Bernardo, a la que popularmente se conocía como el Casón, y en Barcelona la policía tuvo que abortar el intento de linchamiento de un catedrático. Mamá Flora no hacía sino murmurar que andábamos como en el 36 y que los jóvenes de ahora ya comprenderán por qué estalló la guerra civil. «No hubo más remedio», se lamentaba, «no hubo más remedio». Aunque luego, sin duda porque aunaba a su condición de extrema religiosidad un difuso sentimiento de preocupación social, añadía inmediatamente: «Claro, que aquélla fue una guerra de los pobres contra los ricos. Y la ganaron los ricos».

Un escaparate peor iluminado que el resto le devolvió la imagen de un joven demasiado aseado para ser un rebelde. ¿Qué le iba a hacer?, no podía acudir al ministerio en pantalones vaqueros. Al contemplar su cara en el reflejo de la vitrina, se regaló a sí mismo una sonrisa cómplice. «¡Caray!, y eso que no quería pensar en nada de esto.» En la calle de abajo encontró una cabina de teléfonos. «¿Martita? Guapísima, no hacías más que comunicar.» La chica aceptó enseguida la idea de irse de vacaciones. Era un encanto, y su padre, el cónsul de Italia, le permitía todo. Bueno, todo menos salir con Alberto. El diplomático, un ser atildado y presuntuoso cuya amistad con Fanfani, de la que se pavoneaba, no era tanta como para que mereciera una embajada, llevaba cuatro años en España en espera de un mejor destino y, cuando se enteró de los amores de su hija con un funcionario de tres al cuarto que no hallaba dónde caerse muerto, montó en cólera de tal manera que a poco no le da un patatús, al punto de que tuvieron que llevarlo de urgencia al hospital. «Nos iremos al sur, y me quito de en medio. Don Epi está que bufa con lo del manifiesto.» Aquella noche Marta tenía que estudiar y era mejor que no se vieran, almorzarían juntos al día siguiente y discutirían los preparativos del viaje. Cuando colgó, consultó el reloj y vio que no eran más que las siete. Una nueva llamada y, media hora más tarde, Ramón y él se arrellanaban en los sofás del Teide, en medio de una nube de humo y carcajadas. Pese a la competencia del vecino Gijón, el local no había perdido en ningún momento su carácter de santuario de las letras, aunque el ambiente era más burgués y exhalaba menor desarraigo. El comediógrafo Jardiel Poncela, autor de vodeviles de gran éxito y máximo exponente de un teatro desenfadado y lenguaraz, había deshojado en aquellos lares más de una tarde, entre el café con leche, la absenta y el recado de escribir, el mismo que exigía también, con frecuencia, César González Ruano, periodista del régimen adorado por la oposición: tintero, pluma, una resma de cuartillas, un secante, tijeras y un tarro de goma. Todo lo que se necesitaba para hacer un buen artículo o un entremés. Pero mientras Jardiel fue siempre fiel al Gijón, César se cabreó un día con los camareros y sentó sus reales en el Teide.

—Ramón, yo me largo.

—¿Es por miedo?

—Miedo, precaución, llámalo como quieras. Don Epifanio ha estado muy claro. Dicen que pueden empezar a deportar gente. Entonces, si a mí no me encuentran, pues no me encuentran. Pero si me llevan a comisaría pierdo el empleo, eso es seguro. No va a poder hacer nada por mí.

—¿Qué dice Marta?

—Se viene, claro, a Almería, al apartamento de mis padres. Si me lo prestan, porque todavía no les he dicho nada.

—Bueno, quizá sea lo mejor. Al fin y al cabo, ¿para qué enfrentarse con Camulo si puedes evitarlo?

Camilo Alonso Vega, don Camulo para sus enemigos e incluso para algunos de sus amigos, no era sin embargo el peor ministro de Gobernación que había tenido Franco, pese al inequívoco mote que resaltaba su brutalidad y cortas luces. Alberto memorizaba, por ejemplo, las historias de aquel jurista del diablo, Blas Pérez, una especie de Robespierre a la española que había hecho temblar con sus manejos y amenazas, durante los años cuarenta, a más de media España. Pero don Camilo/Camulo constituía un símbolo vivo del régimen. General del Ejército y coronel honorario de la Guardia Civil, donde no acababan de aceptarle, le gustaba pasear su tricornio por los pasillos del poder con una apostura ridícula, encaramado a su figura de poco más de metro y medio, atildándose el bigote a la inglesa, con el que pretendía dotar a su imagen de alguna dignidad. Algunas tardes de primavera se le podía ver del brazo de su inseparable esposa, doña Ramona, contoneando ambos el palmito por las terrazas de Rosales o las tiendas de Serrano, como dos jubilados de clase media, mojando los picatostes en aquellos grandes tazones de chocolate humeante que servían en los salones de té o sorbiendo a chupaditas la zarzaparrilla de turno. Nadie que les contemplara y no les conociera podría imaginar que tan apacible caballero se hubiera distinguido durante la guerra por su dureza en la campaña del Norte, en la que obtuvo memorables triunfos, recompensados por el Caudillo no sólo con medallas y ascensos sino con el más preciado y escaso honor de su amistad. Como policía, primero, y como ministro después, Camilo/Camulo había amparado las represiones más vulgares y justificado las violencias más infames por lo que todo el mundo coincidía en que le sobraban méritos para ser acreedor a su singular apodo. Ramón estaba en lo cierto, ¿para qué enfrentarse con semejante cafre? Se despidieron con un abrazo y él emprendió, por fin, la ruta hacia su casa. El paseo, la breve conversación con Marta, la mucho más enjundiosa que había tenido

con su primo, le habían devuelto el aplomo y la lucidez que echó en falta a la salida del despacho. Le avergonzaba, en cierta forma, aquella especie de huida que
estaba organizando. ¿Lo hacía por don Epifanio o por
él? La verdad es que tenía pánico, aunque le doliera re-
conocerlo, un temor irracional e indiscriminado, a los
guardias, a la cárcel, a la persecución, pese a que no le
podían acusar de nada, porque nada había hecho, sino
ser fiel a sus amigos y buscar la coherencia entre lo que
pensaba y lo que hacía. Él no andaba predicando revo-
luciones por el mundo pero tampoco podía quedar
impasible ante la injusticia y la barbarie, las cabezas
rapadas al cero de las mujeres de los huelguistas, los
golpes en comisaría, las vejaciones, los insultos. Y no
lo haría aunque se muriera de miedo. Quizá era eso lo
que más diferenciaba a España del resto de Europa.
Pese al desarrollo económico, el relajo de las costumbres, la pérdida de influencia de la moral clásica, el
franquismo seguía sembrando miedo por doquier, lo
inoculaba en las venas de la sociedad. Y si eso le sucedía a él, que había nacido en el bando de los vencedores, y con un padrino como el que tenía, si todavía
había noches que se despertaba sobresaltado ante la
amenaza de un castigo ignoto por el simple hecho de
haber firmado un papel pidiendo que no se maltratara
a los detenidos, si ahora debía poner kilómetros por
medio para guardar el empleo o evitar el destierro, lo
mismo que quemar los carteles del Che Guevara, ya
rancios de sol y luz, tan queridos en su recuerdo de los
años de estudiante, y disimular con encuadernaciones
de piel su biblioteca de sociología política (¡aquel sin-
número de títulos comprados pacientemente durante las visitas a Biarritz, a Perpignan!), si eso se veían

obligados a hacer los hijos del poder, ¿cuál no sería el destino de los que perdieron la contienda?

Dionisio había tratado de tranquilizarle en más de una ocasión:

—En realidad son muy selectivos —explicaba—. Sólo torturan a los obreros y a los comunistas, y procuran no dejar marcas. Los estudiantes, la gente como nosotros, recibe otro trato.

A su amigo Dionisio, compañero de bachillerato, la policía le registró su cuarto, pese a que vivía con su padre, que había sido un gerifalte. Lo llevaron delante del jefe de la brigada político social, un hombrecillo de aspecto insignificante, bien vestido, amable hasta cuando daba la orden de que bajara la cuchilla de la guillotina sobre los cogotes de los presos. Un inspector allí presente, de aspecto bronco, le preguntó:

—¿O sea que tú también lees al Orteguita ese de los cojones?

Y el jefe, calándose unos impertinentes como los de Quevedo y adoptando un aire de intelectual, recriminó al funcionario:

—Está usted ofendiendo a la inteligencia. Ortega y Gasset se convirtió antes de morir y un sacerdote le administró la extremaunción.

Pero la verdad era que a Dionisio no le golpearon, ni le hicieron ponerse de puntillas durante horas, ni sujetar su cuerpo con los pulgares, inclinado sobre la pared, ni le desnudaron, ni le escupieron, ni le aplicaron corrientes, ni le tuvieron días y días con la luz de la celda encendida, ni le asesinaron como a Julián Grimau, al que vapulearon tanto que no se les ocurrió mejor idea que tirarle por la ventana a ver si lo mataban, sin conseguirlo; de modo que tuvieron que curarle, primero, para enviarle más tarde ante el pelotón de fusilamiento. Tenía razón Dionisio: eran selectivos hasta más no poder. Ellos sabían que la revolución llegaba de las minas, no de las aulas de la universidad. Aunque aquel final de año de 1968, las noticias de París, lo sucedido en Berlín, las imágenes de Berkeley, los alaridos de dolor y rabia cuyos ecos sonaban todavía en Tlatelolco, les habían puesto sobre aviso. Los tiempos estaban cambiando.

Dos

Subió las escaleras de dos en dos, intentando contener los jadeos, no fueran a alertar a los vecinos. El inmueble era un caserón antiguo de la calle de Embajadores, en cuyo portal había una placa conmemorativa de algún inquilino ilustre de los tiempos de la Restauración. Los peldaños crujían solemnemente al paso del hombre, que combinaba la celeridad y la discreción a la hora de pisar fuerte sobre las llagas que miles de pies habían provocado en la madera. Aunque la luz era poca y la prisa mucha, Ramón no pudo evitar la reflexión que siempre le asaltaba cuando acudía a aquel lugar: «Esto está pidiendo a voces una mano de pintura. ¡Y un ascensor!». Cuando llegó al descansillo del cuarto piso, una bombilla, que debía de estar allí desde antes que se inventara la electricidad, iluminó malamente el letrero de la puerta: «Sociedad de Estudios Europeos». Una joven chiquitina y delgada abrió la puerta mientras él intentaba atinar con el llavín. La escrutó de arriba abajo —lo que no ocupaba mucho tiempo— buscando inútilmente sus pezones debajo del jersey verde que la cubría. No se dio por aludida, no aparentemente. Con un gesto de frialdad se limitó a decir:

—Es tarde. Te estábamos esperando.

Al final del pasillo, en una estancia con las persianas echadas y un mobiliario convencional, ocho personas acodaban sus cuerpos en torno a una mesa repleta de tazas de café semivacías y ceniceros rebosantes. Hicieron un confuso ademán de bienvenida mientras Ramón, sin pronunciar palabra, se acomodaba en una silla de madera y se servía agua de una jarra. Carraspeó un poco antes de hablar, pidió que elevaran el volumen de la radio que, sobre una estantería, emitía una música ramplona.

—Perdonad el retraso, he venido en metro y he cambiado varias veces el recorrido, para despistar —los otros asintieron con la cabeza—. Como hay gente nueva, quizá lo más propio es que nos presentemos todos, si no lo habéis hecho ya.

Sólo habían hablado informalmente durante la breve espera y coincidieron en que era bueno hacer las introducciones.

—Empezaremos por la derecha.

—¡Siempre a la derecha, más y más a la derecha! —balbució irónica la chiquita del jersey verde. Luego imitó lo que parecía una carcajada.

El primero en decir algo fue un mocetón guapo y bien vestido, no tendría más allá de veintidós años. Ernesto era italiano y había llegado esa misma mañana de Turín. Estudiante de filosofía, según dijo, andaba involucrado en la inminente fundación de un movimiento que llevaría el sugestivo nombre de Lotta Continua. Pese a que se disculpó por su acento, utilizaba un castellano purísimo, legado de sus ancestros, que embarcaron un día en Valencia hacia Nápoles, donde se establecerían más tarde.

Marta llevaba una blusa de seda natural, casi transparente, que permitía intuir los perfiles del sostén y transmitía una especie de vibración al contorno de su cuerpo. Al hablar, lo hizo vehementemente; henchía el pecho casi hasta la desesperación, en un gesto mágico, absolutamente avasallador. Aseguró llamarse *María,* utilizando su nombre de guerra, aunque todos allí conocían su verdadera identidad, como la del resto de los presentes. No era sólo el afán de juego lo que les llevaba a comunicarse por sus apodos y a extremar las precauciones sobre su protección. Ponían la radio a todo volumen, no les fueran a grabar, realizaban cambios de itinerario, eran discretos al teléfono, sólo utilizaban nombres supuestos, todo lo consideraban como una forma de entrenarse por si algún día, no lejano, tenían que pasar a la clandestinidad absoluta. También, si alguien resultaba apresado, era una manera de memorizar los apodos que podían revelar a la policía, dando la sensación de que no sabían los verdaderos nombres de sus compañeros.

Marta se extendió un poco sobre la personalidad de Ernesto, al que conocía —explicó— desde niños, aunque ella era mucho más joven, y sobre la cambiante situación política italiana. Luego le llegó el turno a *Lorenzo,* un hombre de aspecto maduro y gesto encapotado, empleado administrativo en una fábrica de automóviles. Apenas frisaba la treintena pero era el mayor de los reunidos y, también, el único que había estado en la cárcel. Dos años le cayeron, por propaganda ilegal, a raíz de la convocatoria de una huelga en la que participó activamente. Lorenzo pertenecía a la dirigencia sindical y, tanto por su edad como por la experiencia que acumulaba, merecía el respeto y la admiración de los demás. No obstante, no tenía ninguna ambición de liderazgo y prefería ejercer su magisterio político, reconocido por todos, desde una posición casi de observador. *Pablo* trabajaba como profesor ayudante en la Central. Grueso, simpático, fumador de puros baratos, ocultaba su condición de homosexual reprimido bajo un severo traje de espiga que le hacía parecer mucho mayor de lo que en realidad era. Tras su turno, le llegó la vez a *Cristina*. Ramón volvió a medirla con la mirada. Era menuda, con aspecto de empollona, descarada, casi antipática, no muy guapa. «Aunque bien pensado, tiene un polvo por lo menos.» No tuvo más remedio que reconocer que le atraía aquella mujer que, de tan esmirriada, podría pensarse que era etérea. Cristina, la camarada Cristina, como se empeñaba ella en autoidentificarse, estudiaba arquitectura y era hija de un general retirado, presumía de ser la más radical del grupo, al menos verbalmente, y actuaba de secretaria no porque nadie se lo hubiera pedido sino porque, como en el caso de la jefatura de Ramón, o en el de la autoridad casi magistral de Lorenzo, parecía desprenderse de la naturaleza de las cosas. *Andrés* era reportero en un diario de la tarde de Madrid. Sus ratos libres los biengastaba en las tertulias literarias y en colaborar para alguna radio. Aunque muy joven todavía, era el único casado de los miembros de la célula, y también el más indisciplinado y errático en sus comportamientos, pero resultaba útil tanto a la hora de obtener información como de transmitirla. Lo único que los demás no le perdonaban era su afición desmedida al alcohol. Cuando les llegó la vez a los hermanos Francisco y Jaime Alvear, estudiantes de ingeniería industrial, se disculparon porque todavía no eran dueños de seudónimo alguno, y apenas esbozaron un saludo gestual. Callados, obedientes, su aire de cierta pacatería no lograba ocultar que estaban sometidos a algún tipo de influencia o de posesión por parte de Pablo, que se ocupaba de ellos con una atención meticulosa. Terminadas las presentaciones, Ramón hizo uso de su turno.

—Soy el compañero *Tomás* y estoy muy satisfecho de dar hoy la bienvenida a Ernesto, de paso por Madrid, y a Francisco y Jaime, que se incorporan al equipo. Por cierto, éstos son sus verdaderos nombres, y conviene que vayan buscándose un alias —hubo un murmullo aprobatorio—. La situación está empeorando. El gobierno amenaza con el estado de excepción y cada día es mayor el número de compañeros en peligro. Aumentan las detenciones y las noticias sobre casos de malos tratos y torturas.

La consigna, en una circunstancia semejante, era sumergirse, desaparecer, por lo menos hasta que recomenzaran las clases. Después ya verían. No deberían llamarse por teléfono en ese tiempo, ni visitar la casa donde se hallaban, por si estaba marcada. Se preparaban acciones importantes. El partido convocaría una huelga general dentro de unos meses y era preciso ir creando las condiciones, el caldo del cultivo. «Yo me largo al sur, a la playa», comentó Marta risueña. Cristina le recriminó su frivolidad, estaban hablando de cosas serias. Ernesto no militaba ya en el comunismo, se había convertido en un partido burgués, de orden, sin hálito ni empeño revolucionario. Su experiencia le decía que era necesario un cambio, discutiendo en los cafés, publicando artículos que burlaran la censura, criticando a los profesores o incluso distribuyendo octavillas no se arreglaba nada. Había que actuar. «Actuar, ¿cómo? ¿Poniendo bombas? No tenemos.» Pablo se apresuró a pedir sensatez.

—Pero ¿de verdad estamos hablando de violencia? Mirad la ETA, hay mucha división entre los camaradas. No creo que todos quisieran colaborar.

Hacía relativamente poco que los activistas del separatismo vasco habían comenzado su lucha armada. En agosto, en un barrio de San Sebastián, lugar de veraneo de la oligarquía financiera y del aparato burocrático franquista, el comisario Melitón Manzanas había caído asesinado a tiros en el descansillo de su casa. Las siglas de la organización Euskadi Ta Askatasuna comenzaron desde entonces a hacerse conocidas entre la población española. Los comandos armados atacaron, semanas después, a otros cuantos policías, a los que cazaron como conejos, disparándoles por la espalda. Bombas de menor calibre en algunos establecimientos públicos y atentados contra instalaciones eléctricas o de radio completaban una saga de acciones delictivas que comenzaban a alarmar seriamente a las autoridades. Apenas unos años antes, habían sido abatidos por la Guardia Civil los últimos supervivientes del maquis que socialistas y comunistas organizaron después de finalizar la guerra civil. Durante lustros, las partidas sembraron el terror y la esperanza en las aldeas de Galicia, Asturias o Castilla. El Ejército se empleó con dureza contra los guerrilleros, diezmando a veces las poblaciones que les prestaban su ayuda y organizando contrapartidas informales, en las que enrolaba picoletos y voluntarios que se dedicaban a arrasar las haciendas de quienes, por miedo o por complicidad, se negaban a denunciar a los activistas. La reaparición de la violencia política, a manos de aquellos airados jóvenes vascos y con el amparo de un buen número de clérigos, amén de la simpatía de no pocos sectores de la burguesía local, constituía un desafío inédito a los ojos del régimen. Pero el movimiento era por naturaleza desconfiado y recelaba del resto de la oposición, los contactos con ETA resultaban difíciles y sus puntos de vista diferentes. Muchos demócratas acusaban a los etarras de que con sus acciones no lograban sino radicalizar la represión, todo parecía más difícil bajo la ominosa sombra de los entierros de sus víctimas, pero ellos insistían en su dialéctica del «cuanto peor, mejor», pensaban que, si su acoso a las instituciones franquistas tenía resultado, el Ejército acabaría por intervenir, lo que por fin galvanizaría a la dormida población en contra del dictador. De todas maneras, ETA era todavía sólo un embrión, algo mínimo comparado con lo que sus militantes soñaban en construir, el verdadero partido de la revolución vasca.

—No estoy hablando necesariamente de bombas —continuó Ernesto— aunque yo no descartaría ningún método. Huelgas, marchas de protesta, sentadas pacíficas, pintadas... hay mil maneras de hacer patente nuestra actitud.

—Lo esencial para nosotros es la Facultad —terció Pablo—. Es allí donde podemos y debemos realizar nuestro trabajo político.

—Pero no podemos dejar solos a los comités de las fábricas —Lorenzo parecía resuelto a jugar su papel en la reunión—. El movimiento estudiantil sólo tiene sentido como punta de lanza del verdadero movimiento popular, el obrero.

—Dejemos de teorizar —saldó Ramón la discusión—. Lo importante, ahora, es desvanecerse hasta que lleguen otras instrucciones. Lo de la huelga general está en marcha.

Cristina debía tener los pezones planos, pensó mientras hablaba, porque no se le notaban en absoluto. En cambio Marta era de una exuberancia agresiva, casi tropical. ¡Se alegraba tanto de volver a encontrarse con Ernesto! ¿Qué le parecían sus amigos? La célula se reunía en aquel piso una vez por mes, o cada tres semanas, según demandaran los acontecimientos, y cumplía las veces de nódulo político, club de debates y grupo de amigotes. A veces invitaban a simpatizantes, los citaban para una hora más tarde, compraban salchichón y ginebra a granel e improvisaban después un guateque. Pablo contó que así se hacían también las cosas en el Opus y en otras organizaciones católicas, pero sin la parte lúdica del final, que para los más aventurados acababa en cama, aunque la promiscuidad estaba mal vista, engendraba sospechas, deslealtades, y más de uno se había visto sometido a autocrítica por ello. Ernesto no se sorprendía de nada, había demasiadas cosas rancias en el comportamiento de los comunistas, cualquiera que fuese la fracción escindida del partido a la que pertenecieran, o incluso si lo hacían al partido mismo, para empezar por aquel insufrible sentimiento de culpa social, las apelaciones a la disciplina y al orden, el fanatismo casi religioso en el servicio a la causa.

También se daban cita en las tascas, en los cafés, en el comedor universitario, aprovechando un hueco entre clases, convocándose a deshoras, moviéndose continuamente, burlando la vigilancia, tiritando de frío, de temor, de indecisión y de entusiasmo. Se trataba, entonces, de llamadas imprevistas, un poco autónomas, que trataban de dar respuesta inmediata a cualquier acontecimiento. ¿Qué tipo de respuesta?, se burlaba ahora Ernesto. Palabras, palabras, palabras...

La reunión terminó con una colecta para los compañeros detenidos. Algunas esposas de líderes sindicales encarcelados no tenían ya ni para pagar el recibo de la luz. Entre todos los presentes reunieron dos mil quinientas pesetas que Lorenzo se encargaría de hacer llegar a su destino. Se fueron uno a uno, dejando pasar intervalos de cinco minutos, despidiéndose en el descansillo como la novia del soldado que parte de viaje a cualquier guerra. Cristina sería el enlace, ella avisaría para la próxima reunión.

—Ya cerraré yo —le dijo Ramón a la chica—, puedes irte. Voy a quedarme a recoger unos papeles.

Se hizo la remolona, insistió en que no le importaba retrasarse. La frialdad de que había hecho gala a su llegada desapareció, quizá necesitara algo, o simplemente podían hablar... no tenía prisa. ¿Por qué no conocerse un poco mejor?

—¡He dicho que te vayas! —estalló él con brusquedad. Luego se disculpó, le hizo una caricia levísima en la mejilla y cerró la puerta, quedándose solo en el piso.

Marta aguardaba en el bar de enfrente, tomando a sorbitos un cortado, con la mirada clavada en el portal. Todavía esperó un rato después de que viera salir a Cristina, preguntó dónde estaban los servicios, al fondo a la izquierda, como siempre, era un cubículo sucio, lleno de grasa y con olor a orines, sonrió pensando en el lugar que había escogido, se bajó las bragas e intentó, inútilmente, sentarse en el lavabo, optó por aventarse el agua con la mano, untada de un jabón pastoso, luego utilizó una gran cantidad de papel higiénico para secarse, rascaba como una lija y el apenas poblado montecillo de Venus le escocía del frote, sacó un desodorante vaginal del bolso y se roció con atención, después salió afuera, cruzó la calle y ascendió las escaleras a toda prisa, notó que el corazón se le salía del pecho, pero comprendió que no era por culpa del ejercicio físico.

Cuando Ramón abrió la puerta se le echó en los brazos antes de dejarle pronunciar palabra. Aquella tarde se amaron como si fuera la primera vez que lo hacían en la vida. O como si pudiera ser la última.

Tres

Desde la terraza se divisaba el grao, casi desierto, sucio, orlado de apartamentos de mala encarnadura, testigos del *boom* turístico de los sesenta. Al fondo, agazapado sobre la roca, permanecía el pueblecito pesquero que daba nombre a la urbanización. Una angosta carretera, bordeada por palmeras y unas cuantas farolas rotas, hacía las veces de paseo marítimo. Ahora veía a Marta deslizarse en bicicleta por el camino, con el cabello al viento y el capachito colgado del manillar. Hizo un gesto con la mano, tratando de llamar la atención, pero la chica no pareció verle. Sentado frente al mar de enero, mientras veía pasar los cormoranes y aguardaba a su novia, Alberto no hacía sino darle vueltas a las noticias que llegaban de Madrid. La radio acababa de informar sobre nuevas deportaciones, comunistas, socialistas, democristianos... parecía que nadie fuera a librarse de aquella pena arcaica y un poco romántica del destierro, estaba en la tradición española. A decir verdad, él no encontraba mucha diferencia entre su apartamiento voluntario en la costa almeriense y ser conducido por la Guardia Civil a cualquier pueblo perdido de la España pobre, aunque eran de agradecer el clima y ese color azul del cielo, fundiéndose con el del mar, en contraste singular y abrupto con las playas de arenas grises, pizarrosas. Pero, a la postre, quedaba la misma sensación de soledad y abandono.

Y, sin embargo, el destierro no era lo peor, no podía serlo. A Enrique fueron a prenderlo a su casa, pasó varios días en la sede central de la policía, hasta que lo llevaron a un piso de la calle de General Mola. Marta lo conocía de la universidad pero no congeniaba mucho con él, los amigos aseguraban que era un ser angelical, «bueno de veras», y era quizá esa bondad la que a ella le ahuyentaba. Lo metieron casi a patadas en el ascensor de la finca, parecía que buscaban propaganda ilegal —una *vietnamita,* como llamaban a las rudimentarias multicopistas clandestinas, más parecidas a un planígrafo que a otra cosa—, o el diablo sabía qué, media hora después se oyó un grito y el golpe seco del cuerpo del muchacho al chocar contra el suelo de un patio interior. Se había desprendido desde la terraza de un cuarto piso. Las explicaciones de la policía resultaron contradictorias: que si se había escapado y resbaló en la huida, o que se suicidó presa del pánico al ser consciente de lo horrible de sus crímenes o de las acusaciones que le amenazaban. La opinión pública reaccionó de forma airada, interpretando que aquello había sido, lo mirara uno por donde quisiera, un auténtico asesinato. Quizá tenía razón Dionisio, quizá hasta ese mismo momento la represión había sido discriminada pero la víctima, en esa ocasión, habitaba para desgracia de sus verdugos en el barrio de Salamanca, sede de las clases pudientes sobre las que se apoyaba la dictadura, no era un resentido perdedor de la guerra al que sus alcaudones pudieran despeñar por un balcón para ocultar las marcas de las sevicias que le habían infligido, era un estudiante de buena familia, emparentado con las elites del régimen. Mamá Flora les comentó al teléfono los detalles de la muerte, que la radio había desfigurado siguiendo consignas. A Marta se le escapó una lágrima discreta, quién sabe si porque sentía complejo de culpa por no haber sabido ser más amiga suya. Los diarios se esforzaban en hacer creíble la versión del gobierno, que tendía a explicar el suicidio del muchacho como el resultado inevitable de una personalidad pusilánime y atormentada. La publicación por el portavoz monárquico, el mismo que había alentado el levantamiento franquista de 1936, de unas páginas del diario personal de Enrique, incautado por la seguridad del Estado y filtrado a Torcuato Luca de Tena, colmó la indignación de los sectores que lideraban la protesta estudiantil. Por primera vez en muchos años, las calles más representativas del Madrid burgués conocieron una auténtica manifestación antifranquista con ocasión del sepelio del infortunado joven. El revuelo causado por la muerte de Enrique Ruano fue el definitivo golpe de gracia para que el gobierno determinara pasar a la represión más directa. Apenas tres días después de los hechos, decidió decretar el estado de excepción.

Pero esa mañana de enero era la de un día luminoso. Marta se había puesto un suéter carmesí, de lana fuerte y muy escotado. Alberto la miró desde lejos, entornando los ojos para protegerse de los rayos del sol. «Con esa vestimenta, seguro que ha puesto en pie de guerra a todo el pueblo.» Alzó de nuevo la mano, agitándola al tiempo que emitía una especie de quejido. Ella por fin le oyó, levantó la mirada y sonrió con alborozo.

—*Ciao, giá sono qui.*

La frase sonó con un timbre trascendente, como si fuera el saludo del cielo y, por un momento,

Alberto dejó de aborrecer a Franco, a don Epifanio y a todo lo demás. A ellos les debía, al fin y al cabo, aquel tiempo de felicidad.

Llevaban una vida sosegada, se levantaban tarde, y las mañanas eran para leer la prensa —ahora bajo censura previa—, estudiar un poco y trabajar en las tareas domésticas. Había recibido el encargo de hacer un informe sobre las consecuencias del tratado preferencial de España con el Mercado Común, lo que le permitía seguir cobrando del ministerio y, al tiempo, enterarse de algo que le interesaba. Marta luchaba con el Derecho Civil durante un rato hasta el mediodía, momento y hora en que comenzaba su baño de sol integral. Tendida cuan larga era sobre la terraza, los escasos vecinos no podían verla, y aprovechaba para ponerse en cueros y embadurnarse de aceite. Se amaban por las tardes, cuando el murmullo de las olas al estrellarse contra la playa rompía el silencio, un poco abstracto, de la urbanización. Luego salían a tomar cualquier cosa en las tabernas del puerto —la mayoría, cerradas en esa época— o hacían pequeñas excursiones por los alrededores, abruptos y resecos como los de un paraje lunar.

Marta dejó la bici en el portal del inmueble, agarró el capachito y subió hasta el tercer piso tarareando la Internacional.

—Te he dicho que no cantes eso, es peligroso.

—Yo soy extranjera, y con pasaporte diplomático. Nadie va a hacerme nada. No pueden.

—Si tu padre se entera de que estás conmigo no te ampara a ti ni el sursuncorda.

La besó, una, dos, tres veces.

—No sabes hacerlo, Alberto. Todavía no has aprendido a besar.

—¿Y a lo demás?

—Lo demás no importa. El beso es lo que cuenta. Sin él no existe el amor.

Secó la saliva de sus labios, se deshizo del abrazo del otro, corrió al cuarto de baño y se metió bajo la ducha. Estaba sudando después del paseo. Tuvo que forcejear un poco para darle a entender a Alberto que no era el momento de irse a la cama. Mientras se enfundaba de nuevo el suéter rojo, hizo la pregunta como distraída.

—¿Cuánto tiempo llevamos ya aquí?

—No sé... tres semanas o algo más.

—Entonces nos vamos. O yo me voy, por lo menos. No aguanto. Esta pasividad me está volviendo loca.

Se sintió mal, le molestó que Marta no compartiera aquel sentimiento de placidez que le embargaba. Por las mañanas él abría el balcón a la neblina que ascendía del mar y respiraba fuerte, llenándose de nubes, mientras ella rezongaba todavía sobre el lecho, desmantelado por las batallas nocturnas. Las sábanas estaban húmedas y olían a sal, y a semen, y a sudor. Alberto dejaba que la brisa inundara el ambiente espeso, absorbía el aire a borbotones, se llenaba de él, «viene de Italia, de Cerdeña, de Sicilia, del Líbano viene, Marta, ¿no te emociona?, es un viento siroco, caliente y tierno», y ella, que le dejara dormir un rato en paz, que no le hablara más del día de su boda, los invitados, la luna de miel en Venecia, el hogar que formarían juntos.

—La familia es una convención burguesa —le susurraba al oído mientras calzaba de nuevo el preservativo en su pene—. Lo que pasa es que a mí la píldora me sienta fatal. Y engordo.

Se irían si ella lo quería, pero era el peor momento. Las medidas del gobierno hacían cundir el pánico entre los amigos, ¿y qué podía hacer Marta en Madrid, si no había clases? Los acontecimientos habían ido muy rápido. La universidad se abrió después de las vacaciones, casi al mismo tiempo que el príncipe Juan Carlos, hijo mayor de don Juan de Borbón, aspirante al trono de España, hiciera unas declaraciones a la prensa en las que se presentaba como eventual candidato a ceñir la corona de una monarquía instaurada por el dictador. «Los monárquicos comprenden que ante todo está el bien de España», respondió ante la insinuación de que los legitimistas no admitirían romper la cadena dinástica y pasar por encima de los derechos de su padre. «Soy español y como tal respeto las Leyes fundamentales de mi país.» No sabía el joven Príncipe que dichas leyes, remedo de Constitución que la dictadura había dado a España, iban a ser suspendidas poco después en lo que concernía a las garantías individuales de los ciudadanos. De otro modo la prudencia le habría llevado a no elogiarlas tanto. Las algaradas estudiantiles no cesaban; a mediados de mes, los rectorados de Barcelona y Madrid habían sido ocupados por estudiantes revoltosos. El mimetismo del Mayo parisino arrastraba a los airados jóvenes españoles, les hacía sentirse ciudadanos del mundo, escapar del tedio, el provincianismo lúgubre y la sinrazón que les envolvía, de aquella España sin horizontes, plagada de uniformes, de charreteras, de himnos, de aquel mundo de envaramientos y dignidades. El surrealismo y la utopía marxista se daban la mano en las pintadas que embadurnaban los muros de las facultades. «Seamos realistas, pidamos lo imposible.» La máxima había corrido como un reguero de protesta desde los pasillos de la Sorbona. Fueron en aumento las ocupaciones de cátedras, los juicios a profesores y los enfrentamientos con la fuerza pública en los *campus* universitarios. El ministro de Información, que compaginaba la amarga tarea de encabezar la censura del régimen con la más consoladora de administrar el sol de España desde la cartera añadida de Turismo, compareció ante la prensa intentando justificar las medidas excepcionales adoptadas por el gobierno. «Se utiliza la generosidad ingenua de la juventud para llevarla a una orgía de nihilismo, de anarquismo y de desobediencia... unos cuantos malvados y ambiciosos han querido capitalizar en su beneficio esta situación. Quiero hacer una seria advertencia a los incitadores y a quienes les sigan a partir de este momento, porque caerá sobre ellos, y no son palabras, todo el peso de la ley. Pero ningún hombre de bien y de paz, tiene por supuesto nada que temer ni que perder.»

—Escucha, Marta, Madrid es peligroso. Los amigos están detenidos o se han dado a la fuga. ¿Qué quieres hacer allí?

—Luchar.

Lo dijo con tal resolución de ánimo que él se espantó. ¿Luchar cómo, contra qué, de qué manera? La policía entraba en las casas de los sospechosos sin orden judicial, y sospechoso era casi todo el que no dijera amén, las ciudades respiraban miedo y las sombras de la guerra civil se cernían sobre la memoria colectiva de la población, ¿a qué crearse más problemas de los que ya tenían? Al fin y al cabo habían ido allí huyendo, argumentó Marta, eligiendo un exilio temporal y patético, de modo que no le pidiera ser feliz, ni con toda la belleza que les rodeaba, los baños de mar y de luna inundando su existencia, el *dolce far niente* que les permitía, incluso, visitar con frecuencia a don Julián, el médico del pueblo, un antiguo conocido de los padres de Alberto, que les ofrecía té con pastas caseras, les abrumaba con la conversación —lo mal que se estaba poniendo todo por Madrid—, les enseñaba la consulta, equipada con el último grito de la ciencia y la técnica.

—Esta máquina es alemana, muy cara —mostró orgulloso su última adquisición para la pequeña clínica—, pero se le sacan buenas perras, aunque más de la mitad de los gitanos de por aquí ni me pagan. Claro que, con tal de que no me atraquen, yo contento.

—¿Te has fijado? —comentaría luego Marta—, los médicos no hablan más que de dinero. Les da lo mismo la salud de la gente. La revolución tiene que ser también contra ellos.

—Los médicos, los arquitectos, los intelectuales... Todo el mundo es igual.

—No todo el mundo, algunos creemos en la justicia.

La miró con curiosidad; se preguntó si en realidad la amaba, o si era sólo el deseo. Les separaban dos culturas diferentes, dos familias distintas, dos formas de ver la vida que a veces parecían casi contrapuestas. Marta rebosaba ingenuidad: las cosas eran blancas o negras para ella y si criticaba a quienes buscaban el dinero era, sencillamente, porque no le había faltado nunca.

—La justicia no es de este mundo —murmuró él entre dientes.

—Pues todo lo que no está en él no existe verdaderamente.

—¡Vaya!, ¿vamos a discutir por una cosa así?

De regreso a casa se sentaron un minuto en un banco desportillado de la alameda. El viento, como la mar, estaba en calma y el olor a salitre trepaba desde la orilla del acantilado.

—Es hora de volver a Madrid, Alberto —se acurrucó entre sus brazos—. Los compañeros me necesitan.

—Mañana llamaré a don Epifanio a ver qué tal le parece.

Y la besó en la boca mientras rezaba al cielo para que esta vez sí, para que esta vez ella aceptara que sabía cómo hacerlo.

Cuatro

Eduardo Cienfuegos, Andrés para los camaradas, enseñó su credencial al guardia de la entrada, que le franqueó desganadamente el paso. En el Salón de los Pasos Perdidos se arremolinaban algunos periodistas y una nube de políticos uniformados. Los procuradores en Cortes habían sido convocados para escuchar las explicaciones del vicepresidente del gobierno, un íntimo amigo de Franco, marino —lo que le hubiera gustado ser al Caudillo—, católico de comunión diaria, como tantos otros prebostes del momento, y que pasaba por ser el hombre fuerte de la situación. Muchos franquistas no lo apreciaban empero, comenzando por los militares, que no cesaban de criticar el hecho de que hubiera llegado al almirantazgo sin necesidad apenas de embarcarse en una falúa, y sólo en pago a sus capacidades como servil confidente del Generalísimo.

Se acomodó en una de las butacas de Prensa, en el segundo piso, y se entretuvo contemplando las caras de los asistentes. Muchos vestían de chaqué, como si fueran los testigos de una boda entre novios de clase bien, mientras otros lucían impecables uniformes blancos, refulgentes como túnicas o como mortajas sobre sus camisas azul mahón. Se sintió maravillado ante la brillantez del espectáculo. Un repostero con el escudo de España presidía la tribuna, en la que los sitiales del regidor de la asamblea y del orador principal aguardaban vacíos el comienzo de la sesión. Los ministros habían ocupado ya sus sillones, justo debajo de la presidencia, sobre el rostrum y de cara a los congregados, ubicación que indicaba bien a las claras quién mandaba en aquel parlamento, concebido más bien como escuela de adoctrinamiento que como lugar para el debate. La gente cuchicheaba mientras circulaba entre los escaños y hasta arriba subía una especie de murmullo continuado y altisonante, una melaza de palabras indescifrables que se fundieron con los aplausos cuando el almirante entró en la sala y ocupó su estrado. Era un individuo de porte corpulento y andar parsimonioso, con una cara reconocible entre un millón por culpa de aquellas cejas, pobladas como dos retamas de algodón ennegrecido, y de unas orejas inmensas, elefantiásicas, que amenazaban con derramarse por el suelo en cualquier instante. Por lo demás, entre las innegables virtudes de aquel frustrado navegante no estaba, desde luego, la que le diera fama a Demóstenes. Erguido frente al micrófono, disimulando con cierta marcialidad su agradecida barriga, procedía ahora a leer con voz monótona las explicaciones que el gabinete daba sobre los sucesos estudiantiles y sus secuelas políticas. «Fue alcanzado un límite intolerable, no sólo para la dignidad de la universidad, sino para cualquier español bien nacido.» Aquí hizo una pausa, bebió agua y elevó, como emulando al trueno, el tono de su discurso. «¡Se llegó a la colocación, en los centros docentes, de pancartas injuriosas para la patria y el Jefe del Estado, a la exhibición de la hoz y el martillo, a ultrajes al crucifijo y a la bandera nacional!» La ovación unánime pareció apabullar al disertante, que procedía a su tarea exento de cualquier pasión por sus propias palabras. Miró al auditorio con curiosidad, por encima de sus gafitas de concha, difícilmente sujetas sobre la nariz gruesa, contundente. Era obvio que no sentía la necesidad de convencer a nadie y que realizaba un trámite obligado, pero inútil. El teatro de la política adquiría así, pensó Eduardo, todas sus connotaciones de simulacro, cercanas al engaño. Sin embargo, descubrió algunas dotes de cronista en el amanuense del discurso. «Los conflictos estudiantiles fueron pasando por escalas sucesivas. Las faltas de respeto al profesorado digno fueron creciendo; el desorden pasó a las inmediaciones de los centros docentes; comenzaron los enfrentamientos con la fuerza pública; empezaron las pedradas, el derribo de vehículos, las huelgas, las reuniones no autorizadas, etcétera...» Su vecino de asiento, un periodista entrado en años, de aspecto marrullero y dudosa fama, se inclinó sobre él y le preguntó sarcástico:

—Oye, tú, ¿qué entenderá éste por profesores dignos?

—Pues está muy claro: de casa al trabajo y del trabajo a casa.

—Como yo, entonces.

Cuando acabó la sesión, no esperó a que se despejara el salón de plenos y emprendió veloz carrera hacia la redacción del periódico, un inmueble en estado cochambroso, relativamente vecino al palacio de las Cortes, y que alzaba su vetusta estructura junto a un barrio de reminiscencias literarias. A la espalda misma del diario todavía funcionaba la taberna de la calle de la Luna, convertida ahora en restaurante económico, y en la que los parroquianos más antiguos recordaban haberse topado con las caras de Neruda o Vallejo. Allí recaló Eduardo después de pergeñar una crónica a vuela pluma en la que daba cuenta de las explicaciones gubernamentales. Cristina le había llamado por teléfono al periódico y se dieron cita en la tasca, manteniendo el tono melodramático y misterioso de su comunicación. Cuando llegó, encontró al camarada Andrés jugando al billar de luces en una esquina del chigre, rodeado de barriles de cerveza y un buen montón de cáscaras de gambas, que alfombraban el suelo del local ante la indiferencia del asturiano que lo regentaba.

—¡Adivina quién te dio! —dijo la chica mientras le asaltaba por detrás e intentaba, torpemente, taparle los ojos.

Sintió un repelús, se tensó como un tiragomas cuando notó que la mano de ella se posaba descaradamente sobre su paquete.

—Cada día estás más bueno, jolines. No sé cómo tu santa te deja solo por ahí.

Eduardo le hizo una caricia en la frente, procurando un gesto que no le comprometiera demasiado. Se sentaron junto a un velador cercano y Cristina puso sobre la mesa una bolsa de deportes bastante pesada.

—¿Has oído al Cejas por radio? —preguntó él—. Ese tío es un troglodita.

—¿Te refieres a Carrero?

—¿Quién si no? El Cejas, el Orejas, como quieras llamarle...

—Lo que es... es un cabrón, y un idiota. ¿Sabes que dicen que su mujer se la da con queso? Y que fue a un abogado del Opus para que los separara y el tío, que debía de ser cura o algo así, lo que hizo fue reconciliarlos. Por eso el Opus manda tanto ahora. Agradecimiento de cornudo.

—Pues cornudo o lo que sea, lo ha dicho bien claro. Aquí no se mueve ni una hoja. Y el que lo haga, al paredón.

—O a Extremadura —dijo ella con guasa—, que es donde está Tomás.

—¿Tomás, qué Tomás?

—Pues cuál va a ser, nuestro amado líder —no abandonaba el tono socarrón. Luego se puso más seria—. No sé por qué me río, quizá es que estoy nerviosa. Lo fueron a buscar hace un par de días.

—¡Caray! Comienzan a silbar las balas.

—¡No sabes cómo! —hizo un gesto pícaro—. Por eso te traigo el arsenal.

Mientras lo decía, abrió el petate y mostró lo que había en su interior. El camarada Andrés se sintió palidecer cuando vio la pistola y su munición, revueltas con una colección de panfletos, ediciones atrasadas de *Mundo Obrero* y un par de bragas de mujer.

—¿Qué haces con eso por ahí? Si te agarran te apiolan.

—La ropa interior es para disimular. Quiero saber si me lo guardas. En el periódico no van a registrar, le pones un candado al macuto y lo ocultas en tu armario. ¿Harás eso por mí?

El camarada Andrés titubeó. La cuestión le vino otra vez a la mente, ¿iban a pasar a la lucha armada?, ¿eran ésas las recomendaciones del italiano? El italiano no tenía nada que ver, le aclaró la chica, mientras él notaba una especie de hormigueo o de calambre subiéndole de la entrepierna al ano, eso debe de ser lo que llaman canguelo, o acojonamiento simple, pensó. Trataba de descubrir qué era lo que más le azoraba, si el contenido del talego o el recorrido mágico que las manos de Cristina comenzaron a hacer sobre su pecho, indagando sus pezones viriles, apenas bordeados por un vello oscuro, resbalando los dedos hacia el ombligo, investigando el torso.

—Está bien, si no hay más remedio...

Se levantó y agarró la bolsa sin mirarla apenas, como queriendo ignorar su existencia, eludiendo cualquier respuesta a las insinuaciones.

—Ahora me voy —añadió presuroso, y la emprendió calle abajo, camino otra vez del diario.

Cristina esbozó una sonrisa de triunfo. Andrés, Eduardo, o como quisiera él que lo llamaran, era lo único tierno e interesante de todo el grupo. Seguro que le había metido en un problema, pero ¿quién los evitaba a esas alturas de la jugada?, si quieres peces, mójate el culo, chaval, y a Ramón, el camarada Tomás, que le fueran dando por el mismo, lo del destierro se lo tenía merecido, por pendejo y no saber cuidarse. Salió del local. No anochecía aún, pero el día era gris y lloviznaba, por lo que las farolas estaban ya encendidas. En pocos minutos ganó la plaza del Callao. Varias furgonetas de la policía, con los cristales protegidos por unas rejillas metálicas, se alineaban junto a la acera y un nutrido número de agentes invitaba al público a que circulara. El tráfico humano, cada vez más espeso, hacía barruntar que se preparaba algo. Estudiantes, obreros del metal, sindicalistas, se confundían entre el gentío con los que aguardaban cola para sacar entradas en los cines próximos, o con las amas de casa que retornaban, atareadas y gozosas, de las rebajas de los grandes almacenes. De pronto, en apenas unos segundos, un corro de veinte o treinta jóvenes se apiñó al otro lado de la avenida. Con el puño en alto comenzaron a gritar, encarándose con los guardias. «¡Policía asesina! ¡Policía asesina!» Una docena de uniformados, enfundados en sus inconfundibles abrigos grises y tocados con un casco de aspecto ridículo, se abalanzó contra ellos, blandiendo sus porras y echando mano a las cartucheras. Se organizó una confusión enorme, la gente comenzó a correr en todas direcciones mientras los antidisturbios desplegaban sus fuerzas, las mujeres gritaban y los más prudentes trataban de refugiarse en los comercios o en los portales. Cristina comenzó a andar a grandes zancadas, le pareció que así disimulaba, ¿de qué o por qué?, hasta que el miedo se apoderó de ella y emprendió una carrera sin rumbo. Notaba a sus espaldas el resoplido grosero de una patrulla de energúmenos, las exclamaciones con que se arengaban a sí mismos, «¡a por la puta esa, que se nos escapa!», luego tropezó, o no, la empujaron, percibió en el cogote un aliento soez, como de penco, y el escozor formidable del mandoble que la rozaba apenas, emitiendo un sonido de venablo y estrellándose al fin contra sus nalgas, más tarde un silencio inmenso, un agujero sin fondo en la memoria, como un final abrupto, y después nada.

Cinco

Don Epifanio Ruiz de Avellaneda cruzó con esmero sobre su pecho la bufanda a cuadros, regalo de su mujer por Navidad, y comprobó lo bien abrochado de su abrigo.

—Hace un frío que ni en la guerra —murmuró de mala gana, luego de despedir al chófer.

Atravesó la calle de Alcalá casi al galope, sin esperar a que el semáforo se pusiera verde para los peatones, y aceleró aún más el paso por la avenida de José Antonio. Menos de cinco minutos después, entraba en el café, resoplando y frotándose las manos, como queriéndose dar calor con el gesto. No había mucha gente a esa hora; las pocas busconas que por entonces frecuentaban el lugar eran ya meritorias ancianas, como buena parte de los camareros; la vetustez del personal resultaba coherente con la del establecimiento, que transpiraba un ambiente de tranquilidad. Sentados en un rincón, bajo los espejos con ambiciones modernistas, los miembros de la tertulia charlaban y jugaban al chamelo.

Don Epifanio alternaba Chicote con el Lyon; no distaban mucho entre sí, pero el último le parecía un círculo demasiado intelectual, no tan desmadrado como el café Gijón, desde luego, aunque en cierta medida igual de comprometedor. En realidad, pensaba, las tertulias literarias y políticas se habían convertido en verdaderos centros de conspiración, si es que no lo fueron siempre. Algunos añoraban los tiempos del Pombo, inmortalizados por el pincel de Vázquez Díaz, y se lamentaban de las dificultades que representaba la vida moderna para seguir manteniendo aquella tradición de reunirse a la hora de la siesta, sin orden del día ni objetivo concreto, con el único fin de solazarse, difamar a los amigos y huir, por unos instantes, del tedio matrimonial.

—¿Habéis visto? Hoy se han vuelto a encerrar en San Hermenegildo. Con los curas ya se sabe..., hay que ir siempre detrás de ellos, o con un cirio o con una estaca.

Don Epifanio acostumbraba a saludar a la concurrencia con las noticias políticas de la mañana.

—Hombre —le contestó Mirandita—, no quiero discutir, pero de la Iglesia no nos podemos quejar. Otra cosa es que ellos también tienen sus jodiendas, lo de dejar a los huelguistas que se reúnan en los templos no me parece ni medio bien.

Hizo un gesto infantil, ruborizado, como disculpándose por la palabrota. Era un cincuentón de pelo gris que escondía una mirada acuosa tras sus abultadas gafas de miope. Democristiano de convicción, vestía como los de su estirpe, con trajes oscuros y gastados que expelían un ingrato olor a naftalina.

—Ahora andan a vueltas con los curas obreros —añadió—, un invento que no saben cómo quitarse de encima.

—Lo que pasa es que son unos desagradecidos. Se lo deben todo a Franco —terció Ansorena, voluntario en la División Azul antes de hacerse militar de carrera. Ahora estaba retirado y se empleaba en un negocio de representación, vendía aspiradoras puerta a puerta y, cuando la dueña de casa dudaba en abrirle, enseñaba su carné de comandante de la Legión, argumento que de inmediato acababa con toda resistencia.

—Desagradecidos no sé, pero impacientes desde luego —sentenció don Epifanio—. La ley Sindical ya está en puertas, y la de Asociaciones. Si no fuera por los estudiantes y unos cuantos obreros revoltosos, todo andaría de maravilla. Vamos a demostrar que este régimen se transforma, que se sucede a sí mismo.

—La población está nerviosa —volvía a la carga Mirandita—. Todos los días hay noticias de algún jaleo, y la universidad sigue cerrada.

—Por poco tiempo.

—Por el que sea..., sigue cerrada.

—Escucha, hijo —don Epifanio volvió a adoptar aquel aire de patricio, que tanto le gustaba—, mientras la economía marche, aquí no pasa nada. Nunca se ha vivido mejor en España.

—No pasa nada, salvo que nos van a poner, a las buenas o a las malas, al Borbón —se lamentó el militar—. ¡Mira para lo que nos jugamos la vida, aquí y en Rusia! Para que venga un principito de mierda a gobernarnos.

«Después de Franco, las Instituciones», lo publicaba una revista en su primera página, y lo tenía muy claro Ruiz de Avellaneda. No podía encontrarse mejor definición para los proyectos que el gobierno albergaba, o sea que no se trataba sólo del Príncipe, intentó explicar sin mucho éxito, sino de todo un conjunto armónico de disposiciones tendentes a garantizar que la obra del Caudillo no moriría con él. Naturalmente que don Epifanio también había cantado lo de «no queremos reyes idiotas que pretendan gobernar», pero eran otros tiempos, la esperanza de la victoria, el amanecer de una España diferente, hacía ya treinta años del final de la guerra, treinta años coronando el estribillo de la canción con aquella frase lapidaria: «Implantaremos, por las pelotas, el estado sindical».

Miranda estaba de mal humor y no sólo por los acontecimientos. Un hijo suyo iba a entrar en filas y Ansorena se negaba a recomendarle por ver si le buscaban un destino fácil.

—Ya te digo, Mirandita, la mili hace hombres a estos chavales, que se nos van a amariconar todos. Y hablando de maricones, me han dicho que en Barcelona han abierto un club para ellos. Con los catalanes, ya se sabe.

—A mí lo que me preocupa no es si hay Rey o no, sino si vamos a ser capaces de democratizar el régimen —rehuyó Miranda la polémica sobre las otras cuestiones.

—Todo eso son mandangas —Ansorena se encabritaba—. Aquí hay más democracia que en casi ningún sitio. Democracia de la de verdad, de la de poder ir por la calle sin que te atraquen.

—La clave está en la ley de Asociaciones —terció don Epifanio—. Porque partidos políticos, lo que se dice partidos, no los vamos a tener.

—Ni falta que hacen, que lo envenenan todo —concluyó el divisionario.

El resto de la tertulia escuchaba en silencio. Alguno propuso otra partida de dominó, o de dados, decidieron que se apostarían los cafés al mentiroso y le tocó pagar a Ataúlfo, propietario de un garaje y de un taller de reparaciones, que había hecho fortuna en los años cincuenta traficando con licencias de importación de coches. Como viera que el juego se organizaba y que no había fichas suficientes para todos, don Epifanio se despidió cortésmente, haciendo honor a su fama de caballero. Ya en la calle, sacó una boina del bolsillo del gabán y se la caló con cuidado casi hasta las cejas. Dudó un poco después de consultar el reloj. Optó por caminar despacio hasta la Puerta del Sol, buscando inútilmente algún escaparate en el que entretener el tiempo que le sobraba, pero aceleró el paso al sentir el frío sobre las orejas, y maldijo mil veces la ocurrencia que tuvo de despedir al chófer. De modo que llegó a la cita casi con veinte minutos de adelanto, aunque no tuvo que aguardar mucho, porque el señor subdirector general tenía verdadera urgencia en hablar con él, amén de que no iba a hacer esperar a un viejo amigo.

—Quizá te apetece un café.

—No, gracias, ya he tomado.

—O un güisqui, aunque es demasiado temprano para eso, jo, jo, jo, jo, siéntate, Epifanio, ahí en el sillón, te agradezco mucho que hayas venido, en realidad me podía haber molestado yo en acudir a tu despacho, pero con la que está cayendo no tiene uno tiempo para nada.

—La verdad es que no sé cómo te puedes dedicar a esto.

—¿No te gusta el oficio de policía?, no le gusta a nadie, por eso mismo alguien tiene que hacerlo. No son mala gente, les falta un poco de disciplina, eso sí, pero nosotros sabemos cómo aplicarla.

Se miraron llanamente y los dos comprobaron que había desaparecido el antiguo afecto mutuo, aunque la convención de la vida les permitiera seguirse llamando amigos. Había conocido a Esteban Dorado en el frente de Teruel. Ambos vestían entonces el uniforme falangista, frecuentaban los mismos garitos, cantaban las mismas canciones y se emborrachaban con marrasquino contándose al alimón sus fracasos sentimentales. Después de la victoria, todavía anduvieron un tiempo juntos, hasta que Ruiz de Avellaneda escogió la vida civil y se dedicó a la política, mientras que Dorado prefirió el servicio de armas, para el que había que estudiar menos y en el que, si se era listo, se medraba de forma más rápida.

—¡Siempre la disciplina! —comentó don Epifanio posando la mirada en el techo y emitiendo algo parecido a un suspiro—. Me comienzo a preguntar qué hemos hecho mal durante todos estos años.

—No hemos hecho nada mal, nada en lo que no se equivoquen los demás.

—¡Pero fíjate en la situación! Los jóvenes, en la calle, los mineros de Asturias, en huelga... treinta años después no tenemos otro remedio que aplicar la mano dura. ¿Es ésta la paz por la que luchamos?

—No, es la subversión de nuevo. Y de manera más agresiva que nunca.

Hizo un gesto de aprobación con la cabeza.

—Te he llamado por lo de tu ahijado —añadió el policía.

Él se sorprendió.

—¿Se ha metido en otro lío? Le di unas vacaciones largas.

—¿Estás seguro de ese chico?

—Como de mí mismo. Ya se lo dije al ministro, es normal que a su edad se tengan inquietudes. Nosotros las tuvimos.

—Nosotros no éramos comunistas.

—¿Comunista Alberto? Vamos, no me hagas reír.

—No, no lo es. Seguramente no se atreve. Pero es algo peor todavía, un tonto útil, un compañero de viaje.

Se retrepó en los cojines antes de contestar. Estaba molesto con todo aquello, aunque Esteban podía tener razón, a lo peor el chico le había engañado y era un infiltrado en el departamento. ¿Infiltrado para qué?

—Mira, yo ahora no trato mucho a Alberto, con su padre somos como hermanos, pero luego cada uno tiene su familia. Creo que su conducta es intachable, es un buen funcionario y puedo dar la cara por él.

—Allá tú, eres muy dueño. Además no te estoy hablando de si es bueno o malo, pero la social tiene un informe así de largo.

Abrió sus manos en un gesto expresivo de la importancia de la investigación.

—¿Y qué dice?

—Nada y mucho, según se mire. Desde luego no es ningún simpatizante nuestro. Ha firmado el manifiesto de los intelectuales. ¡Carajo, aquí ya es un intelectual cualquiera! Los cantantes, las actrices, incluso las de revista, los periodistas y hasta los pintamonas, todo el mundo piensa que tiene algo que decir sobre el bien y el mal, el cielo y la tierra. A lo que íbamos, tiene contactos con varios cabecillas universitarios, entre ellos un tal Ramón Llorés, como su propio apellido.

—Es su primo, lo conozco de lejos, un señorito. Su padre era republicano, la oveja negra de la familia, ahora está forrado y, por lo que sé, a anticomunista no le gana nadie.

—Bueno, lo que sea, a mí el que me preocupas eres tú.

—¿Yo, por qué?

—Insistes en proteger al muchacho. Pero si un día cae en algo serio no digas que no te lo he advertido.

—Si un día cae en algo, yo seré el primero en cargármelo.

Había conseguido irritarle ese Dorado con ínfulas de sabelotodo, empeñado en dar lecciones al lucero del alba sólo porque tenía unos cuantos matoncillos a su servicio que le organizaban dossieres e informes y pamplinas, buscando enemigos por todos lados, dentro y fuera de la casa, como si el mundo estuviera hecho de buenos y malos, o conmigo o contra mí, qué pesadez, y cuánta incultura, dándole lecciones a él, camisa vieja donde los hubiera, falangista de vanguardia, obediente como el que más, pero no por eso idiota, no por eso dispuesto a no pensar. Se despidió en cuanto pudo, pretextando una urgencia familiar y dándose recuerdos y abrazos para todos, nos veremos, ¿eh?, sí pero ¿cuándo?, ¿por qué la gente que no tiene ninguna intención de volver a encontrarse nunca dice adiós, sino hasta luego? Atravesó solemne el portalón del edificio, un guardia civil se cuadró ruidosamente ante él, ¡a sus órdenes!, se sobresaltó con el taconazo del policía, y le regaló una mirada que parecía paternal pero que podía ser asustadiza, está aquí para defendernos, pensó, pero ¿qué o quiénes le inspiran esa disciplina?, ¿durante cuánto tiempo más la violencia será sólo patrimonio del poder?, ¿cuánto habremos de esperar a que se alce contra nosotros? La noche amenazaba ya las esquinas de la ciudad, y optó por no contestarse a preguntas tan estúpidas, se arrebujó en sí mismo, entornó los párpados y se encogió de hombros. Luego echó a andar hacia su despacho.

Seis

No estaba muy segura de haber acertado cuando concedió el permiso a sus dos únicos hijos para que acudieran a aquellas jornadas espirituales. La viuda de Alvear, católica de las de antes, sabía que los tiempos andaban revueltos en la Iglesia y que ni siquiera se podía fiar una de los curas. Son como ejercicios, pero en moderno, habían dicho los chicos, porque lo de san Ignacio ya no había quien lo tragara, y enseguida aclararon que iba con ellos Gerardo Anguita, dando a entender que su presencia garantizaba el orden necesario. Gerardo solía acudir una vez por semana a cenar a casa de doña Sol, una dama de buen ver dedicada por completo a su familia y a sus rezos. Bajo sus maneras convencionales y su corrección un poco estrecha, ocultaba emociones imposibles y desconocidas que la figura sanguínea, y bastante equívoca, del profesor ayudaba a aflorar. Por una parte, apreciaba la delicadeza en las formas del amigo convertido en tutor de sus vástagos, aquella cierta elegancia en el vestir, su evidente madurez a la hora de defender con firmeza, y sin violencia, convicciones tan distantes a las que en la familia habían imperado desde siempre. Por otra, encontraba preocupante su ingenuidad perversa, le parecía ver algo raro en el comportamiento de aquel joven, demasiado sensato para sus años y en extremo devoto de sus hijos, a los que había abarrotado de ideas dudosas sobre la política, la religión, la libertad y Europa. La ausencia irreparable de su querido Manuel, el esposo al que nunca creía haber llorado lo bastante, le impedía obtener mejores y más seguras referencias a la hora de tomar decisiones sobre la educación de los muchachos, lo que acentuaba su perplejidad ante Gerardo, al que bromeando, y habida cuenta de la intensa relación que entre los dos se había trabado, denominaba con frecuencia «mi novio», con gran regocijo de los hermanos y un cierto rubor del otro que aceptaba, no obstante, el apelativo como un signo de deferencia y de cariño.

De modo que Francisco y Jaime Alvear, que todavía no habían elegido un nombre de guerra para su ingreso en la célula, se dispusieron a partir para Cercedilla en un tren de cercanías. A su llegada estaría esperándoles el propio Anguita, el compañero Pablo, como preferían llamarle, para conducirles en un viejo seiscientos a La Milagrosa, una sombría mansión de principios de siglo que algún hidalgo sin descendencia había legado a la orden de las trinitarias. Éstas sacaban al edificio la mayor rentabilidad posible a base de alquilarlo para congresos, conferencias y, sobre todo, ejercicios espirituales, en sus numerosas y actualizadas formas. El lugar, apartado de la carretera y bajo la falda de la sierra de Guadarrama, era óptimo para la meditación y el reposo. Había sido ya utilizado como sede de encuentro de algunos conspicuos representantes de la oposición a la dictadura, y Gerardo lo había conocido, años atrás, con ocasión de un sonado debate entre universitarios y líderes obreros, del que surgieron las primeras acciones coordinadas por los sindicatos de clase y los estudiantiles. Desde entonces, el ca-

marada Pablo, que combinaba sus inquietudes políticas con sus zozobras religiosas sin asomo de contradic-
ción, había acudido a La Milagrosa decenas de veces;
las últimas, con el objetivo de llevar a cabo unos días
de convivencia que sirvieran de meditación y diálogo
colectivo. Las reuniones las organizaba en compañía
de don Mario, un sacerdote escolapio que poseía más
buena voluntad que lucidez, y con ellas trataban de
acercar a la conciencia de los jóvenes el sentido social
del cristianismo. Recuperando pretendidas tradiciones de la Iglesia de las catacumbas o de la patrística
más ignorada, la novedad fundamental respecto a
otros encuentros del género residía en que los reunidos eran, a la vez, objeto de adoctrinamiento y activos
protagonistas de la agitación que allí se producía.
Prácticamente todo el mundo tenía la obligación de
dar una conferencia y hasta los sermones de los clérigos eran sometidos, una vez pronunciados, a destruc-
tores debates cuyo solo límite residía en la necesidad
de no aplicar una libre interpretación de las Escritu-
ras. Entre otras muchas teorías emanadas de la teología de la liberación, escuela rampante entre los cristianos de base y las organizaciones revolucionarias,
sobresalía a los ojos de quienes acudían a las jornadas
el *compromiso temporal,* término con el que, desde los
sectores avanzados del catolicismo, se quería ilustrar
el significado del diálogo entre cristianos y marxistas.
El compromiso temporal era, a juzgar por las explicaciones de Gerardo en su charla inaugural, una especie
de cóctel entre la praxis clásica y las incitaciones al
apostolado, una manera de potenciar y justificar la pe-
netración del clero en los sectores revolucionarios del
tercer mundo, notablemente en América Latina, y ser-

vía lo mismo para explicar la colaboración de algunos párrocos con el activismo de ETA que la presencia de sacerdotes al frente de las guerrillas en Colombia. Su base teórica consistía en que era imposible ganar el cielo sin una decidida acción liberadora aquí en la tierra, aunque, a decir verdad, lo del cielo mismo resultaba bastante discutible, casi tanto como la existencia del infierno, que únicamente visitaban los capitalistas y los fascistas, y probablemente sólo de paso, habida cuenta de la infinita bondad divina.

Era la primera vez que Francisco y Jaime acudían a un acto semejante y enseguida les entusiasmó lo que entendían como modernidad de la convocatoria. Entre otras cosas no estaba prescrito el silencio, antes bien resultaban obligados la conversación, el diálogo, y hasta la discusión acalorada. Los minutos dedicados al rezo solitario eran muy pocos y nadie los controlaba, los encuentros con Dios se celebraban a todas horas y en compañía de los convidados, la celebración de la eucaristía era la de un auténtico banquete, y hasta las confesiones tendían a ser públicas y generales, pero no en el ambiente desolador y terrible de la clausura de los monasterios, sino en el mucho más lúdico y estrambótico de las terapias de grupo. Para muchos de los reunidos, casi todos ellos estudiantes universitarios o profesionales recién salidos del cascarón, aquélla era una de sus primeras oportunidades de hablar en público. Preparaban con esmero sus disertaciones, en las que procuraban mezclar cuestiones bíblicas o sacramentales con el análisis del proceso político español y, dudosos de su capacidad oratoria, acostumbraban a salpicar la plática con toda clase de expresiones fuertes. Podría esgrimirse en su disculpa que eran los tiempos en que escritores de moda como Camilo José Cela sobresaltaban a las damas de la burguesía franquista con el perenne recurso al empleo de tacos y palabrotas en sus conferencias, descubriendo las virtudes literarias de lo que hasta entonces había sido considerado como vulgares ordinarieces, o sea que el truco estaba homologado por quien podía hacerlo. Pero, de todas maneras, resultaba un poco chocante oír, en un ambiente que, al fin y al cabo, pretendía sugerir algún recogimiento espiritual, que Jesucristo «era un tío con dos cojones», o —como insinuaban los más atrevidos— que «san Juan podía haber sido maricón», esto en reivindicación de los derechos de los homosexuales y de un trato no discriminatorio hacia ellos. El sermón más generalizado tendía a expresar que la liberación sexual no chocaba con los caminos de la salvación, mientras que sí lo hacían de plano la explotación capitalista de la clase obrera o los métodos represores de la dictadura con lo que, a fin de cuentas, la Magdalena resultaba mucho más popular entre los asistentes que la mismísima Virgen María. Otra línea típica de argumentación era la legitimidad de la violencia contra el tirano, en cuya defensa se esgrimían argumentos de Suárez, Mariana y toda la escolástica imaginable, para terminar decidiendo que, lícito o no, cualquier asesinato político debía también analizarse desde los criterios de utilidad.

La parva afición al deporte de los reunidos, compensada por una hora escasa de recreo que algunos aprovechaban para dar patadas, sin pasión y sin fe, a un viejo balón de cuero, era sustituida por un verdadero atracón de la música sinfónica que, desde muy temprano, inundaba hasta el último rincón de La Milagrosa. La diana sonaba al compás de las trompetas de Telemann, o con los acordes de una pintoresca adaptación pop-rock del gregoriano. Mozart, Bach, Vivaldi y Beethoven eran otros de los contribuyentes a la búsqueda de una espiritualidad que huía de las disciplinas corporales y pretendía adentrarse en las delicias de los sentidos. De manera que el conjunto final resultaba mucho más armónico de lo que en principio podía suponerse, pues uno ganaba el cielo, hacía la revolución, jugaba al mus y leía a Teilhard de Chardin al compás de Albinoni, todo a la vez, sin necesidad de dar cuentas de nada a doña Sol, y con el interno y profundo convencimiento de que aquellos cinco días en la sierra rendían más, en todos los sentidos, que muchas semanas en las aulas.

Jaime Alvear, el más joven de los hermanos, se sintió arrebatado por el ambiente, en el que sólo desentonaba de la felicidad el parco presupuesto para calefacción de que hacían gala las trinitarias. Pero los pequeños inconvenientes materiales de La Milagrosa eran superados por sus muchas y maravillosas gangas, como la de aquel cielo estrellado del Guadarrama, sostenido por las encinas y los pinos que recortaban sus sombras contra la cara redonda de la luna; o el olor, ya intenso, de las jaras y el tomillo que penetraba en las habitaciones al amanecer, mezclándose enseguida con los sonidos del órgano y el redoblar de timbales que llamaba al desayuno. Jaime se encontraba definitivamente en la gloria, y su dicha subió de tono cuando Gerardo Anguita, que no ocultaba su predilección por el muchacho, le sugirió que fuera el conductor del vía crucis que aquella tarde habrían de rezar todos juntos.

—Se trata de hacer algo novedoso —le dijo—. Algo que reivindique eso tan rancio y beatón, que sirva de revulsivo a las conciencias.

Como era viernes de cuaresma, don Mario había invitado al párroco local a participar en la liturgia. Le sugirió que fuera con algunos de los jóvenes del pueblo. Jaime empleó más de cinco horas en redactar sus comentarios. Se suponía que tenía que hacer una breve meditación en cada pasaje de la Pasión de Cristo, y prefirió tomar a éste como ejemplo de preso político, quizá el primero de ellos que recordaba la historia, o por lo menos la historia que Jaime conocía. Fascinado con su propia idea, las reflexiones manaban espontáneas de su pluma. Jesús, un agitador popular contra el poder, cuidadoso de no interferir la autoridad del invasor romano, era torturado y condenado a muerte por predicar un mundo de solidaridad y amor frente a la arrogancia de los que mandaban. Campeón de la libertad de expresión, de la insumisión frente a la injusticia, el nazareno de Jaime Alvear resplandecía como un redivivo Che Guevara, capaz de devolver la esperanza y la fuerza a centenares, quizá miles, de detenidos que el recién levantado estado de excepción había mandado a las mazmorras franquistas. Pero la revelación sublime del acto fue el estribillo que, a modo de jaculatoria, descubrió para los entremeses de cada estación.

—¿Por qué hablamos de meretrices en las traducciones del Evangelio? —había preguntado a su hermano Francisco sin obtener, ni demandar, respuesta—. Esas palabras no las entiende nadie. Son prostitutas, caramba, putas a secas. Lo mismo que los gentiles, ¿qué son hoy día?, ¿comunistas?, no, ¿protestantes?, ¿a quién llamarías tú gentil?

«Las meretrices y los gentiles os precederán en el reino de los cielos», estaba escrito, pero se precisaba una traducción actual, un *aggiornamento,* como había solicitado el papa Juan XXIII, de manera que hasta el propio Gerardo, el compañero Pablo, no pudo evitar una exclamación de asombro cuando, tras su primera y corta meditación sobre el camino del Gólgota, Jaime impostó la voz, elevó el tono y la figura, y proclamó: «Las putas y los paganos nos precederán a todos nosotros en el cielo». Aquella noche don Mario le reconvino por el exceso de expresionismo, si bien le felicitó por la intención, notificándole que algunas de las chicas del pueblo se habían quejado, e incluso dos o tres abandonaron los oficios antes de que acabaran, en señal de protesta por lo que consideraban, más que un insulto, una tomadura de pelo. Ésa fue la mejor demostración que obtuvo de que no se había equivocado y de que estaba en el camino cierto. Bienaventurados los que escandalizan, porque ellos serán llamados hijos de Dios y hermanos de los hombres.

Gerardo estaba boyante con el transcurrir de los días. Heredero intelectual del humanismo cristiano y seguidor convencido del marxismo renovado, consideraba crucial aquel esfuerzo por fundir las dos grandes corrientes de pensamiento que dominaban el mundo. La proximidad física con Jaime y Francisco movilizaba su entraña hasta erizarle la piel. Anguita se había educado en un colegio de la alta burguesía heredero de los métodos de la Institución Libre de Enseñanza, y su ferviente religiosidad de ahora parecía un acto de protesta contra la formación laica que le habían impuesto. Apasionado por las doctrinas humanistas, al terminar la carrera decidió preparar cátedra, para lo que logró colocarse como profesor auxiliar en la Universidad Central. El devenir de los años y su probada curiosidad intelectual le habían ido acercando a los fundamentos del marxismo. Había conocido a los Alvear durante una excursión organizada por un club universitario, y enseguida descubrió en ellos el resplandor de la inquietud, lo que le indujo a introducirlos, sin muchos preámbulos, en la acción política. Su amistad dio paso a algo muy parecido al cariño, palabra vecina a la descripción de un enamoramiento frío, asexuado, y Gerardo trató como pudo de jugar el papel de hermano mayor, e incluso de padre ausente, en su relación con los jóvenes. El posterior trato con doña Sol y la innegable atracción que ejercía sobre la viuda contribuyeron a estrechar unos lazos en los que la complicidad de las ideas se encontraba anudada a la exaltación del sentimiento. La cuestión es que Gerardo practicaba una evidente misoginia, sólo compensada por su éxito social con las mujeres maduras y aun pasadas, pues era con las que ya habían vivido el climaterio con las que mejor entendimiento hallaba. Se interrogaba a diario por su poco interés por el sexo opuesto y su equívoca propensión a pasar las horas muertas con varones casi pubescentes, con los que discutía largamente de lo divino y lo humano, sin otro destino que el placer de la divagación. La represión que ejercía sobre sus sentimientos, hasta el punto de llegar incluso a desconocerlos, no lograba ocultar algunos aspectos de su relación con los muchachos de la que, a solas, se avergonzaba. Abusaba de su mayor edad y de su condición de profesor con el fin de establecer unas vinculaciones basadas, primordialmente, en el poder. La dominación sexual, que anhelaba y sofocaba a un tiempo, era así sustituida por una especie de hipnotismo intelectual que ejercía de forma despiadada. En los momentos agudos, la relación adquiría connotaciones de incesto y sólo la clandestinidad de sus emociones hacía soportable lo apasionado de las mismas.

Aquellos días en el Guadarrama provocaron en el compañero Pablo un turbión de sensaciones y angustias. La cercanía del cuerpo de Jaime Alvear, cuyo olor a colegial le sorprendió un día al cruzarse con él en el pasillo, le había hecho considerable mella. Supo enseguida que se había enamorado, pero en ningún momento osó confesárselo a sí mismo, con lo que a sus ya muchas contradicciones sumó la de quienes padecen la negación de su propio deseo, e incluso la ignorancia del mismo. Sus rezos en solitario eran un discurrir de la imaginación, un fantaseo permanente acerca de Jaime, sus capacidades, sus triunfos, su sonrisa, siempre a la sombra del maestro, el compañero Pablo, instructor y guía. Sentía el orgullo de haber sido él quien captara a los Alvear para la política y, al mismo tiempo, temía exponerlos a un riesgo innecesario, inmerecido por aquel par de arcángeles tocados por la gracia universal, espíritus puros e incapaces de ensuciarse las manos en la tarea desabrida e inútil de jugar al poder. Líder, pero también verdugo, de las ilusiones de los muchachos, se mostraba abrumado por tanta responsabilidad, aunque dichoso por su protagonismo ante ellos. Anguita era, por lo demás, un hombre de gran cultura e insaciable sed de conocimientos. Poseedor de una amplia biblioteca, que en gran parte había leído, no sufría desvaríos más aparentes que el de creer en el derecho como una ciencia en vez de limitarse a aceptarlo como una convención. Su innegable bagaje de saberes, «yo es que estoy muy viajado», repetía con sorna, añadía prestigio y atractivo a su figura y quizá era el pretexto, o quién sabe si el motivo, de que muchos se acercaran a él en busca de amistad.

Jaime Alvear era demasiado joven, demasiado inocente para distinguir nada escabroso entre las pasiones que agitaban su diálogo con el compañero Pablo. Se sentía importante, valorado, porque, con sólo diecinueve años, merecía una atención inusitada por parte de quien le aventajaba en más de un lustro de experiencia. Consideraba aquello como un reconocimiento a sus opiniones y disfrutaba sabiéndose el menor de la pandilla —cualquiera que ésta fuera— pero no el menos avezado. Había acudido a aquella primera reunión de la célula, en el mes de diciembre, con la misma curiosidad y el mismo espíritu de no compromiso con el que fue a las jornadas gerardianas. Educado en una familia típica de la clase media, la ausencia temprana del padre, que se había pegado un tiro el día de su cumpleaños, le había obligado, igual que a su hermano Francisco, a mirar de frente la vida. Lo hizo tomando la precaución de ponerse, primero, una venda delante de los ojos. La sombra del suicidio de su progenitor le perseguía en cada recodo del pensamiento y, lejos de recordarle la inutilidad de creer definitivamente en nada, le servía de impulso moral, era algo que le conducía hacia la bondad, o hacia una representación de la misma, un salvoconducto para recorrer el camino de la propia autoestima; por eso recibió displicente la amonestación de don Mario, le gustaba su vía crucis, consideraba un hallazgo literario la jaculatoria sobre las prostitutas, y le satisfacía haber causado algún escándalo. Fue la misma conversación con el sacerdote, la escasa originalidad de sus planteamientos, la que le indujo a guardar silencio sobre la extraordinaria experiencia que había tenido la noche anterior, en la seguridad de que no le comprendería o sería mal interpretado. Era aquélla su última pernocta en La Milagrosa y prefirió retirarse pronto, desoyendo las invitaciones que unos y otros le hacían a apurar la ocasión de discutir sobre los temas de las jornadas. Concilió enseguida el sueño pero, a las pocas horas, despertó sobresaltado al sentir que alguien estaba en la habitación. Encendió la luz y pudo comprobar que nadie sino él se encontraba en el cuarto. Sin embargo, percibía poderosamente aquella presencia. No tenía forma, ni aliento, ni olor, pero era de una evidencia sobrecogedora. Sintió miedo y dudó un poco, hasta que comprendió que estaba recibiendo la visita de Satanás. Quiso reírse de sí mismo, contarse la imposibilidad de semejante aparición, tanto más inaudita cuanto que resultaba completamente invisible, despeñarse por el convencimiento de que estaba ante un fenómeno de autosugestión y no ante una realidad, por intangible que fuera. ¿Intangible?, no del todo. Percibía vivamente, con todo su cuerpo, con toda su alma, la llegada del Maligno, hasta el punto de que se encaró con él, rebuscó en la mesilla para encontrar un pequeño crucifijo y, blandiéndolo como un escudo, se enfrentó con aquel ser inoportuno y feroz que se había permitido perturbar su sueño. Hizo un esfuerzo por distanciarse, por mirarse a sí mismo desde fuera, y comprendió que su imagen era ridícula, recordaba mucho a las escenas de las películas de vampiros, en las que el bueno trata de ahuyentar a Drácula agitando cruces y ristras de ajos, pero no le hizo gracia la comparación, porque aquello era real y su percepción absolutamente nítida. ¡Aparta de mí!, gritó a media voz con firmeza, al tiempo que imploraba desde sus adentros la ayuda del Cielo, convencido de que no se haría esperar. Pero se demoró más de lo previsto. Durante cerca de media hora mantuvo su combate, lleno de jaculatorias, de expresiones del alma, con aquel ser inmundo que dominaba el ambiente. Notaba cómo el sudor, fruto del pánico, le recorría la espalda, y la vista se le nublaba, emborronándolo todo. Una tensión indescriptible, como nunca había experimentado, se adueñó de su persona, sabía que el diablo estaba allí, con él, y que anunciaba muerte, y soledad, y diluvio, lo mismo que después supo, cuando volvió a encontrarse solo en la estancia, que le había vencido, que había luchado y merecido la victoria. La angustia desapareció entonces, pero una enorme fatiga se apoderó de su cuerpo como consecuencia del esfuerzo sobrehumano que todo su ser había desplegado en la batalla. Se echó en la cama, empapado, ojeroso, feliz. «Ha venido y le he expulsado», pensaba. «Éste será un secreto entre Dios y yo.»

Se abstuvo muy mucho de comentar el incidente con nadie, sabedor de que, en el mejor de los casos, iban a compadecerse de su ingenuidad y, en el más probable, a burlarse de él y de su talante histérico. Por su lado, estaba seguro de que había tenido una experiencia única, y esperaba entonces que irrepetible. Se sentía, por eso, señalado entre los elegidos, aunque ignoraba por quién y entre quiénes. Terminadas las jornadas, de regreso hacia Madrid en el vetusto utilitario de Gerardo los demás comentaban jocosos, hasta un punto encandilados, el incidente del vía crucis, ausentes de la verdadera y profunda preocupación que asaltaba a Jaime. Sus palabras se fundían con los acordes que emitía la radio del vehículo, víctima evidente de un severo catarro a juzgar por los carraspeos con que interfería la música.

—Van a dar el parte —comentó alguien.

Durante la guerra civil, los noticiarios de la radio franquista eran un parte oficial de la contienda, de acuerdo con las costumbres cuarteleras que acompañaron, hasta su muerte, al estilo de gobernación del general Franco. Muchos años después del fin de las hostilidades, la jerga popular seguía bautizando así a los «diarios hablados» con los que obligatoriamente habían de conectar todas las emisoras. El parte fue durante mucho tiempo el altavoz de la doctrina de la dictadura, y ni siquiera la televisión pudo acabar con su renombre, ligado a la sintonía de una marcha militar que lo anunciaba, poniendo así a la información una nota épica. Aquella música acabaría perteneciendo, durante lustros, a las nostalgias menos risueñas de los españoles.

Ese día era viernes. En fecha así, cada dos semanas, el Caudillo reunía al Consejo de Ministros. Francisco Alvear no se explicaba muy bien la obstinación de Franco en compartir con su gabinete la adopción de decisiones que la ley y la fuerza le permitían tomar a solas. Gerardo era de la opinión de que el dictador trataba, verdaderamente aunque con escaso éxito, de dotar a su régimen de un ropaje jurídico suficiente que le hiciera presentable ante el resto del mundo. En realidad, explicaba, durante los últimos años la legislación y la jurisprudencia habían evolucionado mucho, y con aportaciones no todas ellas despreciables.

—El problema no está tanto en las leyes como en que no se cumplen. Si se aplicaran, con las leyes franquistas en la mano, esto se parecería casi a una democracia. Orgánica, claro, eso no lo olvidemos —y se carcajeaba de sí mismo.

De modo que, de quince en quince días, el gabinete ministerial aprobaba un sinfín de decretos y propuestas de ley, decenas de nombramientos y cantidad de disposiciones, que determinaban profundamente la vida de la población. El locutor narraba ahora con voz grave, metálica, impersonal, la «trascendental decisión adoptada en la reunión del día de hoy. El gobierno ha dado luz verde a un decreto por el que desaparecen todas las responsabilidades penales anteriores al 1 de abril de 1939, es decir las emanadas de la guerra civil». Naturalmente eso no afectaba a los crímenes o actos terroristas cometidos por el maquis, ni a los delitos de cualquier otro tipo de que fuera responsable la oposición, pero el ministro de turno, el mismo que administraba el *boom* turístico en las playas y lanzaba al mundo una campaña para atraer visitantes bajo el equívoco lema de que *España es diferente,* había puesto énfasis en la importancia de la medida, tomada una semana después de que se hubiera levantado el estado de excepción, y a la que calificó de histórica. Francisco no pudo por menos que dar un respingo cuando escuchó al gobernante, que hablaba atropelladamente, masticando las palabras y escupiéndolas después a gran velocidad: «Hoy podemos decir, a todos los efectos, que la guerra ha terminado y para bien de España».

—¿Os fijáis? ¡Si hace sólo treinta y tres años que comenzó!

—No habíamos nacido ninguno de nosotros —apostilló Gerardo.

—O sea —puntualizó Jaime— que ésta es por lo menos la guerra de los treinta años.

Luego fijó la vista en el horizonte y adoptó una expresión entre sarcástica e inocente.

—¿Ves lo que decía? Éstos del Opus, cuando vayan al cielo, se lo van a encontrar lleno de putas.

—Entre ellas a sus propias mamás.

—¡Seguro!

Siete

A Ramón Llorés no le había parecido duro el destierro. Sobrevivió con bastante fortuna en una pequeña aldea de Cáceres, poblada apenas por un centenar de habitantes que recibieron al exiliado con curiosidad y cariño, aunque procuraron no exteriorizarlo mucho, no se fuera a cabrear el comandante del puesto, un sargento de cuchara confianzudo y bonachón que tampoco se tomó muy en serio su cometido de vigilar al preso, o lo que fuera, «porque preso, lo que se dice preso, usted no lo está, o sea que si promete portarse bien y no marcharse de aquí, yo le dejo hacer lo que quiera; eso sí, de las visitas que lleguen tengo que informar, no me ponga en compromisos, y todos tan amigos...».

Para matar el tiempo libre organizó unas clases. No aspiraba, en realidad, a enseñar a leer y a escribir al buen puñado de adultos y ancianos lugareños que no sabían hacerlo, sino a emplear las horas en algo aprovechable y poder, además, trabar alguna conversación. El más feliz de todos con la llegada del forastero resultó ser don Adrián, dueño de la fonda en la que se alojó y alcalde pedáneo de la localidad. Don Adrián era falangista de los de antes, «no como ahora, que les da vergüenza vestir la camisa azul», pero tampoco se mostraba muy fiero de sus convicciones ni en ningún momento pretendió enroscarse en discusiones de ese género con Ramón. Su fonda era a la vez colmado y bar, los únicos que había en algunos kilómetros a la redonda, y además tenía un teléfono que el desterrado podía utilizar, aunque siempre en presencia del jefe de puesto o de un número de la Benemérita. Una vez que le llamaron de fuera, el guardia de turno se enfadó muchísimo al notar que Ramón se enrollaba en inglés, pues pensó que lo hacía para hurtarse al espionaje convenido. Luego se avino a razones cuando supo que, efectivamente, el comunicante era extranjero, un profesor americano o algo así, y no hablaba castellano.

La correspondencia la tenía sometida a censura, aunque el sargento respetó sus promesas de máxima tolerancia. Nunca le entregó un sobre abierto, se limitaba a apuntar con letra dubitante el remite si es que lo había, ni tampoco leyó las cartas que Ramón enviaba, aunque éste se las entregaba conforme tenía ordenado. El policía sólo enjugaba el borde del sobre con su lengua, rancia de tabaco, antes de devolvérselo diciendo:

—Espero que no me meta usted en ningún lío, ¿eh?

Los días pasaban tranquilos, tenía todo el tiempo del mundo para leer y escribir y, cuando el frío no apretaba mucho, acostumbraba a dar largas caminatas por el monte. A veces le acompañaba don Adrián, que aprovechaba la ocasión para tratar de educarle sobre las cuestiones de la caza, deporte que Ramón aborrecía.

—Sin la caza no habría equilibrio, te lo juro, es una riqueza para el pueblo, pero también una manera de conservar los bichos, de que no se abarroten en demasía o de que no desaparezcan, según vaya. Aunque lo reconozco, se ha vuelto tan caro el monte que ahora es un deporte de señoritos, como tú.

—O de furtivos —le corrigió Ramón.

—Furtivos ya no quedan, son todos guardias civiles.

Con don Adrián hablaba de muchas otras cosas, pero casi nunca de política. Era un hombre relativamente culto, afable y muy parlanchín, una buena persona. Él, como todos los demás habitantes de la aldea, se esforzó por hacer agradable su estancia, de modo que no podía decirse que el destierro del compañero Tomás pudiera enmarcarse en el cuadro de honor del martirologio por la causa. Lo único que le parecía una tortura, y aun ésta soportable, era la ausencia de Marta. A veces se sorprendía masturbándose mientras pensaba en la chica y se sonrojaba interiormente, pues pensaba que hacer una cosa así no resultaba lógico a su edad. Le molestaba tener que reconocer que seguía enganchado a ella, no había calculado la posibilidad de que al presentársela a Alberto todo acabara de esa forma, no entendía lo sucedido. Pero, salvo ese detalle, y el mucho más importante de su preocupación porque todo aquello le hiciera perder el curso, no tenía ningún motivo de queja.

Cuando, varias semanas después, llegó la hora de su regreso a Madrid, la familia le recibió en triunfo. Era como si todos los fantasmas de la historia se hubieran levantado de pronto entre los suyos. Su padre no hacía sino contar viejas batallas de la República, los primeros azarosos años de su marcha a América, los padecimientos sufridos, el retorno a la patria, el bienestar actual.

—Claro —apostillaba—, que la España de hoy no es ni la sombra de la que conocimos. A mí Franco me parece un canalla, pero tuvo la ventaja de que paró al comunismo. Los jóvenes deberían aprender a discernir las cosas.

A Ramón le molestaba la vitola progresista de que presumían sus mayores, cuando eran tan reaccionarios en todo. Parecía como si el hecho de haber sido republicanos les pusiera al abrigo de cualquier sospecha de colaboracionismo pero, en cuanto se rascaba un poco y afloraban sus opiniones sobre cualquier cosa, política exterior, moral o religión, él no las distinguía mucho de las que podría expresar el mismísimo Carrero Blanco. De todas maneras se comportaron bien cuando la policía se presentó a buscarle en casa, los reflejos de antiguo demócrata permitieron a su padre expresarse con una dignidad y un talento hasta entonces desconocidos para Ramón. Muchas veces se había preguntado por aquella esquizofrenia, tan palpable entre la colonia española de América, consistente en criticar sin matices al franquismo al tiempo que instrumentaban formas de vida por lo menos tan abyectas, si no más, que las que había originado la dictadura. Le parecía un cinismo insoportable o, siendo condescendiente, una deliberada actitud de fuga, de desconocimiento de la realidad sobre el país al que habían retornado, y que era el suyo, incumpliendo tantos la promesa de no volverlo a pisar hasta que desapareciera el dictador.

—Es que no se muere nunca —protestaban—. Y no nos va a pasar como en el chiste, que la tropa no comía rancho para que se jodiera el capitán.

En casa quedaron un poco decepcionados cuando contó que su estancia forzada en la serranía extremeña no había sido para tanto y que los civilones le habían tratado con respeto. No hubieran querido verle torturado, desde luego, pero les habría gustado una historia un poco más épica, coherente con la tradición familiar en la que el destierro, grande o pequeño, acabaría convirtiéndose en una costumbre, y su madre se hacía cruces por la injusticia cometida, «seguro que es una represalia por nuestro pasado, porque es un chico bueno donde los haya, trabajador, estudioso, y excelente compañero». Alberto sonreía con las explicaciones que la tía Carmina se empeñaba en hacerle, convencida la señora de que su sobrino no comulgaba con las ideas de ellos, habida cuenta de que trabajaba para el gobierno y tenía un padrino de armas tomar. Había acudido a casa de Ramón a darle la bienvenida, el final del exilio había que celebrarlo, la libertad era un regalo que sólo se apreciaba en todo su valor cuando se perdía.

—¿Qué tal Martita? —le preguntó su primo nada más llegar—. ¿Sigue tan guapa?

No supo qué contestar, porque percibió que las preguntas no eran del todo inocentes.

—Escucha —le dijo el otro sin esperar repuesta—, tenemos que vernos, aunque yo no puedo moverme mucho, me andan vigilando.

—No quiero más problemas de los que tengo, don Epifanio está que trina, ya va para dos veces que le llaman la atención, y si me echan del empleo no me caso.

—¿Qué quieres decir con eso de que no te casas? ¿Con quién? No me digas que tú y...

—Sí, sí, lo tenemos muy claro Marta y yo. O nos casamos cuanto antes o lo nuestro no dura.

—¡Pero si ella es menor! Seguro que su padre no la deja.

Se maldijo a sí mismo por haber dicho aquella tontería. Reconoció para sus adentros que la noticia le había molestado. No estaba enamorado de Marta, pero no le era en absoluto indiferente. No temía sólo por la probable negativa de la chica a que se siguieran viendo, sino por la pérdida de aquella estrecha complicidad que se había generado entre ellos. Por otro lado, se avergonzaba del engaño que mantenían, quería bien a Alberto y de cierta manera le respetaba. Ignoraba cuánto sabía él de sus actividades clandestinas pero algo sabía, desde luego y, sin embargo, había sido siempre de una discreción absoluta. A veces, eso sí, se había permitido advertirles: «Estáis jugando a la revolución, pero no es un juego. Cualquier día os van a dar un susto morrocotudo». Marta le había prometido a Alberto abandonar la célula, «no enseguida, hay que dar tiempo al tiempo. De otra forma va a parecer que me largo porque me caso». ¿Y por qué no, si era en realidad lo que sucedía? «Suena muy burgués», sentenció burlona. Otro problema era comunicarle al señor cónsul de Italia los planes matrimoniales de su hija, no por la edad de Marta, sino porque la condición casi humilde del novio podía suscitarle dudas a la hora de conceder el *placet*. El cónsul estaba divorciado y su mujer casi desaparecida, pues se había fugado con un antiguo agregado militar de la embajada francesa, al que como castigo le habían destinado a Vietnam, donde marchó en compañía de su amor italiano. Por ello, no tenía mejor consultor en las tareas familiares que una hermana que habitaba en Turín y con la que apenas mantenía relaciones. A la larga, la decisión habría de ser sólo suya.

De manera que las semanas que sucedieron al retorno de Ramón transcurrieron para todos transidas de preocupaciones domésticas, avivadas en algunos casos por la proximidad inminente de los exámenes y la necesidad de no perder el curso, salvo que se aplicaran sanciones académicas a los revoltosos. Parecía que se hubieran olvidado las angustias y los temores del principio de año y, aunque la prensa seguía llena de noticias sobre huelgas, plantes, conflictos sociales y estudiantiles, era como si la población se hubiera acostumbrado a ello, como si entendiera que una nueva etapa de su historia estaba comenzando y se aprestara a enfrentarla con la tranquilidad y el optimismo de quien sabía que el tiempo trabajaba a favor. El dictador tenía ya más de setenta y cinco años y un tiro en el estómago que le habían dado en la guerra de África; a principios de la década, un accidente cinegético le había inutilizado la mano izquierda —mira, para eso sí resultó buena la caza, osó bromear un día Ramón con don Adrián—, y un *parkinson* en estado avanzado le hacía temblar ahora como si padeciera el baile de san Vito. Su senectud era visible, preocupante para quienes le rodeaban, sorprendidos por la facilidad con que el general rompía en sollozos casi por cualquier motivo. Por eso, cada vez que sus médicos se empeñaban en comunicar el magnífico estado de salud del Caudillo, o cuando un parte oficial anunciaba que se estaba recuperando de una ligera gripe, todo el mundo se hacía mientes de la edad de Franco y se preguntaban sobre el porvenir.

—Tú no lo entiendes, Martita —explicaba
Alberto—, no lo entiendes porque no lo has vivido.
Cuando nací, ya estaba Franco puesto sobre todas
las cosas, y toda mi infancia, mi juventud, se han de-
sarrollado bajo su retrato y el de ese pobre tonto de
José Antonio, al que han utilizado como les ha venido en gana.

Los juzgados, las aulas de primera enseñanza,
los ministerios, las comisarías y no pocas parroquias
lucían en sus paredes desde el fin de la guerra aquella
díada inconfundible de retratos, a un lado, el Jefe del
Estado, con aire juvenil, vestido de legionario, el cuello de la camisa abierto, al otro, el fundador de la Falange, el partido fascista español, José Antonio Primo de Rivera, hijo de un general que había tomado el
poder mediante un pronunciamiento durante la Monarquía de Alfonso XIII. Los españoles le llamaban fa-
miliarmente por su nombre de pila. En la foto, José
Antonio vestía la camisa azul mahón típica de los falangistas y peinaba el pelo con brillantina, muy ajus-
tado hacia detrás, como los petimetres de la época o
los hacendados jerezanos. Su fusilamiento, en los tempranos días de la guerra civil, le había convertido en
un mito para sus correligionarios, cosa que fue convenientemente aprovechada por el régimen, aunque
mucha gente creía que el Caudillo había dejado
que mataran al joven líder para quitarse un problema
de en medio, y que si hubiera querido lo habría podido canjear por el hijo de Largo Caballero o cualquier
otra personalidad del bando republicano. Como decía
don Epifanio, falangista de primera línea en la guerra
y ahora un tanto escéptico ante todo aquello, porque
había llovido mucho sobre sus canas y ya nadie se la

iba a dar con queso, «a la Falange la han manipulado, la Falange era en realidad un socialismo, de derechas, pero un socialismo, creíamos en Dios, en la patria y en todo lo demás, pero estábamos con los pobres, qué carajo, y contra el puñado de familias que siempre han gobernado este país». A Alberto le sonaba ridículo el empeño de tantos franquistas por considerarse a sí mismos como socialistas o socialdemócratas. Había leído que en los tiempos de la República el líder falangista trató de acercarse a las tesis de Indalecio Prieto, un jefe histórico del PSOE autor, como ministro de Obras Públicas, de los enlaces ferroviarios de Madrid, el subterráneo que hoy atraviesa la capital de norte a sur y que los castizos habían bautizado con el sobrenombre de *tubo de la risa,* para castigar así la tardanza en construirlo del alcalde de la villa, pese a tantas promesas electorales. Este túnel, como la ciudad administrativa y de negocios que se levanta al final del mismo, no se terminó sino treinta años más tarde, en plena dictadura y junto a otro proyecto anterior, el de los Nuevos Ministerios, ya comenzado en tiempos del rey Alfonso XIII. Aquella continuidad en las grandes obras, por encima de conflictos bélicos y disputas ideológicas, siempre le había maravillado. Para él se trataba de una muestra evidente de que no todo era sectarismo en el carácter de los españoles, capaces también de albergar y practicar la tolerancia y de reconocer los méritos del contrario. Verdadera o falsa, semejante argumentación encerraba una verborrea reveladora de una inteligencia suficiente como para que el cónsul de Italia se rindiera, al fin, ante la evidencia de que su futuro yerno, aunque no fuera rico, tampoco era un cretino y diera su conformidad a que se casara con su hija, con la obligada condición, irrelevante para la pareja, de que el matrimonio fuera consagrado por la Iglesia, pues de otro modo la hermana de Turín, que había contestado a las consultas con un respingo telefónico de difícil interpretación, podría realizar maniobras inesperadas y dolosas a fin de perjudicar al cónsul en sus derechos hereditarios. En realidad lo que a éste le preocupaba era su posición en la democracia cristiana, convencido como estaba de que, si su única hija no celebraba un matrimonio en condiciones, la posibilidad de la embajada acabaría de esfumársele por completo. Aunque los chicos no opusieron mayor resistencia a la ceremonia religiosa le dejaron, como es lógico, absolutamente solo en la administración de los preparativos, y él extremó la exuberancia del espectáculo hasta donde el bolsillo y la imaginación le alcanzaron, logrando emular en algunos aspectos lo mejor de la comedia musical de Hollywood. «Ya verás como tu madre no pone ni un telegrama», le dijo a Marta, pero sí lo puso, y una carta además, de casi cuatro folios, que logró arrancarle a la muchacha más de un sollozo. Estaba tan lejos, y el viaje resultaba tan caro, que le iba a ser imposible asistir a la boda. Ésta tuvo lugar en el templo de los Jerónimos, lugar preferido por la nobleza para sus ritos familiares, con órgano y flores en el altar, pues los rectores del templo no participaban de los reparos al uso acerca de ese tipo de ostentación en las celebraciones católicas, duramente criticada por las comunidades cristianas de base ante el despilfarro que significaba en un mundo amenazado por el hambre y la pobreza. Lorenzo, que había dudado mucho en aceptar la invitación, mostró su irritación un poco cómica por lo que consideraba gastos suntuarios, incluido el traje de la novia, en un momento de ajuste económico y de apretarse el cinturón, y a Ramón se le escapó una lágrima discreta cuando oyó, apostado en la última fila de los bancos, el «sí quiero» que Marta pronunció en tono radiante y convencido. A la salida llovió arroz sobre los contrayentes, con los consabidos grititos de vivan los novios, todo tuvo un aspecto muy convencional, muy burgués como diría ella, con arreglo a los deseos de las familias y al íntimo convencimiento de Alberto de que así tenían que ser las cosas y de que un casorio «a lo progre» era una miseria y hasta podía dar mal fario. Marta no parecía mayormente preocupada en ninguno de los sentidos por semejantes cuestiones, sonreía a los fotógrafos porque quería guardar un recuerdo bonito de la jornada, y se entregaba en abrazos a cuantos la solicitaban, bajo la mirada circunspecta de su padre. Cuando le llegó el turno a Ramón, le mordió mínimamente el lóbulo de la oreja derecha al tiempo que murmuraba:

—También te quiero a ti.

Él se sonrojó. No se habían visto a solas desde la tarde aquella, después de la reunión de la célula. La estrechó más decididamente entre sus brazos y le respondió, entre satisfecho y tímido:

—En estas circunstancias, lo nuestro ha terminado.

—Sólo si tú lo quieres —respondió ella.

Y se alejó, reclamada por decenas de gentes que querían besar a la novia.

Ocho

Pasaron la luna de miel en Venecia, a invitación del señor cónsul de Italia y con la ayuda de algunos ahorros que mamá Flora había guardado para mejor ocasión. Como cualquiera de los numerosos turistas que saturaban de sudor y asombro la ciudad fantasma, Alberto navegaba por los canales hediondos y silenciosos apretando su cuerpo contra el de Marta, entonando a su oído cancioncillas de amor. Le gustaba aquella vulgaridad, se la merecía, había trabajado para conseguirla. Desde pequeño conoció la escasez digna de las familias de clase media de los vencedores. Su padre, mutilado de guerra, apenas podía valerse por sí mismo y vivían de la pensión miserable que el Estado le pasaba. Un trozo de metralla se le había clavado en el cerebro a Aniceto Llorés en el frente de Belchite, y de milagro vivió para contarlo. De resultas de la herida tuvieron que adherirle un trozo de cráneo postizo, los médicos aseguraban que estaba hecho de una aleación de platino, pero a él se le antojaba plomo, de lo que pesaba. Oía mal, padecía dificultades de dicción, y nunca pudo ocuparse mucho de su único hijo, al que la providencia y don Epifanio ayudaron a triunfar. Triunfar era precisamente eso: casarse con una extranjera, huir del entramado cursi y atorrante del espíritu nacional, el adiestramiento político al que los niños eran sometidos desde temprana edad para convencerles de la grandeza de España, de su voluntad de imperio, de la proyección universal del régimen franquista, pasearse del brazo de Martita, dando grandes saltos, como jugando a rayuela, en la plaza de San Marcos, pararse a escuchar los mítines sindicales frente al palacio de los Duces, ondeando las banderas rojas comunistas al aire del Adriático, entonando los obreros cantos de resistencia ante la curiosa mirada de millares de yanquis en pantalón corto que se fotografiaban sonrientes con la manifestación al fondo y, más allá, el imponente *campanile,* los herrumbrosos caballos que coronaban la terraza de la basílica, las palomas acudiendo en tromba a las generosas manos de los viandantes que las alimentaban. El comunismo parecía menos sórdido, más creíble y auténtico, bajo aquel cielo empalagoso y húmedo. «¿Lo ves, *caro mio?*, también se puede socializar la belleza.»

Don Epifanio había contribuido a las celebraciones nupciales con un ascenso para Alberto y una mínima subida de sueldo que les permitiría llevar en adelante una vida más que decorosa. Habían alquilado un apartamento en Argüelles, junto a la calle Hilarión Eslava, muy cerca de la famosa Casa de las Flores, que sirviera de refugio a no pocos artistas, y a dos pasos también de la pensión en la que Hemingway se había hospedado durante la guerra. En algún lado había leído que desde allí se podían oír con nitidez los cañonazos de los franquistas contra las posiciones republicanas en el frente de la Ciudad Universitaria. En los meses más duros de la contienda, los obuses llegaron hasta la Moncloa, e incluso a la calle de la Princesa, pero no debieron de causar muchos daños, pues todavía el barrio se componía mayormente de casas construidas al final de los veinte, aunque estaba en un proceso imparable de transformación.

Desde el balcón de su nueva casa, despedía cada mañana a Marta, que marchaba a la universidad casi media hora antes de que él tuviera que salir para el trabajo, agitaba la mano en señal de adiós y le gritaba que tuviera suerte, antes de adentrarse de nuevo en el salón. Sentía entonces una dicha inmensa cuando palpaba la intimidad del hogar, esa especie de soberanía sobre el ambiente, en el que flotaba el perfume de lujo de la chica mezclado con los olores fuertes de la noche. Era ya primavera y el aire aún se agarraba con las manos, hediondo, gris, ¿dónde había quedado ese aire de Madrid, su luz velazqueña, su limpieza impoluta?, ahora los periódicos publicaban índices de contaminación, índices de polen, índices de decibelios, lo que la basura respetaba lo inundaba el ruido, la capital se estaba convirtiendo en una ciudad insoportable, el rompeolas de todas las Españas que cantara el poeta era ya una escollera abrupta, imposible de ser transitada, útil sólo para detener la fuerza de las aguas y defenderse del paso del huracán. En medio de aquel páramo poblado por gentes tan suspicaces como hoscas, que miraban de reojo las conspiraciones fraguadas a sus espaldas, mentían deliberadamente, siempre había una buena razón para hacerlo, y refugiaban su hastío, su cansancio y su rabia en una vida nocturna insolente y ajetreada, Alberto había elegido la calma, se dejaba inundar por la dicha de su existencia, disfrutaba a diario con los pequeños placeres que le proporcionaba su nuevo estado civil, aceptaba humildemente su satisfacción, inmerecida en medio de un mundo agitado y cambiante. La única verdadera preocupación que exhibía se fundaba en el innegable aumento de peso que el matrimonio le había generado, pues creía que eso era un signo prematuro de adocenamiento.

Marta, por su parte, se enfrascó en el estudio, decidida a sacar adelante los exámenes, desconfiando de que fueran ciertos los rumores que hablaban de un aprobado general como protesta de los profesores por la represión en la universidad y la constante intervención de la fuerza pública en las aulas. La célula había disminuido en su actividad, en parte debido a las consignas de prudencia y también porque la vida académica de fin de curso no dejaba mucho tiempo libre a sus componentes. De todas formas, el compañero Lorenzo había reclamado, inútil e insistentemente, un encuentro para debatir los pormenores de la situación en Checoslovaquia, que empeoraba por momentos nueve meses después de la invasión soviética. El artífice de la primavera de Praga, aquel desesperado intento por construir el socialismo en libertad, había sido destituido y reemplazado en la cúpula del Estado por una caterva de estalinistas obedientes a las tropas de Moscú. Las fotografías de los periódicos mostraban un Dubcek acobardado y sumiso, barriendo las calles de la capital, «¿lo ves, *cara mia?*, no sólo la belleza, la ignominia también se socializa», la persecución había alcanzado incluso al legendario coronel Zatopek, ganador de una maratón olímpica, que se había permitido criticar la intervención rusa. Pero los requerimientos de Lorenzo fueron desatendidos por sus camaradas que, a través de Cristina, en encuentros furtivos aparentemente casuales, siempre sin dejar rastro, sin alertar a la bofia, robando horas al sueño, al ocio y al estudio, supieron que no habrían de citarse formalmente hasta pasado el verano. De modo que toda la actividad política de Marta se resumía ahora en la lectura del periódico, normalmente la del diario *Madrid,* dirigido por un conspicuo miembro del Opus Dei que, contra toda lógica, había abierto sus páginas a la oposición moderada, y trataba de ejercer una cierta crítica del régimen. En abril, el general De Gaulle había abandonado la presidencia de la República francesa como corolario de su derrota en un referéndum sobre la reforma constitucional. Retirarse a tiempo, como De Gaulle, suponía una muestra de fortaleza y de dignidad política, ésa era la lección que el cotidiano extraía de los acontecimientos galos y la sugerencia, apenas velada, que públicamente le hacía a Franco. En el ministerio, Alberto procuró no mezclarse en las conversaciones sobre tan controvertido asunto, que llevó a una suspensión gubernativa del periódico por cuatro meses. Cumplía con estricta observancia las reglas del buen comportamiento desde que don Epifanio le informara acerca de las sospechas policiales sobre su persona. Todo lo que quería era formar una familia normal y corriente, según la expresión de doña Flora, aunque no se había decidido aún a plantearle el caso a Marta, tiempo tendrían para los hijos, y sólo le insistía a la chica en que les había llegado la edad de la razón. Disfrutaba con el presentimiento, un poco confuso, de que a sus veintipocos años había logrado establecerse en la vida: tener una mujer, un hogar, y un empleo seguro y relativamente bien remunerado. ¿Podía aspirar a más el hijo de doña Flora? El futuro le sonreía y le parecía absurdo tratar de condicionarlo todo a los acontecimientos políticos. Su admiración por

Ramón se mantenía viva, incólume, pero estaba convencido de que el incidente del destierro le había afectado más de lo que el otro quería aparentar. Perder la libertad, aunque sea en jaula de oro, resulta la peor de las condenas. Y aquel pueblín de Cáceres, por muy bucólico que uno se pusiera, no era ningún hotel de lujo.

Con sutil firmeza, había logrado conducir a Marta hacia terrenos lindantes con el conformismo, los mismos que él habitaba desde que decidiera prestar atención a los avisos de don Epifanio, con cuya figura se había reconciliado internamente, pues en lo exterior jamás en su vida había osado expresarle aquella mezcla de amor y odio que le inspiraba. No iba, desde luego, a abdicar de sus convicciones, pero no estaba dispuesto a cometer ningún error. Jamás sería un hombre del régimen, sin embargo no había necesidad de militar abiertamente en la oposición ni, mucho menos, dedicarse a la clandestinidad. Podían aprovecharse los resquicios de disidencia que la situación permitía, eso era más inteligente, quizá más productivo y, aunque no acababan de confesárselo, menos peligroso. Prefería, por eso, desperdigar con Marta sus ratos de ocio entre las excursiones dominicales a cualquier pueblo de la sierra y las visitas frecuentes a los cines de arte y ensayo de la capital. Las noches eran guerras de amor y de alegría, como las reclamara Miguel Hernández, copulaban a diario, envueltos entre sábanas y almohadones, desnudos y jóvenes, habitantes de un olimpo privado que habían sabido construirse en poco tiempo, a espaldas de todo el mundo, de sus propios amigos, de sus propias familias, de sus propias creencias y lealtades. «Fo-

llemos, follemos que el mundo se acaba», bromeaba
Marta entre coito y coito, para luego rematar la frase,
«desengáñate, que no hay más que esto». Era el sexo
lo que les unía, no la revolución.

Nueve

Democracia es que llamen al timbre de madrugada y sea el lechero. Hacía mucho tiempo que los lecheros no repartían a domicilio en Madrid, de modo que Eduardo Cienfuegos supo enseguida que quien aporreaba la puerta de su casa, a tan intempestivas horas, tenía que ser alguien portador de malas noticias. Dudó un momento entre abrir o tratar de escapar por el balcón de la cocina, pero luego decidió que, si era la policía, resultaría mejor dar la cara. Haciéndose de rogar, ¡ya va, ya va!, y reclamando silencio, descorrió el cerrojo de la puerta mientras acopiaba todo el valor que le resultaba posible encontrar en sus adormiladas carnes. Imaginó por un momento la gabardina grasienta del inspector y el ceño fruncido de los agentes, para terminar confesándose que sentía verdadero pánico, se persignó en un gesto ritual, casi automático, y ofreció su cuerpo al martirio, por eso su sorpresa fue mayúscula cuando, en vez de toparse de bruces con los guardias, descubrió en la penumbra del descansillo el cuerpo diminuto y la faz desencajada de Cristina, que se arrojó en sus brazos antes de que pudiera articular palabra.

Una mentalidad revolucionaria tendría que haber atendido, en ese instante, a los motivos de tan inesperada visita, y reaccionar de inmediato frente a la persecución que Cristina debía padecer para presentarse, de forma tan imprevisible, en su casa. Pero Eduardo sólo pensó en la suerte que tenía de que su mujer, embarazada de siete meses, hubiera decidido marcharse con sus padres a la casita de verano que poseían en la montaña, a fin de huir de la canícula del julio madrileño. En definitiva, se alegró tanto de que, por una parte, no fueran a detenerle y, por otra, no tuviera que dar explicaciones a nadie de la presencia de Cristina, que no pudo reprimir una enorme sonrisa de alegría, casi una carcajada de satisfacción, cuando sintió contra su cuerpo la tiritona temblorosa de la chica.

—¿Es risa lo que te doy? —inquirió ella mientras se desasía del abrazo—. Está bien, la prefiero a la lástima.

Hizo que entrara deprisa, «no hables alto, por favor, las paredes son de papel en estas casas de ahora», y la invitó a sentarse en una silla del comedor. Estaba demacrada, parecía más insignificante que nunca.

—Perdona que haya venido —susurró, después de aceptar un vaso de agua—, sé que rompe las normas de seguridad, pero no tenía adónde ir.

—¿Te han echado de casa?

—En realidad, me he largado.

Sin otro comentario, se puso de pie y se despojó de la blusa, comprada en cualquier almacén de saldos. Sobre su espalda infantil, unas manchas moradas evidenciaban los golpes que había recibido.

—Estuve en comisaría. Mi padre logró sacarme de allí, pero no sé qué es peor, si la tortura de esos cerdos o la de mi familia.

Eduardo, el compañero Andrés, dudó un instante, luego se acercó despacio, midiendo sus pasos y sus pensamientos, y depositó un beso discreto so-

bre los cardenales de la muchacha. Se alegraba de verla allí.

—Estoy solo, ¿sabes? Carmen se ha ido a la
sierra. Te puedes quedar si quieres.

Sí quería.

La habían detenido hacía tres días, en su casa.
Se presentaron a la hora de cenar, con toda la familia
reunida a la mesa, y de nada sirvieron las protestas de
su progenitor, por muy general que fuera.

—Buscaban armas, estoy segura de que buscaban armas, y se han quedado bien jodidos, porque sólo encontraron las de mi padre, todas en regla —luego
se volvió hacia él en un gesto de angustia.

—La tienes todavía, ¿verdad? Tienes la pistola.

—La tengo, pero no me gusta esto, guapita.

—¿A quién le gusta?

¿A quién podría gustar su vida de aprendices
de la revolución? En realidad no hacían nada del otro
mundo. Se reunían, hablaban, discutían con la convicción de quienes se saben portadores de la verdad, y
aprendían las primeras lecciones de una promiscuidad
sexual que llegaba arropada en el lenguaje de la liberación. Un poco de cine club, y algún librero amigo que
traía de Francia las obras censuradas, servían para hacerles sentir que su disidencia era real, comprometi-
da. Incluso, a veces, les tocaba imprimir un panfleto, o distribuirlo a lomos de cualquier ciclomotor
renqueante, animando a una huelga de la construcción, o protestando por el encarcelamiento de algún sindicalista. Pero Enriqueta Zabalza, la compañera Cristina, la más radical y empedernida luchadora de
su grupo, era también la más escéptica, «al fin y al ca-

bo, todos somos unos hijos de papá», repetía una y mil veces, «pero a Franco, a este paso, no lo va a echar nadie». Franco moriría en la cama, qué coño, y no había huevos contra él, como no fueran los de los vascos.

En comisaría la desnudaron, durante un par de horas tuvo que apoyar su frágil cuerpo sobre los pulgares de sus manos, haciendo arco en la pared. Lo resistió bien, una vez que comprendió que no iban a violarla. Una mujer con pinta de lesbiana y un hombre bigotudo y parlanchín, que no cesaba de insultarla y amenazarla, fueron los encargados de vigilar. Hubiera debido experimentar algún sentimiento de humillación, pero no fue así, sólo estaba turbada al saber que los otros la miraban y, en medio del cansancio y del dolor, sintió también una extraña sensación de placer, como un orgasmo reprimido y fugaz. Los golpes vinieron luego, a manos de aquella bollera. Empleó una toalla mojada para azotarla, antes de pasar directamente a las bofetadas. No lo hacían para que hablara, no le preguntaban nada, lo hacían porque disfrutaban con ello.

Tirada sobre el jergón de la celda, que olía a pis y a humedad —algo que no le desagradaba por completo, pues le traía evocaciones de la infancia—, trató de imaginar los motivos por los que estaba allí, de los que nunca le informaron. No le preguntaron por los compañeros, ni por nada en concreto, sólo aquella machacona insistencia en saber si pertenecía al Partido Comunista y su negativa frontal, retadora. Se sorprendió a sí misma descubriéndose tan fuerte, tan capaz de controlar sus reacciones, y pensó que la experiencia, en cierta medida, valía la pena, era como si hubiera crecido, como si efectivamente se sintiera, por primera vez, adulta. Por eso el retorno al hogar, la reprimenda paterna y las empalagosas recomendaciones de su madre le sacaron de quicio. Ni una palabra de comprensión, ni un mínimo interés intelectual por saber qué es lo que había conducido a su hija a aquella situación tan lejana a los designios de una familia como la suya, sólo lágrimas de plañidera y una atronadora llamada al orden y al sentido de la responsabilidad. Se quedaron boquiabiertos, perplejos, cuando en medio de la monumental bronca que organizaron hizo el petate y se despidió para siempre. No hubo lástima en la cara de sus progenitores, ni tampoco intentos de que revisara su actitud, «si te vas, no vuelvas», exclamó altisonante el general. Al llegar a la calle, Enriqueta Zabalza, la compañera Cristina, posó sus ojos en el cielo estrellado y respiró profundamente lo que ella creía que era su primer aire de verdadera libertad.

Después de terminar el relato, que Eduardo escuchó sin interrumpir, decidió darse una ducha que le aliviara del sudor y la mugre acumulados. Él preparó un poco de café y se lo ofreció risueño cuando apareció enfundada en un albornoz de Carmen.

—No le importará a la ausente, ¿verdad?

La infusión estaba caliente y le reconfortó el cuerpo. Era ya tarde para acostarse, y demasiado pronto para andar de pie.

—Amanecerá enseguida —comentó ella, acurrucándose en el batín mientras se dejaba caer sobre un sofá.

Eduardo quiso adoptar un aire de compañerismo, pero estaba seguro de que se le notaba la excitación.

—¿De quién es el arsenal que me diste?

—Mío, claro, se lo birlé al viejo hace un par de años. Ni se enteró, porque ya está gagá. O quizá sí lo hizo, pero prefirió no saber nada, no enterarse de nada.

—Sigue en mi taquilla. Allí no hurga nadie, y el periódico no lo van a registrar.

Se sonrojó al decirlo. La chica había ensayado un bostezo al tiempo que trataba de estirarse sin que el albornoz se le abriera del todo. Entre los pliegues de la felpa, adivinó unos pezoncillos discretos sobre dos pechos diminutos, adolescentes. Cristina le miró con gesto complacido, «¿quieres venir?», le dijo mientras se echaba a un lado, haciéndole hueco en medio de los cojines, luego agarró su mano con dulzura y la guió discretamente por la piel, todavía húmeda, dejando más tarde que él mismo decidiera el recorrido.

—¿Has pensado en un atentado? —preguntó Eduardo, como distraído.

—Nada de eso, sólo quiero defenderme. O quizá juego a las hazañas bélicas. Ya ves, le robo una pistola a mi padre y luego no sé qué hacer con ella.

Respiró hondo antes de añadir:

—En realidad todos jugamos, ¿no? Nos gusta ser mayores y no nos dejan.

Dio media vuelta mientras se deshacía suavemente del abrazo del otro.

—¿Te importa si me duermo? Han sido demasiadas emociones en estos días, estoy rendida.

Cinco minutos más tarde, unos leves ronquidos invadieron el apartamento.

Diez

—El Borbón, te digo que es el Borbón, bueno el borboncito...

Ansorena estaba excitado. Los periódicos hablaban de un pleno extraordinario de las Cortes para el día 22 de julio. Se rumoreaba que, en esa fecha, Franco iba a designar sucesor.

—O sea que, treinta años después, no ha servido de nada. Los monárquicos se llevan el gato al agua, ya lo verás. Y tanto muerto, tanta leche, tanto resistir el bloqueo y andar por ahí jugándose la vida... mira en lo que acaba.

Don Epifanio asintió con sonrisa benevolente.

—No te cabrees, hombre, que no es para tanto. Además, ¿no lo hemos votado en las leyes fundamentales? España es un reino. Pues un reino necesita un rey.

Las noticias políticas le habían jorobado las vacaciones. Todo el mundo sabía que a partir del 18 de julio —fecha conmemorativa del golpe de Estado franquista, que el régimen había instituido como fiesta nacional— la vida política y administrativa se paralizaba en Madrid, y él tenía por costumbre desplazarse a Marbella ese mismo día para comenzar un mes largo de asueto. Como muchos otros, había comprado, por lo que se dice cuatro perras, unos terrenos en el litoral malagueño, antes de la expansión turística y de que aquello diera en llamarse la Costa del Sol. El ex ministro Girón de Velasco, uno de los más jóvenes y rudos componentes de los gobiernos franquistas de primera hora, se había instalado en Fuengirola, en una hermosa finca junto al mar, cuya propiedad invadía la playa y otros terrenos de dominio público. Girón estableció allí una especie de cacicato y, bajo su nada discreta protección, algunos espabilados amigos suyos se dedicaron con éxito a la especulación del suelo. Compraron antes de que la costa se beneficiara de las cuantiosas ayudas oficiales que, en forma de créditos y subvenciones, contribuyeron a desarrollar el turismo de la zona. En realidad, ellos mismos se encargaron de promover desde el gobierno dichas ayudas y de empujar, también, las recalificaciones municipales que permitieron dar un impulso acelerado a la construcción de hoteles y apartamentos. Don Epifanio había sido llamado al reparto, aunque participó en él de manera modesta, logró hacerse con una parcela a buen precio y jamás se le había pasado por la cabeza revenderla. Antes bien, construyó una casita humilde, pensando en los días de su jubilación, y decidió utilizar las dos hectáreas de terreno que la rodeaban para plantar allí un pequeño vergel, que regaba con el agua de un pozo y cuidaba con la ayuda de un campesino local. Hacía ya más de siete años que acudía puntual a su cita marbellí todos los meses de julio y ahora estaba más contrariado por tener que retrasar el viaje que por la eventual victoria del Opus en la designación del sucesor de Franco.

—Porque eso es lo que es —machacaba Ansorena—, una auténtica victoria del Opus. Y nosotros tan tranquilos. ¡Vamos, que parece que nos han castrado!

El cotarro político estaba agitado con el anuncio del acontecimiento. Lo de «después de Franco, las Instituciones» iba a funcionar sólo de manera regular.

—Hay que tener fe en el Caudillo, Ansorena, hay que tener fe. Si hace las cosas así es por el bien de España.

Sonó cínico, o irónico, burlesco en cualquier caso. Ruiz de Avellaneda pensó para sus adentros que su acompañante padecía todavía las primitivas pasiones de los primates no evolucionados. ¿Qué otra cosa se podía esperar de un divisionario en Rusia? Hacía tiempo que las cartas estaban echadas y que los tecnócratas se habían llevado el gato al agua. Bien mirado, algunas razones tenían a su favor. Cuando pusieron en marcha el plan de estabilización monetaria, diez años atrás, el país comenzó a respirar, a moverse, a existir. Hasta entonces el franquismo, perdidos los sueños de imperio y superado el drama del bloqueo internacional, había vegetado quedamente al compás de la respiración asistida que la ayuda americana le insuflaba, bajo la pastoral mirada de la Iglesia Católica. Todavía había quien soñaba con la autarquía a finales de los años cincuenta, momento en que los ministros económicos agrupados en torno a Carrero lanzaron su estrategia global para la ocupación del poder. Triunfaron, entre otras cosas, gracias al crecimiento espectacular del turismo y al desarrollo galopante en Europa Occidental, que absorbía sin problemas los excedentes de mano de obra española. La «Operación Príncipe» debía ahora culminar un largo proceso de intrigas y conspiraciones en el que las diversas tribus del régimen libraban batallas de una virulencia insospechada, pero a don Epifanio le maravillaban la actitud, un tanto ingenua, de Ansorena y el ardor con que la manifestaba. «Al fin y al cabo», pensaba, «¿qué más da que Franco nombre un sucesor?». Eso sólo serviría hasta su muerte, luego la incógnita seguiría abierta.

Ruiz de Avellaneda, como Miranda, como tantos otros de su generación, se había hecho alguna ilusión respecto a la posibilidad de que el régimen articulara una serie de leyes que permitieran un tránsito pacífico y paulatino hacia la democracia. Era indudable que, con Franco en vida, el país seguiría sometido a los mismos tabúes y renuncias vigentes desde la guerra civil, pero resultaba preciso ir previendo el futuro. El futuro, no la sucesión. Estaba convencido de que, si el Generalísimo hubiera vivido en el siglo anterior, se hubiera coronado. Su única frustración recóndita debía de ser la de no poder llamarse rey o emperador de las Españas. No concordaba don Epifanio con quienes elogiaban la prudencia y buen sentido del dictador, cuyos frecuentes silencios él los atribuía exclusivamente a su pobre cultura. Creía que era un militar mediocre y oportunista, sin mucha inteligencia, aunque con gran instinto político, y poseedor del valor o la temeridad de los desaprensivos. A esas alturas de la vida no le quería y no le admiraba, solamente le temía, aunque reconocía también que, al fin y al cabo, el muñeco había funcionado ya durante varias décadas, por lo que le infundía, igualmente, bastante respeto.

La «Operación Príncipe» era apadrinada por los tecnócratas en el poder, pero desconfiaban de ella los cortesanos que se agrupaban en torno al Caudillo y a su esposa, una señoritinga ovetense sin ninguna calidad humana aparente, cuya pasión por la nobleza y su ambición de verse integrada en ella fueron siempre evidentes. Había casado a su única hija con un marqués de aspecto y vida rijosos y ya andaba maquinando con empujar, igualmente, a su nieta mayor a un matrimonio de conveniencia con don Alfonso de Borbón, sobrino carnal del jefe de la Casa Real española y nieto mayor de don Alfonso XIII. Este infante de cara aturdida habría tenido preferencia en la línea de sucesión al trono si no hubiera abdicado su padre, don Jaime de Borbón, víctima de una minusvalía funcional que no le impidió, empero, vivir una enjundiosa existencia en la que logró combinar sus sueños secretos respecto al trono de España con los más abiertamente reconocidos por ceñir la corona de Francia, sobre la que ejercía derechos dinásticos como duque de Anjou. Casado en primeras nupcias con una viuda italiana de buena familia, hija de la princesa Rúspoli, de dicho enlace nacería don Alfonso, a quien ahora jaleaban en España los sectores falangistas del franquismo, deseosos de tener su propio príncipe azul. Pero años más tarde se divorció para contraer nuevamente matrimonio civil con una cabaretera austriaca, a la que él mismo otorgó honores y tratamiento de duquesa. Ésta, sin duda agradecida por su nuevo estado, y esperanzada porque aún pudiera mejorar, dedicó los primeros meses después de la luna de miel a enseñar a hablar a su marido sordomudo, una vez que comprobó que era capaz de percibir cuando menos el tic-tac de un reloj de pared y que un especialista vienés les informara a ambos de que la enfermedad era curable a base de ejercicios bucales, con la sola condición de que el duque obtuviera la debida tranquilidad de espíritu, pues su disfunción era sobre todo de origen nervioso. Cuando el infante aprendió a balbucear los primeros sonidos en italiano, idioma elegido por el especialista debido a su riqueza en vocales, la dedicada esposa que consiguió relajarle a base de caricias pudo anunciar que don Jaime estaba curado y en disposición de recuperar sus derechos dinásticos. Si algún día la Monarquía se restauraba en España, no resultaría tan difícil avivar la llama de la polémica sobre cuál de los descendientes del rey destronado en 1931 tendría mejor derecho a sucederle.

El espíritu de don Epifanio, que él consideraba de un radicalismo alimentado en los textos del propio José Antonio, se rebelaba internamente contra la idea de que no fuera una república, presidencialista, orgánica o lo que fuera, pero república al fin, lo que sustituyera al franquismo a la muerte del Caudillo. Claro que la firmeza de su protesta se limitaba al círculo de su intimidad. Pocos días más tarde, vestiría el rutilante uniforme blanco de las grandes ocasiones para acercarse a votar al palacio de las Cortes en su calidad de procurador del tercio sindical. Y votaría sí, como cada quisque. Sí a lo que Franco dijera, porque Franco lo decía, cuando Franco lo propusiera, como Franco decidiera, hasta que la voluntad de Franco expirara.

—No, hombre, si yo también digo que sí —se exculpaba Ansorena, no sea que el Epifanio este de los cojones le vaya con el chivatazo a alguien, o se lo diga al sopla de Mirandita—. Yo también digo que sí, porque no hay más pelotas. Pero cuéntame tú si no es tonto el Borbón, y si no nos lleva a la ruina en cuanto la diñe el viejo. España no es monárquica, ¡me cago en diez! Además, su padre es un cara de los de campeonato, anda siempre enredando con los rojos y ha querido volver no sé cuántas veces, mientras deja que le traten de rey y recibe en Villa Giralda casi como si lo fuera. ¿Pero rey de qué coño? ¡Si fueron los reyes los que causaron nuestra decadencia!

—Escucha, que a lo mejor no es él. Yo he recibido una filtración, y digo lo que se dice, pero la verdad de la buena sólo la conoce el Caudillo.

—Déjate de leches, esto está ya cocido y no hay que darle otra vuelta. ¡No va a nombrar al primo!, que a ése no le quieren ni los monárquicos. Te lo digo yo, que los conozco, porque el Ejército está plagadito de ellos.

—El caso es que nos han estropeado las vacaciones —se lamentaba don Epifanio, y era lo que más le preocupaba de todo aquello, porque tendía a suponer que su salud era más frágil que la del Jefe del Estado y que no habría de vivir para conocer el final de la trama—. ¡Franco podía escoger alguna vez un mes que no sea el de julio para hacer las cosas importantes!

A Alberto le tocaría también quedarse en Madrid, aunque no pensaba regalar ni un día de asueto al ministerio. Él y Marta decidieron renunciar a la invitación de su suegro, que quería tenerles consigo en la Riviera. Era tal el rechazo que les producía la figura del cónsul que su presencia no podía ser compensada ni siquiera por la bocanada de libertad que suponía cualquier viaje al extranjero. Los veranos de la capital resultaban, de todas formas, muy gratificantes. «Madrid, en agosto y con dinero, Baden-Baden», se repetían las gentes, remedando a un viejo presidente de la diputación capitalina, el marqués de la Valdavia, famoso por su aprecio a la buena vida y su concepto glotón de la política. Alberto había estado, sin embargo, en Baden-Baden con ocasión de un viaje de estudios y le pareció una ciudad muerta, apagada, un aburrido balneario presidido por un hermoso edificio del XIX que servía de casino, y plagado de jubilados centroeuropeos. En Madrid, en cambio, las juntas de distrito organizaban verbenas en los barrios, algunas tan famosas como la de las Vistillas, que permitían prolongar la jornada hasta la madrugada, bailando y bebiendo sangría, para terminar recalando en la chocolatería de San Ginés, junto a la parroquia del mismo santo. En el local, en medio de una barahúnda, servían un brebaje espeso con sabor a cacao y lo aderezaban con unos cuantos churros recién fritos que hacían las delicias de la concurrencia. A Marta le encantaban aquellas fiestas, descubría en ellas los ecos de las noches romanas del Trastevere, con las familias sentadas a la puerta de sus casas y la ropa tendida de lado a lado de la calle, chorreando sobre los transeúntes. Era un misterio cómo los madrileños podían dormir con tanto trajín, tanto organillo y orquestina barata atronando el ambiente, y el olor a fritanga colándose por los balcones, abiertos en busca de un poco de aire que sirviera para combatir, desesperadamente, aquel calor seco, inmisericorde y letal, que amenazaba con acabar con cualquier signo de vida sobre la superficie de la tierra. Marta sufría por los niños, despiertos todavía a altas horas de la noche, paseando a lomos de sus verbeneros padres, arrastrando su sueño y su desconcierto, su absoluta ignorancia de cuanto sucedía alrededor, acosados por las caricias y los mimos de desconocidos, abrumados por el ruido, agotados.

—No pienses que sufren —la consolaba Alberto—. Ellos creen que la vida es así.

En el ministerio se vivía una gran efervescencia. No sólo eran las noticias sobre la sucesión, el gobierno debatía sendos proyectos para una ley de asociaciones y otra sindical, se entendía que la primera habría de significar la apertura al pluralismo político, una especie de institucionalización que permitiría encarar el futuro con confianza y seguridad, sin saltos en el vacío, sin nuevos enfrentamientos civiles. Las disensiones en el gabinete no eran pues, exclusivamente, entre falangistas y opusdeístas, también se sucedían entre los partidarios de la apertura y los del cerrojazo y todo resultaba lo suficientemente ambiguo como para que Franco pudiera flotar, tranquilamente, sobre las revueltas aguas de un equipo de gobierno al que prácticamente sólo unían la fidelidad y el miedo al Caudillo.

Alberto escribía sin cesar, para don Epifanio, informes sobre las nuevas leyes de desarrollo político. Se encontraba a gusto con aquella tarea. Aunque desconocía dónde iban a parar finalmente sus papeles, aspiraba a que alguien los leyera; si así fuese, podría tener la última satisfacción de estar contribuyendo a la Historia de España. Le sorprendía un tanto la obsesión jurídica de los burócratas de la dictadura, el respeto a la norma escrita, el deseo de dejarlo todo «atado y bien atado», pasaba madrugadas enteras construyendo teorías más o menos afinadas que permitieran a su jefe defender posturas que él tildaba de progresistas en las cuestiones sindicales, o definir con cierto garbo las diferencias entre las asociaciones políticas y los partidos. Ésta era cuestión de gran trascendencia. La dictadura había anatematizado desde sus orígenes a la partitocracia, a la que hacía responsable de la decadencia de occidente y la perdición de España. La obsesión del Generalísimo contra la masonería —según él vinculada de lleno al judaísmo y al liberalismo— parecía genuina y decían que fruto de la negativa que recibió en sus años de oficial en África a sus pretensiones de integrarse en una logia. Numerosos documentos oficiales ponían constantemente en guardia contra esas heterodoxias del pensamiento y la praxis política, tan perniciosas o más que las contaminaciones marxistas. Si se quería democratizar el régimen, darle un sentido de futuro, era preciso hacerlo sin incurrir en el error, sin dar pábulo al Maligno. Pues no era otro sino el diablo, el mismo que visitara aquella noche aciaga a Jaime Alvear, quien inspiraba las conciencias torvas de la oposición democrática.

Dado el cúmulo de trabajo y de dudas que sobre estos problemas tenía, Alberto decidió aceptar, a sugerencias de su mujer, la ayuda de Gerardo Anguita. El compañero Pablo veraneaba en la sierra madrileña, dedicado a la lectura y los paseos por el campo, estaba aburrido y se mostró dispuesto a colaborar con una diligencia sorprendente. Le consumía la curiosidad por conocer los entresijos de lo que se estaba cociendo en el gobierno. Profesor de Derecho y abogado de pleitos perdidos en sus horas libres, Gerardo sentía una especie de veneración por las leyes, una admiración profunda por el universo jurídico, en el que se movía con absoluto desenfado, mezclando el iusnaturalismo con las teorías de Kelsen, el humanismo cristiano y parvas nociones de hegelianismo marxista, al que le habían conducido sus inquietudes políticas. El resultado constituía un explosivo empacho intelectual, mitigado por un cierto espíritu volteriano que, para complicar aún más las cosas, no acababa de renegar de la misa dominical. Aunque formalmente militaba todavía en el comunismo, su talante acomodaticio y sus escrúpulos de conciencia le acercaban a velocidad de crucero hacia posiciones mucho más templadas. Entusiasmado con la idea de contribuir, aunque fuera mínimamente, a que el régimen resultara un poco distinto, y convencido de que su aportación podía no resultar inútil, Anguita no escatimó ni tiempo ni esfuerzos a la hora de ilustrar a Alberto sobre las exigencias del Estado de Derecho y la conveniencia de someter la autoridad a la ley. Pretendían entre ambos la imposible tarea de convencer a don Epifanio de que podía darse una batalla, en el seno del franquismo, por el hallazgo de una solución democrática.

—¿No dicen que es orgánica, democracia pero orgánica?, pues que sean coherentes con ellos mismos —declamaba el compañero Pablo—, que no falsifiquen sus propias elecciones.

La Ley de Bases para las Asociaciones Políticas había sido aprobada a principios de julio por el Consejo Nacional del Movimiento, un sanedrín de notables designados a dedo y que se atribuían a sí mismos, sin ningún sofoco y con notable descaro, las tareas del antiguo Senado, en cuyo viejo palacio sesionaban. Alberto y Gerardo consumieron tardes enteras, mientras paseaban entre las jaras y las encinas del Guadarrama, discutiendo la manera de orientar oscuros documentos que quizá algún día acabaran influ-

yendo en la organización del Estado. Sufrían la alu-
cinación, muy tonificante para su espíritu, de que si
eran hábiles en la redacción de sus informes podrían
colar una frase, una sentencia, una opinión, capaz de
modificar el rumbo de la Historia. Aquellos largos
debates lograron interesar a Alberto, de manera inopi-
nada, en las cuestiones de la política, y con mayor
eficacia que la antigua apasionada insistencia de Marta. Descubrió en el compañero Pablo una mente racional, lógica, dispuesta al diálogo, frente al obsesivo
y simplista reclamo que ella hacía de la revolución,
cuando ésta no era el camino de nada, se reducía a un
eslogan, un *flatus vocis* sin más contenido que el ver-
bal, sin otra posibilidad ni otro destino que el de quedar archivada en la memoria de los que algún día
fueron jóvenes. De modo que se fue fraguando una especie de complicidad intelectual entre los dos hombres, algo muy parecido a lo que podría entenderse
por amistad íntima. Para Gerardo Anguita era difícil
discernir si todo lo que sentía por el joven funcionario
era admiración y afecto, o había algo más. Se resistía a
reconocer la sorda atracción física que le producían los
otros machos, y se avergonzaba cada vez que se descubría en mitad del insomnio imaginando el rostro de
efebo de su nuevo amigo, su verbo fácil y vehemente,
su mirada brillante cuando él le hablaba de la libertad.

   La carretera hacia la sierra de Madrid se convirtió para Alberto en un nuevo camino de Damasco.
Se había apeado del caballo del escepticismo para caer
en brazos de la reflexión. Marta se enfadó un poco al
principio, a medias porque sospechaba las inclinacio-
nes sexuales del compañero Pablo, a medias porque
sentía celos de que éste hubiera sido más convincente

que ella misma a la hora de arrastrar a su pareja hacia un terreno en el que se sentía superior a Alberto, pero luego aceptó las cosas como venían y optó por sumarse a las discusiones. ¿Podía haber una democracia sin partidos políticos? Ésa era, por estúpida que pareciera, la cuestión fundamental que traía de cabeza a docenas de eruditos juristas y politólogos.

—Durante años —explicaba Anguita—, han estado intentando descubrir la cuadratura del círculo, instaurar la libertad para el bien, entendiendo que el bien son ellos mismos. Libertad de asociación, de reunión, de manifestación, de expresión... pero para ellos. A la oposición política, a la confrontación, la bautizan con el benigno apodo de «contraste de pareceres» y, fenecido el partido único, el Movimiento como partido, se esfuerzan ahora en construir una especie de Movimiento-Comunión, que dé acogida a diversas tendencias, como si fueran las corrientes o los remolinos de un mismo río cuyo cauce fluye inevitable hacia un solo y único mar.

—Vamos, si te entiendo —concluía Marta—, lo que ahora quieren es legalizar no sólo la cara, sino también el culo de los falangistas.

—Sí —terciaba Gerardo, a la vez avergonzado y feliz por la metáfora anal—, pero si legalizamos su culo, a lo mejor les podemos dar por él, con que abran nada más que un poquito las piernas, o por lo menos la mano, con que pongan en marcha la chorrada esa de las asociaciones, los partidos vendrán detrás. Será un coladero.

—A mí me parecen pamplinas —se encabritó Marta—. Una democracia es una democracia. Si le pones adjetivos, se va a la mierda.

—¿No crees en las democracias populares?
¡Vaya comunista que estás hecha! —rió Alberto.
—¿Y quién te dice a ti que soy comunista,
caro mio?
¿Lo eran, no lo eran? El partido siempre les
había sido fiel, mucho más que ellos al partido, pero
se trataba de una cuestión de oportunidad, un sistema de trabajo. Si quería hacer uno algo por los demás
había que apuntarse en algún lado. Desde lo de Checoslovaquia, casi todos en la célula dudaban como el
que más del futuro del socialismo, pero ahora no
importaban las discusiones más o menos bizantinas,
ahora lo esencial era lo inmediato, lo que se estaba
fraguando, esa especie de apertura del régimen («seguro que están cagaditos, ven que el viejo se muere y
quieren prepararse para lo peor»), esa necesidad de
cambio que todo el mundo sentía, padecía, que estaba en la calle, en la universidad, en los periódicos.
—Es como un alud.
—Pues vosotros lo vais a detener si seguís su-
giriendo cómo tienen que hacer las cosas esos inde-
seables —apostillaba Marta.
¿Un indeseable don Epifanio? Alberto no pa-
raba de revisar sus antiguos juicios sobre él. Quizá resultara menos conformista de lo que suponían, o quizá ellos eran menos inconformistas de lo que soñaban.
Se amoldaba, como todos, a la situación, pero no daba
su brazo a torcer fácilmente. A él le había defendido
frente a las insidias de la policía, le había mantenido en su puesto.
—Lo que pasa es que tú eres un posibilista
—le reprochaba la chica.
—De ese posibilismo comemos, ¿no?

La relación entre Anguita y Alberto acabó haciéndose tan estrecha que un día le propuso visitar a Ruiz de Avellaneda.

—Él sabe que me ayudas, y quiere conocerte.

—Está bien, pero mantengámoslo en secreto. A nadie le interesa que esto se propague, y menos que a nadie al propio don Epifanio.

El encuentro se celebró en casa de éste, al abrigo de curiosos y de sospechas, y Anguita insistió otra vez en que nada trascendiera. Había resuelto no comunicarlo a la dirección del partido, de la que cada día se sentía más distanciado, ni comentarlo con los compañeros. Don Epi se comprometió al silencio, aunque no estaba dispuesto a ser fiel a tal compromiso. Dijo que aquella reunión podía ser peligrosa para todos y sugirió que disfrazaran las futuras como encuentros informales entre poder y oposición, por si en algún momento eran descubiertos. En realidad, Ruiz de Avellaneda pretendía utilizar el diálogo para vender a sus jefes la importancia de sus gestiones. Anguita era un comunista —si es que lo era— absolutamente descafeinado desde el punto de vista del régimen. «No hay ningún riesgo en hablar», le había comentado a Dorado, «y a lo mejor podemos obtener información suplementaria. Verás que mi ahijado, el compañero de viaje, nos va a resultar útil».

En un principio, las conversaciones se hicieron difíciles.

—Desengáñese, señor Anguita. El régimen se sucederá a sí mismo. No habrá vuelta de la tortilla.

—Pero no se trata de eso. La cuestión está en saber cuánto miedo tenemos cada uno de nosotros. En virtud de ello, operaremos en consecuencia. Porque reconocerá conmigo que una España franquista es insostenible en el actual entorno europeo.

—Lo será, lo será, no lo pongo en duda, salvo por el hecho, al parecer insignificante para usted, de que estamos en pleno franquismo y no parece que nos rechacen mucho.

—Tampoco nos aceptan, no entraremos en el Mercado Común mientras no haya democracia.

—Democracias hay de muchos tipos.

El compañero Pablo saltó de su asiento.

—Sólo admitirán de uno, del que ellos tienen. Y para eso es esencial que se legalicen los partidos políticos. Los partidos, no ese experimento absurdo del asociacionismo.

—¿El comunista también?

Ruiz de Avellaneda planteó la pregunta como una trampa, pero a su interlocutor no pareció importarle.

—El comunista, el primero. Europa no existiría como es hoy sin la aportación de los comunistas a la lucha contra el fascismo.

—No hay comunistas que gobiernen en democracia, no puede haberlos. Fíjese en Checoslovaquia: el camino de la apertura les ha llevado directamente a la invasión soviética.

—También yo le podría decir que hay muchas clases de comunismo.

—Sí, pero todas malas —atajó con resolución don Epifanio, consciente de que había desarmado al otro.

Después cambió el tercio, no era de eso de lo que quería charlar, pretendía agradecerle, primero, la colaboración que estaba prestando a Alberto, había muchas aportaciones valiosas, aunque naturalmente no todas incorporables a la actual situación. Ahora podía comprobar que Anguita era más exagerado hablando que escribiendo, a lo mejor era sólo vehemencia, o los efectos del marrasquino que le había ofrecido, ¿le gustaba el marrasquino?, a él mucho, le rejuvenecía, le transportaba a los años alegres, porque fueron alegres a pesar de la guerra.

—Y eso, señor Anguita, es lo que tenemos que evitar: otra guerra, que bastante tenemos con la que nos están montando los vascos. Estoy de acuerdo con usted en que la ración de miedo de cada cual es muy importante. El que tenga más miedo es el que más cederá. Pero eso será después, con Franco en vida no hay otro remedio que buscarle las vueltas al asunto y tratar de progresar a pasos contados.

Gerardo se sintió reconfortado con aquella declaración de pragmatismo. Estaba claro que don Epifanio era alguien de mucha mayor categoría de lo que, en principio, él había pensado. Resultaba incomprensible que el régimen no aprovechara más y mejor sus cualidades.

—Las únicas cualidades que el poder aprecia son la obediencia y el silencio. No olvide eso, muchacho.

Había decidido apearle aquel tratamiento tan antiguo de «señor». El compañero Pablo lo consideró como una prueba de amistad, y se atrevió a ofrecer, también él, la suya:

—Le aseguro que yo tampoco creo que se vaya a dar la vuelta a la tortilla, son cosas que nos decimos para darnos ánimos.

Inició luego una despedida, mientras su interlocutor todavía quiso aclararle algo:

—Naturalmente, le pagaremos por sus trabajos.

Él quiso protestar, pero el otro levantó la mano haciendo un ademán de rechazo, y soltó su último sarcasmo:

—Hay que ser coherentes. Operar de otro modo no sería muy marxista.

Once

«Aquí, los seres humanos del planeta tierra posaron por primera vez sus pies en la luna en el año 1969 de la era cristiana. Hemos venido en son de paz y en nombre de toda la humanidad.»

—¡Ay, cómo disfrutaría Manuel con todo esto!

A doña Sol se le escapó el suspiro entre bostezos, colgada, como había estado toda la noche, del televisor. Era ya de madrugada en Madrid cuando el astronauta Neil Armstrong dio el saltito que le depositó sobre la corteza lunar y pronunció la famosa frase: «Un pequeño paso para un hombre, un paso gigantesco para la humanidad». Él y su compañero clavaron una bandera americana y depositaron en el suelo la placa de acero con la inscripción, «aquí, los seres humanos del planeta tierra...». Francisco Alvear se removió en su butaca, agitado por la excitación, aquello era el anuncio de una nueva e inconcebible etapa de la Historia que, según el presidente Nixon, se dividiría en dos partes, antes y después de ese día. Muchas gentes velaron para disfrutar, en directo, del acontecimiento que llegaba a todos los hogares gracias al formidable invento de la televisión, algo que Julio Verne no había podido prever cuando imaginó la primera expedición lunar. Doña Sol se incorporó haciendo un aspaviento de incredulidad.

—¡Jesús, Jesús! ¡Adónde vamos a llegar!

Habían invitado a Gerardo a compartir momentos tan sublimes y él se acercó junto con don Mario, el cura, a tomar un café después de la cena, pero se retiraron antes de la consumación de los hechos, con disculpas diversas. Anguita había abandonado su retiro en el Guadarrama porque imaginó la posibilidad de unos momentos de intimidad con Jaime, una ocasión de olerle, o de mirarle al menos, con el descaro con que acostumbraba a hacerlo ante la impavidez ignara del chico. Pero la presencia del elenco familiar, y el cortejo cada vez menos sutil al que le sometía doña Sol, le llevaron a desistir enseguida, momento que fue aprovechado también por el sacerdote, que no era de mucha confianza en la casa y no se sentía cómodo. Total que la dejaron sola con sus vástagos, disfrutando del espectáculo, que habría de generar un buen río de tinta y filosofía barata en los periódicos del día siguiente. Francisco y Jaime comentaron la ingenuidad de los americanos a la hora de redactar frases famosas, su precaución ante la eventual existencia de seres ultraterrestres, su convicción de que, como Napoleón en las pirámides, estaban hablando para las generaciones futuras.

—¿Y por qué no va a haber otros mundos habitados? —se preguntaba la viuda, espantada con el racionalismo de sus hijos—. ¡Dios es inmenso!

Don Mario lo había dejado bien claro, la Iglesia no se oponía a la existencia de otros seres, teológicamente no había nada reprobable en ello.

—¿Y qué si se opone? —terció ante semejante opinión Gerardo Anguita—, ¿dejarían de existir por eso?

—No me embromes —se defendió enseguida el cura—. Lo que quiero decir es que puede haber vida en otros planetas. Otra cosa es que esos seres tengan alma, que hayan pecado y se hayan redimido. Son problemas que no nos competen, no nos interesan.

Alguien planteó la interrogante de si las personas, como los gatos, no tendrían varias vidas, ¿no era posible la reencarnación?, y fue otra vez don Mario quien estableció concluyentemente que la Iglesia la desechaba, los griegos creían en la metempsícosis, la transmigración de las almas, pero estaba claro que el proyecto redentor de Jesucristo excluía por completo una teoría así.

Ahora, cuando ya se habían ido los invitados, la viudita lamentaba que su pobre Manuel no estuviera vivo para gozar de todo aquello, del placer inmenso de la discusión, del conocimiento de la hazaña de los viajeros del espacio que, como nuevos argonautas del siglo XX, parecían sometidos a un destino inevitable, el hado de los héroes, obligados de continuo a una aventura sin fin, «es preciso navegar antes que vivir». Allí estaban, encaramados a la luna, ese astro tan familiar como misterioso, hollado hoy por la planta del hombre, que había llegado para destruir el mito, la ilusión, la magia. Francisco Alvear sabía que todo aquello respondía al mandato bíblico de enseñorear la tierra, que las andanzas y descubrimientos en el progreso de la humanidad no eran sino contribuciones a la obra del creador, prolongaciones de sus deseos, complicidades con sus objetivos. Apenas un año antes Stanley Kubrick había invadido las pantallas con su *2001, Una odisea en el espacio*. Por fin los sueños se hacían realidad, no había fronteras para el hombre, verdaderamente hecho a imagen y semejanza de Dios, verdadero partícipe de la naturaleza divina,

¿era tentar al diablo tanta osadía?, ¿era contravenir el orden natural de las cosas? En julio de 1968 el Papa había publicado una encíclica que originó gran polémica. La *Humanae Vitae* no sólo prohibía el uso de la píldora anticonceptiva, ya muy extendido entre las mujeres católicas, sino que establecía la prohibición radical de todo método de prevención del embarazo salvo los que no interrumpieran el ciclo natural de la mujer, como el de Ogino-Knauss. El ciclo natural, el orden natural, el derecho natural... los aviones volaban, los hombres llegaban a la luna, ¿rompía eso las reglas de la naturaleza o, simplemente, las descubría, las aprovechaba, las potenciaba, las sublimaba?

—Lo que va a cambiar de veras las cosas es lo de Juan Carlos. Ya lo verás, eso sí que es como aterrizar en la luna —comentó Jaime a su hermano al irse a dormir, ya entrada la luz del día—. Vamos, que nos pilla a todos en babia.

¿Qué se nos habría podido perder allí? El mundo civilizado se asombraba todavía de las hambrunas africanas, del desastre de Vietnam, del interminable rosario de guerras, injusticias, opresiones, que asolaban la tierra, esa misma tierra que estábamos destinados a gobernar. ¿A qué venía esa escapada fulgurante hacia el abismo del espacio?, ¿qué lecciones podríamos aprender del universo negro e infinito, como no fueran la ensoñación poética, la exaltación del alma en las noches de verano repletas de luceros? Francisco insistía en los beneficios para la ciencia, capaz de acercarnos a los caminos recónditos y secretos de nuestra existencia, imposibles de descubrir sin la indagación, la curiosidad, el deseo de saber, de arriesgarse, de experimentar.

—No sé cuáles, no sé cuáles —argumentaba—, pero seguro que hay utilidades concretas, descubrimientos palpables en todo esto, que harán más fácil la vida del hombre, más feliz a la humanidad.

—Como la parapsicología, ¿no? —discutía Jaime—. ¿Has leído que los astronautas, entre sus experimentos, tienen previsto algunos de esa especie? Telequinesia, transmisión del pensamiento... ¡Las gentes de Biafra comerán mejor con ello!

El otro hizo caso omiso. Las relaciones con su hermano eran amistosas, pero distantes. Salían juntos con frecuencia, tenían los mismos amigos, idénticas preocupaciones políticas y, sin embargo, apenas se comunicaban entre sí, eran desconocidos el uno para el otro, pero eran también calcados en muchas cosas: su inocencia impoluta, su virginidad un poco antigua, su castidad asumida, su ausencia de maldad. Francisco padecía una pasión casi insana por el teatro y por el mundo del espectáculo en general. Nunca se hubiera atrevido a decirle a doña Sol que su verdadera vocación era la de actor, o sea que se decantó por la ingeniería como pudo hacerlo por cualquier otra cosa. Su afición a la farándula le había llevado a García Lorca y éste, a una genuina obsesión por la poesía, de la que devoraba libros a cientos, memorizando muchas veces los versos, que gustaba de recitar para impresionar a los demás. «También Gabriel Celaya es ingeniero, y se dedica a esto», explicaba cuando alguien parecía sorprenderse de que un espíritu artístico pudiera convivir con los límites, casi oprobiosos, de la técnica. Jaime, en cambio, no podía permitirse ese audaz desdoblamiento de personalidades. Todo lo que a él le sucedía era verdad, nada imaginado o simulado, por lo que necesitaba protegerse. Cualquier información, cualquier novedad de cualquier género, eran asumidas por él como vivencias propias, somatizadas hasta tal punto que muchas veces necesitaba negarlas o distanciarse de ellas, si no quería morir de un atracón de experiencias.

De todas formas, la conquista de la luna era todo un acontecimiento, eso no podía negarlo nadie, y menos que nadie Ramón Llorés, cuya condición de marxista convencido le llevaba a adorar la ciencia, al tiempo que su declarado antiamericanismo —basado, según él, en que conocía bien a los gringos— le hacía deplorar cualquier éxito del tío Sam. Había ido a pasar unas semanas al norte, cerca de Gijón, a una antigua casona familiar, y ahora vivía rodeado de primos, bichos, y demás parientes. Perdía las tardes en jugar al mus o las aprovechaba para dar paseos junto al mar, desafiando al clima, no siempre benigno. En aquel retiro sedentario, se dedicaba a estimular su afición por la correspondencia, escribiendo a todos los componentes de la célula largas crónicas, fruto de su meditación y su silencio, en las que comentaba los aconteceres diarios, su reflexión sobre el futuro, y hacía ciertas indicaciones sobre cómo comportarse. Las instrucciones del partido llegaban cada día con mayor dificultad, al comité central del interior parecía que se lo hubiera tragado la tierra y la anunciada huelga general no terminaba de producirse, las consignas del compañero Tomás procedían única y exclusivamente de sus análisis, no tan personales como muchos pudieran temer ni tan objetivos y ajustados a doctrina como él hubiera deseado. Temía seguir vigilado por la policía, de modo que aprovechó los viajes

de algunos de sus familiares a Madrid para hacer llegar en mano las cartas a Cristina, que luego se encargaría de distribuirlas, también personalmente. En
una larga misiva, casi circular, aunque alteró determinados detalles según quien fuera el destinatario, se
sumía en una complicada reflexión sobre los sucesos
del comunismo internacional.

*«Desde la invasión de Checoslovaquia no podemos
permanecer indiferentes ante el carácter militarista e impe-
rialista de la Unión Soviética. Nuestros dirigentes en París
no han sido, contra lo que dicen, capaces de distanciarse convenientemente de Moscú, y han endosado los sucesos de hace
un año como algo inevitable en la construcción del socialismo
y en la lucha contra el desviacionismo de los socialdemócratas. Nosotros tenemos derecho a dudar. Es altamente cuestio-
nable que el destino de la clase obrera recibiera un impulso
favorable con la entrada de los tanques rusos en Praga. Si
nuestra revolución es popular, no puede realizarse disparando contra el pueblo. Ya los sucesos de Hungría del 56 nos
alertaron respecto a la toma del poder en Moscú por una clase burocrática y profesionalizada. Por eso insisto: tenemos
derecho a dudar de que el proceso de desestalinización no sea
finalmente otra cosa que un verbalismo más, útil a la propaganda y falso en sus planteamientos. Cada día son más
evidentes los signos de que la URSS atiende antes a sus intereses particulares y al juego geoestratégico mundial, que
al progreso del foquismo en América Latina o a los avances —cuestionados por los propios soviéticos— de nuestros
camaradas chinos.»*

Le complacía aquel dogmatismo, un poco
irritante, con el que castigaba a sus compañeros. En

realidad, estaba hasta el gorro de la inacción a la que el partido les sometía en tiempos de crisis, el exceso de prudencia, la tendencia al pacto —«de solidaridad», lo llamaban— con las fuerzas burguesas. En sus cartas a Lorenzo extremaba el carácter obrerista de su prosa. Ambos habían hablado numerosas veces de la política errática que la dirección trataba de imprimir al movimiento obrero, del exceso de criterios sindicales en la toma de decisiones, la ausencia de un análisis realista y la dificultad para hacer propuestas que fueran contra la política del comité central, sempiternamente cooptado por sí mismo. De forma inconsciente, habían ido sembrando la semilla del descontento en el grupo, e iban sentando las bases para un cisma que Ramón ahora estaba seguro no tardaría en comenzar.

Pero la llegada a la luna le había dejado boquiabierto. Le molestaba confesarse a sí mismo la estupefacción arrebatada con la que se sentó frente al televisor a contemplar aquel evento. Le parecía poco revolucionario, y hasta poco serio, extasiarse con algo que recordaba de manera definitiva a la cultura Disney. De modo que empleó una buena parte de su tiempo, y toda la habilidad de que era capaz, para encontrar argumentos que pudieran deshacer esa fascinación que padecía y que le irritaba.

«*Creo que ha sido Bertrand Russell* —escribió a Marta un día después del alunizaje— *el que ha comentado que con esta hazaña se ha expandido el ámbito de la estupidez humana. Quizá el viejo exagera, o desvaría por culpa de la edad pero, en el fondo, tiene razón. Ahora vamos a ver a americanos y soviéticos enzarzarse en una carrera sin fin por la conquista del espacio. La obsesión de esta carrera aportará, estoy seguro, grandes progresos científicos, pero no sé si podrá ahorrarle a la humanidad muchos sufrimientos o si no puede llegar a multiplicar los que ya padece. ¿Te imaginas lo que sería este mundo si americanos y rusos son capaces de instalar armas atómicas en el espacio? No se trata de una quimera, sino de una posibilidad obvia y estoy convencido de que a eso se debe el comentario de Russell, tan desesperanzador. Por otra parte no dejo de reconocer que me maravillan los avances tecnológicos que toda esta historia presupone. Me entusiasma la capacidad del hombre en el dominio de la naturaleza. Es la explotación de ésta, y no la de los otros hombres, la que puede darnos la respuesta satisfactoria a los desequilibrios, injusticias y opresiones».* Marta concluyó que aquellas divagaciones, y las que seguían sobre la ciencia y el progreso, no eran sino una excusa más, una de tantas, para escribirle. Leyó y releyó, por tres veces, el párrafo con que culminaban los análisis metodológicos y los profundos razonamientos: «*Como verás, esto de la luna me trae un poco loco, aunque, a decir verdad, no tan loco como me vuelve tu ausencia. Y es que no he sabido borrarte de mi corazón, pero ya aprenderé. Sé buena y cuida de Alberto, sabes que lo quiero. Nos veremos en septiembre*». Dobló la carta y la enterró en su bolso, bajo un sinfín de pañuelos, gafas, barras de labios a medio usar, llaves y monedas sueltas. Decidió que no se la comentaría a su marido. Al fin y al cabo todo lo de la luna era una tontería, y él no iba a entender ese final.

Doce

—Lo ha dicho bien claro: es una instauración y no una restauración.

A Mirandita no le cabían en la cabeza las dudas de Ansorena.

—O sea —añadió el hombrecillo, escrutando a la concurrencia desde detrás de sus gruesos anteojos—, que es un Rey puesto por Franco, y sanseacabó. Por lo demás, a mí no me parece mal, aunque sea una barbaridad y aunque estoy seguro de que los tecnócratas se han llevado el gato al agua.

—Pues si lo ha puesto Franco —respondió el divisionario, dispuesto a contradecirse con tal de llevarle, a su vez, la contraria a Mirandita—, ésos no se han llevado nada de nada. ¡Hasta ahí podrían llegar las cosas!

Don Epifanio había acudido a la tertulia al anochecer, vestido de blanco y azul, procedente de la sesión solemne de Cortes en que se había entronizado como Príncipe y sucesor a don Juan Carlos de Borbón, hijo mayor de don Juan de Borbón y Battenberg, jefe de la Casa Real española.

—¡Jornada memorable! —ironizó—. ¿Pues no va Luca de Tena y vota que no, por lealtad al padre? Está claro que don Juan no vendrá nunca y si logran que el hijo lo haga, santo y bueno.

—De todas formas a mí no me gusta esto —Ansorena trataba de poner en orden sus pensamientos—. El infante ese, o Príncipe, o lo que sea, ha traicionado a su familia para poder reinar, y de un traidor hay que desconfiar siempre. Ahora dice que la legitimidad se la da Franco. Claro, ¿quién se la va a dar, si no?, pero su padre seguro que anda echando las muelas.

—Ha disuelto su consejo privado... —balbució Mirandita.

—¡Hombre! —terció don Epifanio—, era lo mínimo...

—Bueno —insistió el otro—, a lo que íbamos: lo de la «instauración» es importante, y por eso votan los monárquicos en contra. Es como decir que esta monarquía la funda Franco, y a mí me parece bien, pero resulta un poco duro, en un país con la historia del nuestro.

La fuerza de las palabras arrastraba, como un huracán, la pasión de los debates. Los periódicos, los políticos, los intelectuales, los sabelotodo, se empeñaban en matizar la distinción evidente entre que Franco instaurara una monarquía o restaurara la derrocada en 1931 por la victoria arrolladora de los candidatos republicanos a las elecciones municipales. Los más avezados en las lides dialécticas osaban hablar de una «reinstauración», con lo que se pretendía contentar a todo el mundo que quisiera ser contentado, no enajenarse las voluntades monárquicas, agrupadas inevitablemente en torno a la legitimidad dinástica, y satisfacer las aspiraciones de los grupos que daban consistencia al franquismo, en el sentido de que éste debía alumbrar un sistema político nuevo, en absoluto anclado a la decadente y depravada ristra de los soberanos españoles. De todas formas hubo votos en contra, abstenciones y ausencias en las Cortes que aprobaron la propuesta del Caudillo sobre su propia sucesión. Éste se presentó en el estrado de la asamblea vestido también con uniforme blanco, como don Epifanio, pero sin camisa azul, y muchos no pudieron distinguir en realidad si iba de marino o con la tenida de los procuradores fascistas —en cualquier caso lucía las palas de capitán general y la laureada de San Fernando—, mientras que la indumentaria del joven Príncipe era de oficial de infantería. El salón de plenos lucía sus mejores galas; el inmenso tapiz con el escudo de España presidía la decoración, que lograba un aspecto eclesial, porque además los obispos procuradores hacían sonar sus trajes estrepitosamente, como diciendo aquí estoy yo, provocando el roce de sus capas de raso al pasar entre las filas de los asistentes, muchos de ellos vestidos de frac, o de chaqué —todos los no uniformados, o los que no portaban hábito episcopal— como si fueran dispuestos a un baile de debutantes. Se respiraba un aire de fiesta, de celebración casi eucarística, habida cuenta del protocolo estricto que exigía la ceremonia, retransmitida en directo por la televisión (y doña Sol, como siempre, delante del aparato, pensando lo que disfrutaría su Manuel con todo aquello).

—Yo lo que creo —explicaba don Epifanio— es que el Caudillo ha estado inteligente. Los falangistas hubiéramos preferido un regente como sucesor, y no un rey, porque así se hubiera podido prever la posibilidad de una república moderna, pero estaban empeñados en la solución monárquica. Al fin y al cabo, ¿qué más nos da? Lo importante era garantizar la continuidad del sistema, y eso está hecho. Ya tendremos tiempo de organizar los cambios.

Eso mismo pensaba, encaramado a la tribuna de prensa del palacio de las Cortes, Eduardo Cienfuegos: lo importante para todos aquellos carcamales era la continuidad. Una enfermedad del titular de la crónica política de su diario le había deparado la indudable suerte de hacerle testigo de acto tan memorable. Desde la altura del segundo piso, contemplaba el brillo uniformado de los asistentes a la sesión y disfrutaba con el runrún de las conversaciones, que subían envueltas en nicotina, apagados sus matices por la sordina de las moquetas y el terciopelo de los asientos. Aquello olía ya, definitivamente, a muerto. Todavía eran mayoría los procuradores que lucían bigotillo a lo fascista, ese mostachito repeinado y discreto que, como un pequeño cepillo de dientes, embocaba los labios de los más conspicuos representantes de la situación. ¡Parecía mentira que un aditivo capilar tan simple pudiera llegar a resumir tanta simbología! Eduardo Cienfuegos, el compañero Andrés, comprendió enseguida que lo que se estaba oficiando allí era una especie de misa negra, un ritual siniestro en el que lo único importante era defender los privilegios y prebendas de quienes se sentaban en el hemiciclo. Las barrigas satisfechas de los poderosos no aclamaban a una persona, ni a un sistema político, sino a su garantía de pervivencia. En don Juan Carlos de Borbón buscaban un seguro de vida antes que otra cosa. Y parecían dispuestos a pagar cualquier precio: cualquier renuncia, cualquier olvido. El periodista contempló durante minutos la faz aturdida, incluso ausente, del protagonista del ceremonial. Enfundado en su uniforme caqui, miraba a la audiencia como una soprano asustada. «Recibo de Franco la legitimidad política surgida el 18 de julio de 1936», pronunció con una voz nasal, gangosa, casi inaudible. Parecía prisionero del destino y se le veía preocupado, consciente de lo que estaba pasando. No respiraba felicidad. Eduardo experimentó un sentimiento de compañerismo por aquel joven soldado al que la sangre de su familia y los intereses del poder le habían colocado en encrucijada tan singular. Su padre le había vuelto la espalda, con discreción pero con rotundidad, por lo que se aprestaba a asumir, según todos los indicios, la adopción aborrecible de Franco. Desde su estrado, que le permitía guardar una mayor altura que la de su sucesor pese a lo diminuto de su talla, el Caudillo le miraba con una expresión complaciente. Parecía descubrir en él al hijo que nunca tuvo, resarcirse de un yerno trastabilla y mal esposo, que tantos disgustos le había dado, y adelantarse en el tiempo a la promesa incipiente de sus nietos, al mayor de los cuales habían cambiado el apellido para perpetuar la saga de los Franco. Era la primera vez, también, que Cienfuegos veía personalmente al dictador. Aunque dedicado a la información política, siempre le habían encomendado tareas menores o de segunda fila y, por supuesto, ninguna que contara con la presencia del Jefe de Estado. Le pareció alguien insignificante y, en realidad, le defraudó. Hubiera querido reconocer en él los rasgos de ferocidad y terror que la Historia le atribuía o, por lo menos, algo de la grandeza que le concedían sus partidarios. Parecía, sin embargo, un militar chusquero, bastante apocado y distraído, sin ningún garbo ni presencia. Había leído que en una ocasión, allá por los años cuarenta, y en medio de rumores sobre un posible atentado contra él, Franco se mostró a caballo por el paseo de la Castellana, abriendo el desfile de las tropas en el Día de la Victoria. Las gentes se hicieron cruces entonces, debido a su valor y a su gallardía, y las jovencitas del Servicio Social se desmayaban a su paso, casi como si fuera Jorge Negrete, y gritaban «qué guapo es», pues todavía no se usaba lo de «queremos un hijo tuyo». Pero ya nada restaba de aquel antiguo esplendor de su figura, de aquella marcialidad probable de su porte, era un anciano con cara de bobo y de mala leche, y sólo el brillo de su mirada, esos ojos vibrantes y buscadores que parecían salirse del pellejo buscando la imposible amistad de alguno de los que le rodeaban, sólo esas pupilas rutilantes y expresivas que a veces se llenaban de lágrimas ante los embajadores extranjeros, cuando le evocaban los sufrimientos de la guerra y los peligros del comunismo, eran la prueba de que aquel ser pequeñito y vulgar, en torno al que giraba la vida de más de treinta millones de españoles, seguía vivo.

Optó por regresar a pie a la redacción y no dictar la crónica del acto por teléfono. Hacía calor aquella tarde de julio en Madrid, más de tres décadas después del levantamiento militar que alumbrara la guerra civil. En aquellas fechas, el padre de Eduardo era radiotelegrafista en un villorrio de Ávila y simpatizante de los fascistas. Él fue quien se encargó de interceptar los telegramas del Estado Mayor republicano instando al orden a la guarnición de la Guardia Civil. El jefe del puesto, un brigada de muy malos modales, se apresuró a sumarse al golpe, detuvo al alcalde y a tres concejales socialistas y, tras hacerles juicio sumarísimo en la Plaza Mayor, los fusiló delante de todo el pueblo, para su escarmiento. Eduardo se lo había oído contar muchas veces a su padre, que sufrió tal trauma con aquel espectáculo, del que se consideraba en parte responsable, que decidió pasarse a las filas republicanas. Aquella decisión le costó una condena a muerte después de la contienda, pero se la permutaron y, al final, purgó ocho años de cárcel, dos de los cuales los pasó en un batallón de trabajos forzados. Resultó el tiempo suficiente para que el odio se le trocara en tedio y la rabia en miedo, pero no pudieron, contra lo que intentaron, destruirle su dignidad y su orgullo. Depurado como funcionario por haber servido en el bando republicano, sobrevivió como vendedor ambulante y cuando, a finales de los cincuenta, el país comenzó a despertar a las modas del consumo, se vio sorprendido por una avalancha de prosperidad. Tanta que ahora tenía su propia empresa de comercialización, en la que empleaba a más de cien corredores, entre ellos a un tal Primitivo Ansorena, oficial retirado del Ejército, divisionario y bastante bruto, pero del que apreciaban en la empresa su honradez y sinceridad, y también sus contactos que facilitaban, sin gran esfuerzo, contratas oficiales y vías de distribución insospechadas, a través de los cuarteles y de un par de coroneles de intendencia no demasiado escrupulosos con las cuentas. Ansorena, de paso, era un buen vendedor puerta a puerta, y no le importaba andar haciendo demostraciones de electrodomésticos para las amas de casa. Eduardo desconocía todo eso, creía que el bienestar de que gozaba su familia se debía exclusivamente al esfuerzo de su progenitor, pese a las circunstancias adversas en que había tenido que desarrollarlo. Se hubiera dejado cortar un brazo antes que aceptar que el piso que le habían regalado por su boda no era fruto del esfuerzo de una actividad mercantil honesta, sino de un apaño de corrupción y un entramado de cohechos con la burocracia militar. Pero hacía calor aquella tarde en Madrid, y las aceras se habían inundado de minifaldas, cada vez más cortas, desafiando las españolas a las turistas, descristianizando el país según los clérigos clamaban desde el púlpito, destripando las tradiciones y costumbres de esta España de mierda, pensaba Eduardo, de la que vamos a tener que terminar exiliándonos, por muy buenas que estén las tías y por mucha teta que enseñen. ¡Mira que colocarnos ahora un rey, que además no sabe ni hablar y sólo parece bueno para el baloncesto, por lo de la altura! Pero, yo es lo que digo, que se exilie Carrero Blanco si quiere, que yo no me voy de aquí. Me gusta el ambiente, las rutilantes auroras de la sierra, cuando huyo en mi pequeña tartana camino de los besos de Carmen, el abrazo de Carmen, el cariño de Carmen, tan distinto su cuerpo al de Enriqueta, la compañera Cristina, que me llena de babas y me funde la entraña, pero Carmen me ama, aunque no sepa follar, y aunque no me la agarre con los dientes y le moleste mi olor a alcohol, mi trasnocheo, mis ganas de vivir y de destruirme a un tiempo, mis sueños imposibles, mi vómito, mi desgracia, aunque no entienda Carmen mi lucha por los desheredados e ignore que guardo todavía en la taquilla la munición que me dio Cristina, aunque no lea a Gramsci y no sepa de la misa la media, ni siquiera cocinar, qué mierda, ni siquiera cocinar, y sin embargo amo ese cuerpo limpio, vergonzoso todavía de mostrarse desnudo ante mí, lo amo por encima de la obscena ternura de Enriqueta, de sus besos hinchados, su lenguaraz desmesura, su estertor y su furia.

—Por eso Carmen es mi mujer. Nunca me casaría yo con Enriqueta. Si no fuera de izquierdas, sería una puta.

Tenía desde luego que haber bebido mucho para contarle eso a Liborio, el fotógrafo, que arrastraba las máquinas y el resuello detrás de él.

—Vamos a llegar tarde por pararnos a la copa —protestaba éste—. ¿Tanto le das que no puedes esperarte a luego?

—No, luego tomamos otra —le sonrió—. Si me cabe, porque me he pasado un poco. Mira, no vamos tan mal de hora.

—Tú no, pero yo tengo que revelar.

—Y yo escribir, ¿no te jode? Aunque con poner los discursos uno detrás de otro, pues me vale. ¿Porque, qué voy a decir si no?

¿Qué iba a decir de aquel esperpento? Días atrás la prensa había publicado que Valle-Inclán era el escritor favorito de Franco, pese a que todavía estuviera prohibida alguna obra suya. Pues Franco hubiera sido también el personaje favorito de Valle-Inclán, y no aquel aprendiz de dictador que fue el general Primo de Rivera. Desde Napoleón III no recordaba el mundo tanta ostentación, tanto surrealismo, tanta abstracción del poder respecto a la realidad, como la que Eduardo había vivido aquella tarde. Ya se lo decía Ansorena a don Epifanio, ante los ojos asombrados de Mirandita.

—Lo que quieras, amigo, lo que quieras, pero esto de la monarquía no tiene un pase. Mi jefe, que estúvo con los rojos, es al final más bragado que todos esos lameculos que han votado hoy que sí, no lo digo por ti, claro está. Vaya mierda de revolución nacionalsindicalista que hemos hecho. ¡Una revolución con frac y con corona!

Ruiz de Avellaneda se encogió de hombros y no discutió más. En parte tenía razón aquel mendrugo de Primitivo, pero a ver quién le ponía el cascabel al bicho. Mientras no se muriera Franco allí no había nada que hacer, y cuando se muriera... ¡quién sabía lo que habría de pasar cuando se muriera si no funcionaban las cacareadas instituciones...! ¡Dios cogiera confesados a los españoles! Se levantó con discreción, procurando no hacer ruido con los hierros del uniforme ni con las condecoraciones, y se despidió de sus contertulios con un gesto afable.

—Repito, mucho acaloramiento veo en discutir algo tan sencillo como esto: si España es un reino, necesitamos un rey. Hoy ya sabemos que lo vamos a tener.

Luego dio media vuelta y se marchó.

Trece

—A mí me dijo que se trataba de una serpiente de verano, eso es exactamente lo que me dijo. Me recibió en su casa de El Escorial, bueno, en la que tienen a disposición de los ministros. Estaba sentado, en mangas de camisa, y jugando con una pequeña moviola, con cuya ayuda montaba películas de su familia, los niños en la piscina y cosas así. Apenas se levantó cuando llegué, me tendió la mano e inquirió: «¿O sea que usted es Cienfuegos?». Enseguida me comentó que tenía nombre de revolucionario. «Será que lo soy», contesté, con lo que él se rió, no sé si nervioso o cínico. El bigotito le temblaba al hablar, odio ese bigotito, y luego dijo: «Todo lo que usted está escribiendo es una patraña».

Lo que Eduardo Cienfuegos estaba escribiendo, lo que publicaba a duras penas en su periódico durante los calores de agosto, era que unos cuantos aprovechados habían llevado a cabo una estafa de miles de millones de pesetas, con la ayuda, o ante la inacción, de varios miembros del gobierno. El ministro, alarmado por las informaciones que le implicaban en el escándalo Matesa, una empresa dedicada a la exportación de maquinaria textil que se había beneficiado largamente del favor oficial, había llamado al director del periódico y éste no tuvo mejor ocurrencia que enviarle al autor de las informaciones, para que charlara con él.

—Me has mandado a un chiquilicuatro —le protestó—, y no sé si además es un cabrón. Vigílalo.

El director aplicó una mayor censura sobre el asunto, consistente en que para cobrar las comisiones y subvenciones oficiales la empresa se exportaba a sí misma, fingiendo una cartera de clientes que en realidad no existía. Pero desde otras instancias gubernamentales apenas presionaban para que los diarios callaran el hecho.

—Andaban divididos —explicaba ahora Eduardo—, y está bien claro que Fraga y los falangistas han perdido la batalla. Pero, mientras pudo, dejó que se hablara de eso para joder a los otros. Ahora ya se ve quién ha ganado.

—Carrero, como siempre... —masculló Lorenzo—, era una estupidez pensar que se iba a dejar pillar en un renuncio así.

Como consecuencia de esa victoria, a la vuelta del verano se produjo una renovación del gabinete ministerial de proporciones casi sin precedentes. Salían del gobierno muchos de los ministros tildados de aperturistas, entre ellos, y notoriamente, Manuel Fraga, que había patrocinado un cierto impulso liberalizador, mientras que la mayoría de las carteras eran ocupadas por el ala tecnocrática, pero también caía don Camulo, para dar paso a un militar menos identificado con los lúgubres días de la guerra civil. Los relacionados con el asunto Matesa tampoco seguían en el poder, aunque les reemplazaban gentes de similar catadura y obediencia. No cabía ninguna duda de que los implicados contaban con las simpatías del almirante y que éste haría cualquier cosa por salvarlos de la cárcel y aun del descrédito. Los falangistas tenían motivos para sentirse desilusionados: aquello era una derrota en toda regla, para colmo simbolizada por el inconcebible hecho de que el nuevo ministro secretario general se presentó a la jura de su cargo vistiendo camisa blanca, como queriendo dar a entender que habían pasado los tiempos de las remembranzas fascistas. En cambio, los más tibios de entre la oposición democrática parecían satisfechos, no sólo desaparecía del mapa el odiado Alonso Vega sino que, por primera vez, el régimen no se mostraba del todo insensible a la opinión pública, muy agitada con las noticias sobre la malversación.

—España sufre una durísima dictadura, convenientemente atemperada por la corrupción administrativa —se mofaba Francisco Alvear.

—Lo que está claro —puntualizó el compañero Tomás— es que cada día son más débiles. Está siendo un año duro, pero no va a ser un año perdido.

Se hallaban, de nuevo, en el pisito de la calle de Embajadores, en el que se sentían a cubierto de sospechas bajo aquella flamante chapa europeísta que ilustraba la puerta. En el programa del nuevo ejecutivo aparecía precisamente la vocación europea como uno de los distintivos de la nueva política a emprender. Sobre la mesa de la reunión se agolpaban los temas. Lorenzo pretendía analizar el momento internacional, después de que Estados Unidos anunciara la retirada de sus tropas en Vietnam, pero eran mayoría los que preferían discutir sobre el nuevo gobierno y las consecuencias del escándalo financiero.

—Estáis equivocados si pensáis que esto va a cambiar porque se roben algunos duros —murmuró

Cristina—. Mirad lo que cuenta Andrés: una serpiente de verano, así consideran ellos la cosa.

—Pero no cabe duda —insistió Tomás— de que se han debilitado. Al fin y al cabo, han tenido que hacer una crisis.

La malicia, o el sentido del humor, del Caudillo habían propiciado que los cambios ministeriales se realizaran el 29 de octubre, aniversario de la fundación de la Falange, perdedora en la remodelación hasta el punto de ver desteñida su vestimenta oficial, sometido su emblemático azul a un riguroso y urgente baño de lejía. ¿Era un guiño al destino, o una provocación? Aquella misma mañana, jóvenes fascistas se lanzaron en manifestación por las calles del centro. «¡Ejército al poder!», gritaban como energúmenos, al tiempo que incendiaban las papeleras que encontraban a su paso. La policía intervino con dureza y le abrió el cráneo de un porrazo a un procurador en Cortes, militante de la extrema derecha, que se apresuró a protestar por la brutalidad de los guardias y se atrevió incluso a presentar una denuncia ante el juzgado.

—A Franco le viene esto al pelo —puntualizaba Tomás—. De un lado, da espita al descontento social a través de la violencia de los matones, que algunos confunden con verdaderos manifestantes. Del otro, logra que nadie esté seguro, que todo el mundo se sienta amenazado, en peligro. Él es el único axioma, el aglutinador de los contrarios, el supremo juez, el Caudillo...

—Sí —redundaba Lorenzo—, pero disturbios de este porte eran impensables hace sólo un par de años. Esto se está descomponiendo y nuestra obligación es aprovechar las contradicciones.

El deterioro de la situación interior era palpable. (Mientras, en el extranjero, las cenizas de la primavera checoslovaca habían sido definitivamente destruidas. El «socialismo con rostro humano», que había iluminado las ilusiones de la izquierda europea, perecía frente a las tropas soviéticas. Para los más optimistas quedaba todavía la esperanza de Castro, y aun China, no todo era decepción.) El régimen parecía, por primera vez en mucho tiempo, conmocionado, y no otro podía ser el significado del cambio ministerial. Sus propios hijos, los herederos de la burguesía franquista, comenzaban a alzarse contra la situación; la autoridad, desconcertada y furiosa, mientras anunciaba liberalización ejercía la mano dura de manera tan contundente como ineficaz. Proliferaban los consejos de guerra. Daba igual que los reos fueran trabajadores en huelga, díscolos estudiantes o sacerdotes disidentes. Los fiscales militares reclamaban altas penas de cárcel, acusándolos de sedición o de rebelión militar, según los casos. Nuevas leyes represivas habían sido aprobadas. Cada día despertaba con el anuncio de un hecho que contribuía a aumentar la tensión hasta extremos que a muchos se les antojaban insoportables. Un tribunal castrense condenó al fusilamiento a un vasco que había colocado un petardo en la Plaza Mayor de Ondárroa. La bomba, casera, no causó daño personal alguno, aunque sí desperfectos materiales. La dureza de la sentencia desató una oleada de protestas en Euskalherria y, en una manifestación, murió un obrero por disparos de los guardias.

—Está claro que hablando no llegaremos a ninguna parte —concluyó Ramón Llorés sus meditaciones.

—Las huelgas en la universidad y en las fábricas son el camino —insistía Lorenzo, que parecía un disco rayado—. En la vitalidad y en la pujanza del movimiento obrero está la única respuesta. Al final, ganaremos.

—¿Al final de qué? ¿Y quiénes somos nosotros? —se encrespó Cristina—. ¿Al final de los tiempos, en el día del juicio? No me jodas, hombre. Estamos peor que nunca.

Ramón se hacía la misma pregunta. ¿Al final de qué?, ¿cuánto tiempo duraría todo aquello? El curso había comenzado como terminó, con la policía en el interior de las aulas, las carreras de los jóvenes huyendo de las cargas a caballo, los juicios multitudinarios a profesores... ni con todo el estado de excepción el gobierno había conseguido poner orden.

—¡Hay que empujarles más! ¡Hay que echarles, aunque sea a hostias!

Jaime Alvear parecía asustado del cariz que iba tomando la reunión y Eduardo Cienfuegos trató inútilmente de devolver el diálogo al tema de Matesa.

—Podemos dar un golpe, atracar un banco, o algo así...

La cara de Enriqueta Zabalza, Cristina para los camaradas de la clandestinidad, enrojeció de placer al pronunciar aquellas palabras. Lo había hecho al tiempo que se levantaba de la silla, apoyando los nudillos en la mesa de madera e inclinando ligeramente el cuerpo hacia adelante. Por el escote entreabierto de su camisa a cuadros, Andrés entrevió, casi al completo, su cuerpo menudo y frágil. La chica se cimbreaba de manera apenas perceptible, presa de una alteración evidente, mientras clavaba aquellos ojos de un azul desgarbado en la mirada del joven periodista.

—¿No estás de acuerdo, Eduardo? —le llamó por su nombre de pila, contra la costumbre, y contra lo aceptado por todos—. ¿No crees que es el momento de hacer algo más serio que todo esto?

—No, no lo creo —contestó él, horas más tarde, sobre el sofá desvencijado de la casa de Enriqueta. Vivía en un estudio de pequeñas dimensiones, en el Madrid viejo, al que se accedía por una escalera angosta y muy concurrida siempre, pues en el entresuelo del inmueble funcionaba una academia de idiomas y, a las horas en punto, se generaba un tráfico de estudiantes que colmaba la capacidad del lugar. La ventana del estudio de Enriqueta daba a un patio interior, tan estrecho como todo lo demás del edificio. Por aquella especie de tubo, del que emanaba un olor a basura mojada y a gargajo, subían también las explicaciones de los profesores y algunos canturreos de los alumnos, acostumbrados a aprenderse los verbos irregulares de memoria, y a recitarlos a coro. Aquella tarde habían jodido a los acordes de un par de defectivos cuya retención se resistía a los chicos, empeñados en repetirlos una y otra vez, así no había quien se concentrara y Eduardo se abandonó a los juegos de su compañera, adoptando una actitud pasiva que a ella no le importó.

—No es el ruido lo que te distrae —le susurró mientras le mordisqueaba la nuca—, es que estás muerto de miedo.

—No somos terroristas, ni guerrilleros. Somos profesionales, gente con conciencia y...

—Y tienes mujer y una hija —le interrumpió ella.

—Es que, además, no creo en la violencia.

—Es ella la que mueve el mundo. La fuerza es el motor de la Historia.

—¿No habíamos quedado en que era la lucha de clases?

—Mmmm... quizá, también, pero la fuerza sobre todo.

Y ya no dijo más, sino que se dedicó a él con toda intensidad.

Catorce

Aquella tarde, Enriqueta Zabalza se había marchado del piso de Embajadores en compañía del camarada Andrés. No se quedó a cerrar, como otras veces, ni se detuvo tampoco en la esquina, contra su costumbre, para escudriñar las citas de Ramón. Había decidido que éste era todo un imbécil, alguien a olvidar, de modo que se coló en el utilitario de Eduardo y le indicó el camino de su nueva casa, sin sentir ninguna necesidad de volver la cabeza para espiar a nadie. No pudo ver cómo Marta salía del bar de siempre, antes de correr a encontrarse con el compañero Tomás.

—No has venido a la reunión —le dijo él, mezclando el saludo y el reproche, al abrir la puerta.

—Y no vendré más.

Se miraron un rato, sin comentar nada. Luego ella se aventuró.

—He sido una frívola, es mejor que lo dejemos.

—Ya lo hemos dejado, no te preocupes.

—Alberto no lo entendería, y no soy capaz de mentirle.

—¡Por nada del mundo! Pero ¿qué tiene que ver el culo con las témporas? Las reuniones son las reuniones. No puedes abandonar.

Le puso un dedo sobre los labios. No funcionaría, ella sabía que no funcionaría. Lo mejor era no verse. Con gesto amargo, que quiso ocultar tras una sonrisa cínica, Ramón abrió una botella de cava, perdida en algún aparador.

—Hay que tener champán siempre a mano —bromeó—, por si muere el viejo hijo de puta. Brindemos por tu felicidad.

Bebieron en silencio, como si apuraran la cicuta de Sócrates.

—Los compañeros están preocupados —él buscó otro tema de conversación—, piensan que no vamos a ninguna parte, o tienen miedo... A lo peor no es sólo lo nuestro lo que acaba, ni tú la única que nos abandona.

—¿Vamos todos a sentar la cabeza? —subrayó el *todos.*

—No, no... ¿qué tal con Alberto?

—Creo que bien, distinto... Nunca imaginé que fuera así la vida.

—La vida no es de ninguna manera.

Hablaban a poquitos, en voz baja, los largos intervalos dejaban escuchar el ruido de la calle y la respiración agitada de ambos.

—Todo se está viniendo abajo, Marta. Nos empeñamos en que están débiles, pero no es cierto, y yo me encuentro cansado. Si esto sigue así, abandono también.

—¿Para hacer qué?

—Trabajar en algo..., terminar la carrera de una vez..., mis padres se alegrarán.

La nostalgia flotaba en el aire como una niebla espesa, discurría por la habitación, inundando los muebles, fundiéndose con los cuerpos, transformándose, la nostalgia era eso, tenía que ser eso, una penosa sensación de soledad, un triste e inútil empeño por aprehender algo que nunca existió. ¿Puede uno añorar nada a los veinte años? ¿Desde cuándo nuestra vida comienza a ser memoria? Aquello lo era, Ramón, los camaradas, las noches atribuladas por las discusiones, el alcohol, el miedo, el silencio..., todo era memoria desde su llegada a España, el liceo italiano, los círculos diplomáticos, la estupidez, el tedio, la estupidez en tres idiomas, en cinco idiomas, en cientos, en miles de idiomas, gentes que pasaban por allí, que iban y venían en los cócteles, sonreían al señor cónsul, ¿es ésta su hija?, ¡caray, es ya toda una mujer!, y él, enrojeciendo de placer y de ira, de celos y de amor. ¡Una mujer!, se había hecho mujer entre aquellas cuatro paredes sucias, decoradas con carteles de la revolución y pancartas con la doctrina Mao Tse Tung (por aquellos tiempos todavía se escribía así, y no con la nueva grafía oficial), se había hecho mujer en los brazos de Ramón, el compañero Tomás, el maestro, el jefe, el macho que la había penetrado por vez primera, un día cualquiera de invierno, mientras hablaban del socialismo sin fronteras y los pecados del revisionismo. Le miró. Nunca lo había hecho con tanto detenimiento, porque suponía que estaría siempre allí. Se sorprendió de lo guapo que era, tenía el pelo azabache y brillante y unos ojos profundos, negros también, severos, parecía mayor (¿o es que lo era?), pese a su empeño inútil de ser siempre un estudiante, de no comprometerse. ¿Desde cuándo en la vida comienza uno a ser memoria? Ramón era todo su pasado, todo el que recordaba, todo el que apreciaba. Y aquélla, la primera vez que le decía adiós a alguien, la primera auténtica despedida de su vida, *partire è un puo morire,* pero no, partir es resucitar también, resucitarse, reencarnarse, quizá..., reencarnarse en Alberto, desvanecer su yo en él, poseer su inocencia, su serenidad, su luz.

—¡Nosotros que creíamos que la revolución era el amor libre!

Ramón pronunció la frase como absorto, masticando las palabras.

—El amor es siempre libre —terció ella.

—Sí, aunque tú te has convertido en un ama de casa.

Quiso herir su orgullo pero Marta no sintió daño, sino halago. El amor es siempre esclavo también, pensó, como cualquier otra pasión. Si hemos sido siervos obedientes del partido y su doctrina, ¿por qué no serlo de nuestra propia vulgaridad?, ¿por qué avergonzarme de querer ser madre, esposa, ama de casa? Me gusta anhelar la rutina diaria de las cosas, el supermercado, la plancha, las visitas a los suegros, los veranos al sol, sin hacer nada, sin leer, sin imaginar, sin un deseo visible, simplemente vegetando, disfrutando del transcurrir del tiempo, entre el aburrimiento y la indiferencia. No me avergüenzo de querer ser feliz, de serlo así, de renunciar a la indagación, ¿hay algún otro viaje mejor que el que hacemos hacia nosotros mismos?

—Te estás poniendo filosófica, Martita.

—Es que el champán me da llorona —se excusó.

—Pues nada de lágrimas. Lo vivido, vivido.

Trataba de extremar su apariencia de serenidad, no estaba seguro de haber amado a Marta, pero sí, en cambio, de que la iba a perder. Cuando se la presentó a Alberto lo hizo un poco por librarse de su acoso. Nunca habían sido novios ni él recordaba promesa alguna, pensó que era un buen ligue para su primo, tan solitario, tan tímido, «dos pájaros de un tiro» se malició, «mato así dos pájaros de un tiro, coloco a la chica, y le coloco a él». La muchacha, al principio, aceptó el juego, y quizá hubiera querido intentar un amor a tres, pero Alberto era valeroso y puro como un caballero andante, hacía gala de una entrega total hacia su persona, y eso la hizo desistir de cualquier otra historia. Ramón despertaba en ella una especie de atracción animal, casi morbosa, y una admiración intelectual sin límites, pero al final sólo se interesaba por sí mismo. Se echó en los brazos de su primo como defensa, y aun como venganza. Al principio su matrimonio fue un supremo acto de orgullo, una respuesta insolente y airada al desafío de Ramón, a la burla que entre los dos habían escrito. Luego se dijo que, con Alberto a su lado, aprendería por fin cómo es la vida, apuntándose a una confusa ambición de progresar en esa línea. Meses después de la boda comprobaba que no se había equivocado, la complicidad cotidiana y la costumbre de estar juntos eran los mejores fundamentos del amor, andaba encandilada como una adolescente y se sentía responsable como cualquier mujer en la edad de la razón. De modo que tenía fuerza y ganas para decirle *ciao* a Ramón y permitirse despreciar el bulto infame que pujaba bajo su bragueta, creía haber aprendido a conciliar sus pasiones y su inteligencia, estaba convencida de que aquel transparente sentimiento que experimentaba hacia Alberto era el verdadero amor, frente al desorden que en su espíritu habían originado siempre los anteriores encuentros. Al compañero Tomás no le guardaba rencor, mantenía en su fuero interno una especie de afecto por él, algo parecido a la amistad o a la lealtad, que en realidad era ser fiel a sí misma, a su pasado. O sea que tenía un pasado: la edad de la razón era también la edad de la memoria, sólo comenzamos a vivir cuando somos capaces del recuerdo.

Le hubiera gustado compartir estas sensaciones con su marido, reflexionar a dúo sobre ella misma, pero sabía que era imposible, y poco recomendable, intentar hacer juegos de equilibrio contra la estabilidad de la pareja. En el ascensor, de vuelta a casa, se estiró el vestido y compuso la figura, no fuera que él llegara a apreciar su turbación, pero los temores resultaron infundados porque no estaba allí pese a lo avanzado de la hora, ni había dejado recado alguno. Entretuvo el tiempo frente al televisor, nerviosa por la tardanza del otro, sin poder concentrarse ante la pantalla, «el verdadero opio del pueblo». Casi una hora después, durante la cual había imaginado toda suerte de catástrofes imposibles, sonó el teléfono. Llamaban de comisaría.

A Gerardo Anguita lo detuvieron esa misma tarde en el barrio de Salamanca, detrás de la tapia de un colegio, en un lugar oscuro, apartado del paso de los viandantes, definitivamente lóbrego. Un muchacho de quince años testificó contra él, lleno de dudas. Sí, creía que en efecto era el caballero que le había seguido cada anochecer, a la salida de clase, el mismo que le abordara días atrás, después de algunos titubeos, y le propusiera una cita, para ir al cine o a pasear, pero los encuentros habían sido siempre entrada ya la noche y en lugares mal iluminados, en esa época del año oscurecía temprano, no podía estar seguro de que fuera la misma persona.

Los amigos del muchacho habían caído como moscas sobre Gerardo, mientras éste se encontraba recostado contra los muros de la escuela, completamente solo. Dijeron que le habían tendido una trampa: el deseado efebo aceptó el encuentro para ser ellos quienes acudieran a la cita. No menos de quince bravucones, uno aspirante a entrar en la policía, otro monitor de la Organización Juvenil, todos fornidos y con el pelo bien cortado, aseados de aspecto, se desplomaron sobre la figura sanguínea del profesor. Al compañero Pablo le llovieron los golpes y los insultos. Luego fue arrastrado a un pequeño automóvil, que lo depositó en comisaría en menos de diez minutos. El inspector de guardia no se portó mal del todo, le permitió hacer una llamada y Gerardo no tuvo mejor ocurrencia que acudir a su amigo Alberto, porque era abogado y porque conocía a gentes con influencia, alguien que le pudiera sacar de allí, parecía convencido de que todo era una conspiración contra él, «esto es un atropello —protestaba elocuentemente—, me detienen ustedes por motivos políticos».

—Te hemos cogido por maricón, que es lo que eres —vociferó uno de sus asaltantes, ante la impotencia del inspector para hacer guardar el orden.

Al que gritaba, los otros le llamaban Lobo. Era un individuo alto, musculoso, con el pelo corto y la cara llena de granos, que parecía llevar la voz cantante. Gerardo creía haberlo visto en los pasillos de la Facultad, mezclado con los conventículos de extrema derecha, *guerrilleros de Cristo Rey* y bandas por el estilo, pero no podía estar seguro de ello. Se comportó con dignidad cuando resultó evidente que Alberto no podría evitar que lo ficharan y le tomaran las huellas dactilares.

—Ahora tendré antecedentes —murmuró ruborizado—, pero no por lo que merezco.

—Los anularemos, ya verás —trató de animarle—. Don Epi ayudará en esto. Nos lo debe, ¿no?

Anguita insistía en que todo era un montaje y se mostraba convincente en sus argumentos, no le cabían dudas de que aquella partida de granujas era un grupo ultra de la universidad, que pretendía darle un escarmiento por motivos muy diferentes a los que ahora aducían. Por otra parte, la víctima no se decidía a identificarle con certeza. El policía cortó por lo sano.

—Mirad, muchachos, con lo que traéis es imposible llevarle al juez. Esta noche duerme en comisaría y vale. Ya lo tenemos fichado, que es lo que importa.

Una vez que los otros se fueron, medio presentó sus disculpas ante Gerardo.

—Para la hora que es —dijo—, ni le bajo al calabozo. Si se sienta en ese banco y aguarda un rato largo, luego se va a casa tan fresco.

Eso es la represión selectiva, pensó Alberto acordándose de su amigo Dionisio, para unos, la sala de espera, para otros, el garrote vil.

—¿Y tú crees que Gerardo es homosexual?

—¡Seguro! —a Marta le pareció casi inconcebible la pregunta.

—Las chicas tenéis un sexto sentido para eso...

—Para eso y para todo.

Les sorprendió el alba comentando los sucesos de la noche, la mezcla de bochorno y altivez con que se había comportado Anguita en la prevención, la utilización política que harían de su caso, la condición moral de su comportamiento.

—¿Quién lo sabe? ¿Lo sabe alguien? Quiero decir, en tu célula.

—Lo intuimos la mayoría —Marta hizo un mohín de desagrado—. En realidad preferíamos pensar que era sólo neutro, frígido, o como se diga. ¿Es preciso hablar de estas cosas? Todo el mundo tiene derecho a ser como quiera.

—Pero nadie lo tiene a abusar de los otros. No está claro que no quisiera seducir a ese muchacho.

—Le tendieron una trampa, ¿no? Ellos mismos lo han dicho.

En los informes a don Epifanio Ruiz de Avellaneda, Alberto Llorés y Gerardo Anguita habían sido explícitos respecto a la necesidad de una libertad de asociación sindical y política, si querían democratizar el régimen. Sin embargo no se habían atrevido, o no les pareció oportuno, referirse a otras cuestiones relacionadas con la libertad individual. La prostitución, el divorcio, el control de la natalidad, el derecho al aborto, la homosexualidad, no parecían preocupaciones sociales del momento.

—No nos metamos en vericuetos —dijo Gerardo—. La Iglesia lo echaría todo abajo, y esas cosas son consustanciales a la sociedad, no la transforman.

Quince

Cipriano Sansegundo, el camarada Lorenzo, vivía solo en un pequeño apartamento del barrio de la Guindalera, en las cercanías del de la Prosperidad. Cualquiera que visitara su casa descubriría que era un hombre de costumbres austeras, no había cuadros en las paredes, ni ninguno de esos detalles que hacen confortable un hogar. Si no fuera por el montón de libros que se apilaba en una estantería, parecería más bien la habitación de un hotel de paso que Cipriano conservaba, eso sí, en riguroso orden. Era metódico en todo. Se levantaba a las siete de la mañana, encendía el hornillo de gas y ponía el café de la noche anterior a recalentar, mientras empleaba unos minutos en su aseo personal. Se había acostumbrado a ducharse con agua fría, y a rasurarse diariamente con una navaja barbera que él mismo afilaba valiéndose de una correíta de cuero. Cada dos días se cambiaba de camisa pero, antes, inspeccionaba minuciosamente el estado del cuello y los puños, por si no estaban muy ennegrecidos, en ese caso prolongaba su uso una jornada más, era una cuestión de economía de tiempo. Él mismo se hacía la colada y, una vez por semana, acudía una mujer por horas a plancharle el par de pantalones, lustrarle un poco los zapatos y airear el apartamento. No tenía muchas necesidades materiales el camarada Lorenzo, cuya única pasión era la lectura, a la que se dedicaba con más entusiasmo que provecho. Había sido analfabeto hasta sus catorce años y, aunque siempre luchó por recuperar el tiempo en que no sabía leer, hacerlo le costaba todavía un considerable esfuerzo. Iba lento, masticando las palabras con el cerebro, y aun con los dientes, pues muchas veces recitaba párrafos enteros en voz alta, como si así pudiera enterarse mejor. Ni siquiera tenía que gastarse mucho en libros, pues uno le duraba casi un mes. Los viernes o los sábados por la tarde, según se terciara el clima, solía ir al cine. En ocasiones, le acompañaba una vecina entrada en carnes, andaluza, mayor que él y muy simpática, pero las más de las veces prefería ir solo. Cada tres semanas, después de la sesión, recalaba en un pequeño antro, no muy lejos de su casa. Las putas eran jóvenes, bastante sucias y bastante feas, salvo una guineana tetuda que a Cipriano le gustaba porque olía a negra. Le apodaban, sin mucha imaginación, la Caoba, aunque su carné de identidad decía que se llamaba Delfina Ngó. Delfina era la única persona en el mundo capaz de arrancarle una sonrisa al camarada Lorenzo, que usaba su alias político también en el burdel. Le avergonzaba la idea de que en la fábrica, o en el sindicato, llegaran a saber de sus costumbres, siempre prefería pasar inadvertido, lo había aprendido después de su detención, y aun antes, que ése fue el consejo permanente que le daba su madre cuando, casi adolescente ya, la visitaba en la cárcel de Ventas.

Macarena Sansegundo era soltera y había estado en el frente del Ebro con los milicianos. Siempre presumió de no saber quién era el padre de Cipriano.

—Vete a saber —reía a quien le preguntaba—. Es hijo de la revolución.

Pero, para sus adentros, estaba convencida de que el niño era fruto de un oficial. No había más que contemplar el porte distinguido y percatarse del carácter, extremadamente serio, del muchacho. Además tenía el pito igual de grande que un teniente de zapadores que había conocido en la columna Durruti.

A Macarena la condenaron a muerte los nacionales preñada ya de varios meses, pero su condición de mujer y los buenos oficios del párroco de su pueblo la salvaron del fusilamiento. Dio a luz en la cárcel y le arrebataron al niño, que se crió junto a sus abuelos. Cipriano la conoció después de cumplir los diez años. La visitaba cada mes en uno de aquellos locutorios repletos de gente, familiares que llevaban paquetes a las presas, picadura, un trozo de queso y, sobornando a la vigilante, hasta una botella de vino agriado por el tiempo y la calor. Era una hembra fuerte, atractiva, prematuramente envejecida por los sufrimientos. Sólo padecía una obsesión.

—Mira, hijo, aunque en tus papeles ponga que eres Cipriano Expósito, te llamas Sansegundo. Como tu madre, como tu abuelo Cipriano. No te avergüences nunca de no saber quién fue tu padre. Seguro que era un héroe.

Durante toda su vida, Lorenzo había ocultado la historia. Nadie supo nunca de los padecimientos que, de muchacho, tuvo que pasar, de la agonía de Macarena, muerta en prisión de pulmonía doble, sin que los médicos ni las matronas hicieran nada por ella, abandonada a sus propias fuerzas y al cariño cicatero de las otras reclusas. Nadie imaginaba el esfuerzo formidable que hubo de hacer para aprender las primeras letras, gracias a unos catequistas que acudían a su barrio de chabolas los domingos. A nadie contó los trabajos inmundos que se vio forzado a aceptar para pagarse las clases nocturnas hasta que consiguió sacar el título de comercio. Cipriano Sansegundo no se avergonzaba de su origen pero sabía que no era la mejor carta de presentación para él. Su carrera en el sindicato había sido breve, fulgurante. Nunca destacó como líder, pero era un excelente organizador, y jamás hurtaba el bulto cuando había faena. Tampoco era un intelectual, aunque él pretendía que se le reconociera esa condición, y las cuatro cosas que sabía las tenía bien aprendidas. Entre ellas, y muy clarita, que es más importante ejercer el poder que aparentar que se tiene. La autoridad moral que le reconocían sus camaradas procedía, fundamentalmente, de lo poco que hablaba y de lo austero de sus costumbres. También de que nadie había logrado desvelar nunca el secreto de su vida, ni siquiera la Caoba, aunque si ella hablara...

—¿Qué dirías de mí si tú hablaras, Caobita? ¿Que me gusta que te mees, que no me corro si no me ensucias?

—Yo, don Lorenzo, jamás hablo de los clientes. Y usted me agrada. Nunca le haría daño.

—Ni yo a ti, negra, ni yo a ti.

Luego sacaba del bolsillo de su pantalón un monedero de piel trenzada y extraía de él con dificultad un par de billetes, los desdoblaba una y mil veces, hasta extenderlos por completo, para comprobar su valor, y se los daba.

Aquel viernes, Cipriano Sansegundo, el camarada Lorenzo, tenía pensado ir al prostíbulo, pero

Ramón Llorés le había roto los planes. «Si tanta prisa corre, nos vemos en casa», le dijo.

—Espera, vamos a poner el picú —advirtió antes de la conversación—, así nadie nos oirá. ¿Conoces el último de los Beatles?, *Submarino amarillo.*

A Cipriano le gustaban los discos pop. «Es la única música moderna que entiendo», se disculpaba a menudo, como sintiéndose culpable.

—Yo lo dejo, Lorenzo, se acabó.

—¿Qué me quieres decir?

—Que abandono, es mucha tela para nada. El trabajo que hacemos no sirve, y no me atrevo con el que tendríamos que hacer.

El tocadiscos rascaba los sonidos, «*yellow submarine!, yellow submarine!*», Lorenzo guardó un silencio pesado, interminable. Estos jóvenes son unos estirados, unos pedantes, ya lo decía Pasionaria: «Intelectuales, cabezas de chorlito», ¿no le hubiera gustado a él ser un intelectual?, los intelectuales lo habían jodido siempre todo, y Pasionaria también, pero ésa era otra historia. El caso es que me gusta Ramón, es un buen compañero, respetuoso, eficaz.

—¿Qué vas a hacer? —adoptó una actitud comprensiva.

—Estudiar, creo, terminar la carrera. A lo mejor me voy fuera un par de años.

—O sea que has perdido los sueños.

—No se trata de eso. A mí me interesa el trabajo político, no la poesía. Y el partido ya no vale. Es como la *yenka,* izquierda, izquierda, derecha, derecha, alante y atrás.

—Sin embargo es la única oposición seria.

—¿Por qué te crees que estoy en él?

—¿Estás todavía?

—No sé... ¿Lo dirás tú a la dirección?, yo no tengo ganas, ni fuerza.

—No te preocupes, ya me encargo. ¿Y los demás del grupo?

—El grupo no existe. Bueno, están Cristina, y Andrés, ésos son fieles, y Anguita quizá, aunque anda hecho un carroza; lo de la mariconería le tiene arrinconado y me parece a mí que los socialistas le andan tentando.

«Yellow submarine!, yellow submarine!»

—Estoy harto, Lorenzo, te lo he dicho muchas veces, hasta por escrito. Lo que hacemos es como jugar, a Franco no lo va a tirar nadie pero, en cambio, si nos trincan nos amuelan.

—O sea que tienes miedo.

A lo peor era eso, a lo peor tenía miedo, pero no tenía, simplemente había perdido demasiado tiempo, su padre se lo había dicho bien a las claras, «fíjate en Alberto, que es de tu edad y ya tiene su vida organizada», su vida con Marta, ¡carajo!, hasta eso había echado a perder por el puto partido, el compromiso con la libertad, ¿qué compromiso?, el camarada Lorenzo le hablaba de sueños, pero nadie se conmovía porque la gente muriera casi de hambre en los arrabales de Madrid.

—De hambre, no; seamos objetivos —terciaba siempre Gerardo Anguita—. El hambre ha sido, felizmente, erradicada.

Pues no sería hambre, pero era miseria. Niños descalzos chapoteando en el barro, hiciera frío o calor, mujeres solas, guardando la ausencia al marido, que ya vuelve de Alemania y ahorró lo suficiente para poner un bar en su pueblo de Huércal-Overa. El desarrollo económico se construía a lomos de los emigrantes a Europa, «y a la grupa de las turistas que vienen de allí», puntualizaba socarrón el compañero Tomás, pero hoy no estaba para bromas, ni para discutir trivialidades, hoy venía a decir adiós a los últimos cuatro años de su vida, que en realidad era la mitad de su existencia consciente. No quería consejo, no quería ayuda, lo tenía decidido, lo había comenzado a meditar en su discreto destierro extremeño, rodeado de analfabetos funcionales, de buenas gentes, sencillas pero llenas de sentido común, de experiencia, gentes que no sabían quién era Dubcek, ni el comunismo con rostro humano, que no entendían de política, «ni siquiera yo, que soy el alcalde», argumentaba don Adrián, en uno de sus pocos y mínimos deslices coloquiales, «fíjate si no entenderé que a la Falange, la quiero, pero de extrema derecha, nada. A mí la gente legal me cae bien, piense lo que piense». Le había caído bien Ramón, como al jefe de puesto, y las simpatías eran mutuas, aquellos franquistas, en realidad, parecían mejores que muchos de los republicanos que él conocía, menos empingorotados, menos rancios, más personas, pero no le iban a convencer, aunque estaba claro que la decencia no era patrimonio de ninguna ideología. Su pequeño exilio se convirtió también en algo interior, y se prolongó más tarde de manera casi imperceptible para él, pero con una constancia que hoy le abrumaba reconocer. Ahora entendía que sus cartas a Lorenzo, sus dudas sobre la dirección, su angustia por Marta, el recelo hacia sus padres, ni tan torpes ni tan equivocados como antes imaginaba, nacían de una misma insatisfacción, los

cursis lo llamaban problema de identidad. Como fuera, no era sólo un análisis político lo que le llevaba a
abandonar, y ni siquiera era un análisis de ningún tipo, sino una especie de fuerza que le nacía allí aden-
tro, detrás del ombligo, casi junto al recto, una llamada al sosiego, al egoísmo templado.

A Cipriano Sansegundo no le agarraron de
sorpresa tantas tribulaciones y hasta se sintió complacido por el papel de hermano mayor que le tocaba jugar, pero le irritó la urgencia del planteamiento.

—Es que mañana me voy —se disculpó el
otro—, mañana se acaba el compañero Tomás.

—¿No te despides de nadie?

—Me despido de ti, y basta.

Por lo menos lo había intentado, pero ¿para
qué engañarse?, la perseverancia sólo era cuestión de
fe, el partido se había convertido en una iglesia, con
su Papa, sus cardenales, sus obispos y su clero; con su
dogma, su inquisición, sus sacramentos, sus castigos
y sus recompensas. Para iglesia ya tenían, sin embargo, la que le gustaba a Pablo, seguro que Anguita había escogido ese nombre de guerra por meapilas, el
diálogo cristianismo-marxismo comenzaba a parecer-
se, de manera casi bochornosa, a un intercambio entre iguales y, mientras tanto, la dirección de París
anunciando próximas, urgentes y monumentales movilizaciones en contra del régimen y de su continuidad, «será un rey breve, ya lo veréis, Juan Carlos el
Breve», pontificaban los mandamases desde sus vacaciones en los balnearios rumanos, a la sombra de
Ceaucescu, ¡qué hombre, Nicolae!, los occidentales lo
adoraban porque defendía la independencia de Ru-
mania frente a la omnipresencia soviética, porque era

una grieta profunda y ancha en el bloque moscovita, el muy zorro, por su parte, había colocado con buen sueldo a toda su familia y había instaurado una dinastía roja muy parecida a la de Kim-Il-Sung en Corea del Norte. Esas movilizaciones, esas huelgas, ese final apocalíptico y fulminante de la oprobiosa, no acaba-ban de llegar, ya estaba claro que el Caudillo mori-ría de viejo, y era evidente que jamás abandonaría el poder. ¿Para qué esforzarse, entonces?, ¿para qué quemar la juventud en opciones imposibles? «Seamos realistas, pidamos la utopía», mayo del 68 había sido un engaño, un fogonazo, un destello maravilloso y va-cuo. «Es que no hay revolución sin muerte», oyó decir un día a Francisco Alvear, en medio de una discusión, «como no hay parto sin dolor. Es una cuestión cientí-fica. Yo lo tengo muy claro». Él también lo tenía.

—Adiós, amigo, y gracias por todo. Estos años no se me olvidarán, ¿cómo, si no? Son los del *Submarino amarillo* y todo eso, los mejores de nues-tra vida.

El camarada Lorenzo le regaló una mueca que pretendía ser una sonrisa, se dieron un abrazo y, aun-que la escena adquirió un contenido casi dramático, ninguno de los dos pareció sentir emoción alguna. Ramón saltó los escalones de tres en tres, como si quisiera emprender una huida improvisada, casi nun-ca subía o bajaba una escalera con tranquilidad. Ya estaba, no había sido tan complicado. Cipriano San-segundo consultó el reloj, todavía no era muy tarde. En el cuarto de baño, bajo una luz fría, un poco tene-brosa, se lavó y perfumó someramente, luego salió y dirigió sus pasos hacia el bar de abajo, seguro de que la negra aún le estaba esperando.

Dieciséis

—O con un palo, o con una vela, Mirandita, pero en este país siempre hay que estar detrás de los curas, te lo decía Epifanio y te lo repito yo.

Miranda no reaccionó, no contestó nada.

—Pero al final son unos mierdas, porque ellos te salvan y ellos te condenan, o sea que nos tenemos que joder.

El otro seguía sin hablar, decidido a no entrar al trapo de las provocaciones de Ansorena. Le molestaba el estilo bronco del militar, las palabrotas con que se le llenaba la boca, su atuendo estrepitoso, en el que destacaba un horrible prendedor de corbatas, sobre el que lucía la estampación de un escudo desconocido para él, y al mismo tiempo admiraba su porte, entre arrogante y fanfarrón, no exento de hombría, su disposición a decir todo lo que pensaba, su aparente sinceridad. «Es como un niño», decía para sus adentros, «todos los soldados son como niños». Sebastián Miranda daba clases de Derecho Canónico en la Complutense y en un colegio universitario propiedad de la Acción Católica. Desde joven había aparentado siempre mucha más edad de la que tenía.

—Ya sabes lo que pienso de todo esto —dijo por fin—, y no vamos a discutir ahora. Lo único que te pido es que le hagas un favor al chico. Hace ya meses que juró bandera y el coronel no le deja ni a sol ni a sombra.

—Naturaca, Mirandita, naturaca, a los chavales hay que fortalecerlos.

—Sí, pero mientras se fortalece y todo eso va a perder el empleo. Además quieren ficharle por política, cuando él, en realidad, no es nada, es como yo...

Enrojeció al decir eso, pero Ansorena no pareció darse por enterado.

—Vamos, un chupacirios —comentó jocoso el otro.

—Tú lo que eres es un comesantos —le había increpado a Sebastián Miranda su hijo Carlitos—. Ni democristiano ni nada, un lameculos como todos los de tu generación, que no habéis tenido el coraje de enfrentaros con la realidad.

Sebastián era viudo y Carlos su único vástago, del que estaba visto no haría nunca carrera. Aquellas palabras le hirieron profundamente no sólo por la virulencia que expresaban sino, sobre todo, porque en su fuero interno no le quedaba otro remedio que reconocer cuánta razón tenía Carlos, pero él pretendía evitarle el traslado a África, al batallón de castigo, y procuraba que se acostumbrara a reconocer la realidad, a distinguirla y a vivir con ella. Ahí estaba Alberto, el ahijado de don Epifanio, tan de izquierdas como podía ser Carlitos, pero eso no le impedía trabajar donde trabajaba. Ser demócrata no equivalía a ser idiota.

—A este muchachito o lo metemos en vereda o vamos a ver qué hacemos con él —había dicho el jefe del regimiento—. Está llenando de ideas locas a los reclutas, y además no quiere ser cabo.

—Es que no admito ni esto de responsabilidad en el Ejército —se explicaba Carlos con su padre, al tiempo que indicaba el límite de la falange de su meñique—. Lo que se dice, ni esto. Bastante pérdida de tiempo es la mili como para encima colaborar con ellos.

—Oye, Primitivo, si me haces el favor te aseguro que seré agradecido. En la clínica no están dispuestos a esperarle mucho tiempo más. Tú no tienes hijos y no puedes entender lo que yo siento —le porfió a Ansorena.

Y éste, finalmente conmovido, que sí, que vería lo que podía hacer, que no se preocupara y que, a cambio, él sólo quería ir al cielo, pues Mirandita tenía poder para ello, y para mucho más, ja, ja, ja, ja. Luego añadió sentencioso:

—Pero no es ninguna pérdida de tiempo, como dice el chico. Tú no dirías eso de ir a misa, por ejemplo. Pues para nosotros, los militares, el Ejército es como la religión para los curas, así de seria resulta la cosa.

El despachito de Ansorena en La Comercial Abulense era un cuchitril de paneles de contrachapado en el que había que hablar quedo, si no quería uno que todo el mundo en la oficina se enterara de lo que allí se cocía. Sebastián posó una mirada suplicante sobre su interlocutor.

—Entonces... ¿hecho?

—Entonces, hecho. Mi cuñado le llama de ayudante y en quince días está en casa.

—Te lo agradezco, hombre, y mucho. No sé cómo podré pagártelo.

—Yo sí, ¡qué coño!, yo sí, aparte de lo del cielo, claro, ja, ja, ja, ja.

Ansorena bajó aún más el timbre de su voz y le hizo una seña para que acercara el oído.

—Creo que tienes un hermano concejal de transportes en provincias... una ciudad importante...

—Sí —contestó Miranda, un poco desconcertado.

—Pues hoy por ti y mañana por mí. Tú me lo presentas y yo le voy a proponer un negocio bueno para todos: para él, para los ciudadanos, para esta empresa, y hasta para la democratización esa que tanto queréis.

Magyar Transport era una fábrica de autocamiones húngara que pretendía aprovechar la incipiente apertura al Este del franquismo. Aunque las relaciones diplomáticas no eran plenas, las comerciales resultaban cada vez más intensas. Cienfuegos había recibido una oferta para importar autobuses de viajeros, «mucho más baratos que los de aquí, y además contaminan menos, estos comunistas trabajan bien», le había dicho a Ansorena, y éste, «trabajarán bien si quieres, pero son unos cerdos, yo lo sé, que estuve en Rusia, claro que como no les permiten huelgas ni nada, y apenas les pagan, pues así salen de económicos».

—Hay que abrirse al exterior y perder los prejuicios —argumentó su jefe—, ¿nunca vas a salir de vender aspiradoras y de los cabos furrieles? El negocio cuartelero está cada día peor y los autobuses no se los podemos endosar a ellos, esas cosas van por otro lado. Una ciudad, un ayuntamiento grandecito, es lo que necesitamos. Con la comisión que te caería podrías casi retirarte para siempre.

—Miranda, a ti te daríamos también algo. Todo legal, ¿eh?, Si nos haces un favor, el favor se paga.

—Yo no quiero saber de esto, Primitivo. ¿Tú deseas que te presente a mi hermano?, pues te lo presento. Aunque no me gusta mucho ayudar a los comunistas.

—¡Fíjate a mí! ¡A la cárcel con ellos! Pero en Hungría es otra cosa, ¿no? Además, ¿no hay apertura al Este? Pues que sea para todos, ¡qué leche!, ¡si no hacemos más que abrirnos de piernas de un tiempo a esta parte!

Sebastián Miranda pensó que aborrecía a ese hombre, sufría con la humillación de tener que pedirle nada, y no se habría atrevido a ello si no fuera por Carlitos. La mili, lejos de enderezarle como decían, le había estropeado. Para él que ya había dejado de ir a misa, y sus opiniones comenzaban a ser las de un peligroso radical en algunos aspectos, amén de que se producían con una brusquedad impropia de la educación que había recibido. Buscaba el enfrentamiento de manera constante, como si quisiera vengarse de alguna afrenta vieja, como si le acusara de su orfandad, cuando él había sufrido más que nadie con la muerte de su adorada Eulalia, ¡aquellos días interminables junto a la cama, escudriñando el más leve susurro, la más ínfima de las señales que le permitiera saber que aún estaba viva! Bien sabía Dios que hizo cuanto pudo, aunque nunca nadie hace todo de cuanto es capaz para evitar el mal ajeno, y por eso la sombra de la culpa le perseguía desde hacía más de cinco años, pues ya había pasado un lustro desde su viudez, con la que le había sobrevenido también una especie de andropausia, de abulia sexual, que le preocupaba, aunque nunca fue muy libidinoso. No volvió a yacer con mujer alguna desde que diera sepultura a la suya, pero no necesitó de esfuerzo extraordinario para conseguirlo. «Soy macho de una sola hembra, como tantos otros», se decía a sí mismo. Se extasiaba, eso sí, con las historias que Ansorena contaba, entre chamelo y mus, sobre chorvas impresionantes que el militar presumía de haber poseído a cientos. Aquellos cuentos, ¿verdad o mentira?, acentuaban aún más su aversión hacia el tipo, pero le excitaban la imaginación de manera desconcertante, aunque no tanto como para afectarle a la entrepierna. Ya no se le empinaba con nada y a sus cincuenta y cinco años eso le parecía casi normal. Pensó que era una manera fácil de guardar la castidad para ofrecérsela a Dios, y hasta le pasó por la imaginación profesar en el sacerdocio, pero eso sólo lo haría una vez que Carlitos estuviera orientado en la vida. Mientras tanto, se acostumbró a disfrutar de una especie de lascivia visual que, en su opinión, no podía ser tan pecaminosa como la otra, como la verdadera. Su placer era fijar la vista en cualquier escote incipiente, o demorarla un rato sobre los culitos picudos y descarados de sus alumnas. Como las revistas pornográficas —y por supuesto el cine del género— estaban prohibidas, no tenía acceso a esa otra forma de *voyeurismo* explícito que, sin saberlo, deseaba, pero se buscó un sucedáneo en las publicaciones de moda francesas. En sus páginas menudeaban los anuncios de ropa interior, en los que alguna vez se ofrecía a la contemplación algún pecho, e incluso unas buenas nalgas, jamás el pubis, eso no. Sebastián Miranda acudía casi todas las tardes a la tertulia del café, con don Epifanio, Ataúlfo y el bruto de Ansorena, jugaba un par de dominós y se iba a casa. Al atardecer, se sentaba a la mesa camilla de su cuarto de estar, solitario y tedioso, y comenzaba a repasar las páginas de *Elle* o de *Marie Claire.* De vez en cuando, ayudándose de una tijera chiquita, como de manicura, recortaba con esmero las fotografías que más impresión le causaban y guardaba el botín de aquella singular cacería en una carpeta de cartón azul con gomas. A veces le asaltaba la idea de que, si un día volviera a empalmarse, podría utilizar los recortes para ayudarse en la masturbación, los mezclaría junto con una foto de Eulalia, y se la menearía mirándola, así no podía ser pecado, sino la expresión más sublime que imaginar pudiera de su lealtad perpetua. Pero eso sería, claro, cuando llegara a ponérsele dura y, aunque sabía que las causas eran únicamente psicológicas, Miranda pensaba que a sus años eso ya no se produciría jamás.

Diecisiete

La deserción del compañero Tomás no tomó desprevenidos a los miembros del grupo, testigos todos ellos de las fuerzas centrífugas que se venían desatando en su interior, pero tuvo efectos inesperados para la mayoría, que llevó muy a mal aquella especie de despedida a la francesa. Bastaron unos pocos meses para comprender que la célula se había roto, entre otras cosas, porque cada cual prefería tirar por su lado. Durante semanas, Lorenzo trató de que no se descompusiera del todo. Cristina llegó a pensar que ponía un empeño exagerado.

—Ya tiene edad para aceptar las cosas como vienen —le comentó, malhumorada, a Andrés.

Pero enseguida Cipriano Sansegundo pudo comprobar que ni siquiera su autoridad de militante más antiguo bastaba para cohesionar lo que definitivamente estaba llamado a deshacerse. Probablemente las cosas habrían sido iguales en el caso de que Ramón Llorés no hubiera empacado las maletas rumbo a la Universidad de Nevada, donde un profesor amigo de su padre se encargaría de velar por su futuro académico y profesional. En realidad, su defección la venía fraguando desde hacía tiempo, desde que le telefonearan a su destierro cacereño para hablarle de semejante posibilidad. No sólo se debía a motivos personales sino, también y sobre todo, a la constatación de lo inútil de su trabajo político, a la sensación creciente de que se tomaban aquello como un juego, no exento de riesgos, pero vacío, en cambio, de recompensas.

—Sobre todo, no; *sobre todo* —Cristina recalcó la expresión— lo que Tomás cogió es miedo, después de la deportación.

—¡Pero si lo pasó estupendamente! —protestó Francisco Alvear.

—Bueno, eso decía. Pero cuando te fichan, te fichan. Al final, la procesión va por dentro —le contradijo su hermano Jaime.

Ninguno de ambos habría de sentir mucho la pérdida del grupo, en el que a duras penas se habían logrado integrar. El compañero Pablo, en cambio, lamentó con creces aquella dispersión. Compartía las dudas generalizadas sobre los métodos a seguir, pero intuía que la verdadera causa de la estampida que parecía iniciarse estaba en las muy diferentes preocupaciones y actitudes de cada uno. Él mismo no se hallaba convencido de la necesidad, o de la oportunidad, de su propia militancia, pero estimaba que tomar una decisión al respecto exigía más tiempo y mayor debate.

—¿Pero es que nadie va a seguir en el partido? —clamaba—. Una cosa es que se rompa esta célula y otra que nos vayamos cada uno a nuestra casa.

—No a nuestra casa —le aclaró Andrés—, sino a sitios más apetecibles.

Habían organizado una excursión a modo de despedida, «como el adiós muchachos, pero viniéndose la farra a Salamanca», comentó alguien. Recalaron en una pensión aseada y barata que Lorenzo conocía. Por un momento, éste llegó a sospechar que podría abordarse una última intentona para recom-

Juan Luis Cebrián

poner la cuadrilla pero, al poco de su llegada, comprendió que todo era inútil. Durante dos días, con sus dos noches, se dedicaron a mezclar ocio y cultura, arte y campiña, cuerpos e ideas. A Cristina le costó trabajo aceptar la sugerencia de Andrés de invitar también a Marta. «No son celos, cariño», le protestó burlona, «es que es idiota», pero todos convinieron que, para una ocasión como ésa, había que llamarla.

—Pues si viene, que se traiga al maridito que se ha echado —reclamó Cristina, deseosa de conocer al tipo con que la italiana había osado poner los cuernos a Tomás, pues ella no había merecido el honor de ser invitada a la boda. Tampoco estuvieron los Alvear, o sea que los únicos que conocían a Alberto eran Lorenzo y, por supuesto, Gerardo Anguita. Éste nunca había contado nada de su colaboración con don Epifanio, de los informes más o menos secretos que le había proporcionado y, menos aún, de las entrevistas que habían mantenido. No convenía a su reputación, ni a la de Ruiz de Avellaneda tampoco, pues ninguno de los dos querría ser confundido de bando, según éste le comentó en su primer encuentro.

—De modo que reconoce que todavía hay dos bandos.

—¿Y cómo no? Los rojos, y los azules. ¡No se creería usted la propaganda de los veinticinco años de paz! —espetó, cínico, don Epi, aludiendo a la gran parafernalia que se había montado en la celebración del primer cuarto de siglo de la victoria franquista.

Aquella sinceridad le complació mucho a Gerardo, pues le molestaba sobremanera la tendencia de tantos compañeros suyos de la oposición política a considerar poco menos que tarados a los funciona-

185

rios del régimen. Antes bien, pensaba que debían de ser capaces de amasar un considerable volumen de materia gris, habida cuenta de lo hábiles que habían demostrado ser a la hora de perpetuarse en el machito.

—Pues a mí me parece que Franco está casi alelado. Estoy convencido de que los silencios esos que guarda ante sus interlocutores, los famosos silencios del Caudillo, que tanto pavor infieren a quienes le visitan, se deben a que no se le ocurre qué decir. Por eso calla.

La observación de Alberto —en realidad, un préstamo intelectual de don Epifanio— fue muy celebrada por los demás, hasta que Gerardo volvió a la carga.

—Callar cuando no se tiene qué decir es un signo de verdadera inteligencia —sentenció—. Y eso es lo que deberíais hacer alguno de vosotros, si verdaderamente fuerais lo listos que os pensáis.

Salvo por Cristina, Alberto había sido bien recibido en medio de aquella romería de adioses, incluso le permitieron que se mofara del significado de la excursión, «que parece un funeralito». Él, por su parte, había aceptado ir a regañadientes. La fuga de Ramón le había parecido estupenda, incluso teniendo en cuenta que ni siquiera de él se despidió, aunque más tarde enviara unas líneas desde América. Había soportado con paciencia, durante meses, la militancia pueril, y un poco tonta, de su mujer en las batallas políticas y había corrido los riesgos que tenía que correr, porque él no era un fascista ni nada de eso, pero uno tenía que saber dónde pisaba. Mejor que el grupo se deshiciera, ¿no les daba risa ser parte de la revolución?, ¡vaya fatuidad!, ¡vaya empeño! Sólo los persistentes ruegos de Marta y la atracción intelectual que experimentaba por Gerardo Anguita lograron hacerle vencer la resistencia natural a sumarse a una expedición que, pese a su carácter lúdico, ofrecía innegables y peligrosas connotaciones de otro género.

—¡Pero si nos vamos a disolver, no a conspirar!, ¡si vamos a hacer lo que quieren los guardias! —argumentó su mujer.

—Estas cosas se sabe cómo empiezan, pero nunca cómo acaban. Como se enteren en el ministerio de en qué pagos me meto, estoy aviado.

La vida matrimonial le había hecho ganar peso y prudencia a Alberto Llorés. Un año después de casado, se había echado cinco kilos encima, pero su transformación física, a la que acompañaban una creciente formalidad en el vestir y una organización vital bastante estricta, era nada comparada con el cambio acelerado que experimentó su espíritu. La antigua pasión de rebeldía, que desde niño le había distinguido, parecía ahora adormecida, bajo control. No deseaba hacer nada que perturbara a sus mayores, sobre todo a sus padres, a los que veía ya en el declive de la vida, e incluso estaba dispuesto a mostrarse complaciente con su suegro, el cónsul, al que acababan de notificar un próximo destino en Roma. No era necesario presumir de ello, pero si Ramón había decidido irse al extranjero, si Marta tomó el sabio camino de apartarse más y más de la clandestinidad, se debió, en gran medida, a las solícitas recomendaciones de Alberto. No es que hubiera cambiado de ideas, no, tampoco había sido nunca lo que se decía un rojo, aunque su corazón socialista de los veinte años, ese que tantas veces se viera obligado a justificar don Epifanio ante las sospechas de sus superiores, seguía latiendo en él con fuerza. Con fuerza, sí, pero sin ruido. Estaba convencido de que, a pesar de cuanto se dijera, los cambios recientes en la política española marcaban, inequívocamente, un camino de evolución discreta hacia algún tipo de democracia y que los excesos retóricos, las algaradas, la tensión en las calles, no harían sino dificultar el objetivo. No era ajeno a estas consideraciones el hecho de que él mismo hubiera progresado recientemente en el ministerio, y también en la afección que le profesaba su mentor, por distante que fuera en el trato, como de hecho lo era ya durante aquellos asuetos veraniegos de su infancia. Las palabras de Marta adquirirían ahora todo su sentido, «tú es que eres un posibilista», ¿y qué había de malo en ello? Un posibilista no es un conformista. Antes bien, al revés, es alguien que quiere cambiar las cosas, transformar el mundo, pero que se da de bruces con la realidad, alguien como Gerardo Anguita quizá, pero también, y en menor medida, como don Epifanio. La diferencia entre uno y otro es, fundamentalmente, la edad. Su coincidencia, la duda. Naturalmente ya no es tiempo de que don Epi rectifique, aunque le apetezca hacerlo, y en esto Gerardo le aventaja, pues puede evolucionar sin necesidad de traicionarse, todos podemos hacerlo mientras seamos jóvenes. ¿Cambiará Marta algún día? Dios no lo quiera, me gusta así.

Vivieron las jornadas salmantinas entregados al recuerdo, en el que jugaba un papel importante la nostalgia por Ramón. Escribía a veces desde la universidad americana y parecía que no era capaz de desprenderse de su tono didáctico, de primero de la clase o aun de prefecto, con el que les había machacado a todos durante años. Enviaba noticias de un mundo todavía extraño y difícil para los habitantes de Iberia. La derrota en Vietnam no cambiaría la entraña de los americanos, no les haría desistir de su voluntad expansionista. ¡Ay, cómo odiaba a los americanos él, que estaba en América! Pero aquella generación había aprendido lecciones diferentes. Miles, decenas de miles de cartillas de reclutamiento, fueron quemadas en los últimos años en todos los *campus* universitarios, la década de los sesenta llegaba a su fin con una derrota militar que era considerada por muchos como una auténtica victoria moral, el mundo asistía a la consagración de una cultura que se había esforzado por romper mitos y derribar fronteras. Aquellos jóvenes que ahora paseaban por la ciudad castellana, evocando las figuras de Fray Luis o Unamuno, se habían abierto a la inteligencia en los albores de la Nueva Frontera de Kennedy, la desestalinización de Kruschef, la lucha por los derechos civiles de los negros, los procesos acelerados de descolonización, o la renovación teológica en la Iglesia Católica. Había sido aquél un decenio de grandes esperanzas y grandes frustraciones, un prodigioso hito en la Historia, un momento en que el mundo parecía venirse abajo cada mañana. Las noticias se sucedían histéricas: al asesinato del presidente americano hubo que sumar los de Luther King y Bob Kennedy, las muertes rituales de la familia Manson, o la fatal derrota del Che en Bolivia. La fuerza hacía su aparición cada mañana, derrumbando belleza y bondad, demostrando el deseo inequívoco de la resistencia al cambio por parte de los oscurantistas. El socialismo real no lograba levantarse de la postración en que le había dejado la aventura checoslovaca, prueba fehaciente del estrangulamiento que los ideales de la revolución de Octubre padecían a manos de una burocracia hermética y corrupta, mientras en China los jóvenes marchaban a los acordes de una revolución cultural, todavía no muy bien entendida (porque no estaba muy bien explicada) por las nuevas generaciones de españoles. Era, en cualquier caso, una época de grandes líderes e iluminaciones. Las efigies de Juan XXIII, Fidel, Mao, De Gaulle y Adenauer pugnaban por componer un mosaico variopinto, en medio del cual contrastaban las figuras de intelectuales como Sartre o Bertrand Russell. Jaime Alvear tenía, por eso, el convencimiento de que le había tocado asistir al nacimiento —doloroso y trágico en ocasiones— de una nueva cultura marcada por la interrogación, y aun por la paradoja. Su reinado exigía el abandono de viejas leyendas y prejuicios, pero su significado último le era hurtado a los españolitos, enmascarados como estaban los acontecimientos mundiales por la decadencia particular de nuestra apopléjica dictadura, un régimen que, definitivamente, nada tenía que ver ya con lo que lo circundaba.

Alberto quedó encandilado ante aquellas consideraciones de Jaime, le impresionó la inventiva intelectual de alguien tan joven. Había tenido noticia de él por Gerardo Anguita, pero las informaciones le llegaban deformadas, en medio de un sinfín de detalles sobre singulares características del muchacho que para nada incidían en su capacidad mental. A Alberto le pareció el más interesante de todo el grupo, pese a que era el de menor edad también. Le veía ausente del resto, ensimismado pero atento, a la vez, a cuanto le rodeaba. Cuando hablaba con él parecía que tenía la mente puesta en otro lado, no miraba a los ojos, aunque tampoco los escabullía. Uno sabía que estaba allí, pero también en algún otro lado, como si poseyera el don extraordinario de la ubicuidad. Pero esa condición de extrañarse a sí mismo, de abandonar su cuerpo y elevarse a las alturas, no le impedía mostrarse cordial. Por distraído que pareciera su aspecto, se enteraba, y mejor que nadie, de cuanto se le decía, propendía al humor, a veces sarcástico, y no se enfadaba con facilidad. Comprendió muy bien la seducción que ejercía sobre Anguita. Si existieran los ángeles, ese chico sería uno de ellos, fuerte y sutil, bravo y afable, inteligente y fiel.

—Eso no es un ángel, eso es un mayordomo, o un escudero, hasta puede ser un cónsul, como papá. ¿Te imaginas? Ni inteligente, ni fiel, ni bravo, ni *forte,* ni sutil, *niente...* no, un cónsul no puede ser, pero un *angelo* tampoco. ¿Sabes que en Italia un *angelo* es alguien que da buena suerte?

Lo que Jaime Alvear le parecía a Marta era un neurótico de mucho cuidado, con pocos años, eso sí, y curación posible. Pero abominaba de aquellos ojos lánguidos y ese aire de querube que le envolvía, no podía con los espíritus puros, le hastiaba su excesiva bondad, le parecían los más impuros de todos, los menos sinceros, los más mentirosos.

—¡Bueno, estarás tranquilo! No nos han detenido. Habrás visto que son buena gente, salvo la mentecata de Enriqueta, ¡vaya nombre!, debería estar prohibido. Se quiso tirar a Ramón y no lo consiguió.

—No como tú...

Enrojeció al decirlo. No acostumbraban a discutir, todavía no lo habían hecho, en serio, nunca. La chica prefirió hacer como que no había oído. Jamás había engañado a Alberto, salvo breves escarceos durante el noviazgo. No se sentía culpable, se consideraba fiel. «Si no discutís es que no os amáis lo suficiente, no dependéis lo bastante el uno del otro. Mirad a Eduardo y Enriqueta, ésos sí que se pelean, porque se quieren», les dijo Anguita, a la mañana siguiente, mientras paseaban por la Plaza Mayor de la ciudad. Era un lugar familiar en la iconografía sentimental del régimen. Allí estuvieron instalados el cuartel general franquista y la capital administrativa de la zona nacional durante la guerra civil, allí visitaron al Caudillo sendas embajadas de Hitler y Mussolini, a las que regaló con un recibimiento apoteósico, a la romana. Cuantas veces lo veía en los documentales históricos del Nodo (y eran muchas), a Francisco Alvear le venían a la memoria los versos de Rubén Darío:

> ... *¡la espada se anuncia con vivo reflejo!*
> *¡Ya viene, oro y hierro,*
> *el cortejo de los paladines!*

Ahora, en el auténtico escenario de los hechos, no pudo contenerse. Se ató a la espalda su pulóver verde, a guisa de capa, y con un paraguas como sable, comenzó a remedar el desfile al tiempo que recitaba la oda completa, en medio del regocijo general. Casi nadie entre sus compañeros conocía sus facultades de histrión, que fueron muy celebradas. No quedaban en España desfiles tan brillantes como aquellos objeto de la burla, pero Salamanca los había conocido en plena contienda fratricida. Su hermosa plaza, orlada de medallones con la efigie de próceres históricos, no sólo fue mancillada con aparatosas celebraciones castrenses, que trataban de impresionar a los visitantes nazis y de insuflar ánimos a la población. La corte del Generalísimo se había atrevido a completar la saga de carátulas, esculpidas en la columnata, con un bajorrelieve del propio Francisco Franco, equiparado así a perpetuidad con los cónsules del Imperio. Pero, en aquel año de gracia de 1970, los jóvenes pasaban de largo delante de la figura del dictador, mientras hacían su ronda dominical, recorriendo el recinto interior de la lonja de modo circular: los mozos en dirección contraria al caminar de ellas, a fin de poder verse las caras, e incluso lanzar algún requiebro. Las familias les contemplaban apostadas en las terrazas de los cafés, que se poblaban también de ganaderos y hombres de campo, dispuestos a comentar, al sol del mediodía, los eventos taurinos o la marcha de la cosecha. A Alberto todo aquello le parecía bastante provinciano, aunque teñido de un toque surrealista, como su propia excursión. Entre otras cosas, pudo comprobar lo poco que verdaderamente se conocían entre ellos algunos miembros del grupo. Comprendió que nunca, hasta entonces, habían coincidido todos fuera de las reuniones de célula o de los improvisados guateques posteriores y que, así como la amistad de Anguita con los Alvear era evidente, y el romance entre Cienfuegos y Enriqueta no resultaba ningún secreto, el tal Cipriano vivía una existencia solitaria, que siempre había protegido celosamente de la curiosidad ajena. Tampoco Marta, una vez que Ramón se había marchado, parecía guardar mayores vínculos con el resto salvo en lo concerniente a Gerardo, debido a sus trabajos con Alberto y no a ninguna otra actividad.

Las jornadas, en cualquier caso, le resultaron muy gratas, y eso que tuvieron que soportar el acoso permanente de Cristina, la zafiedad alcohólica de Andrés, las cada día más frecuentes y tediosas discusiones entre ambos, el aburrido doctrinarismo de Lorenzo, y la obsesiva charla de Pablo acerca de su permanente indecisión cara al futuro. ¿Lo había dicho bien? ¡Se había aprendido de memoria todos los alias!

—Todos menos el tuyo, nunca me dijiste tu nombre de guerra, Marta.

Derrumbados sobre la cama aún sin abrir, cansados del trayecto de regreso por una carretera llena de baches, estrecha y mal señalizada, intentaron vanamente comenzar un escarceo amoroso. Marta apagó la luz de su mesilla de noche y se dio media vuelta, ofreciendo la espalda a su marido.

—Estoy agotada, vamos a dormir. ¡Ah! Mi nombre de guerra era María, la otra hermana de Lázaro. Ya ves qué poco original.

Dieciocho

Ataúlfo Sánchez estrechó la mano de Medardo Miranda, mientras ambos sonreían a los fogonazos de los fotógrafos. Acababan de firmar, tras meses de empeños y discusiones, un importante convenio que permitiría renovar la flota de autobuses del transporte público. El acuerdo suponía no sólo una mejora considerable para los ciudadanos, sino un ahorro sustancial en las previsiones de inversión del municipio. Además encerraba un simbolismo social y político de primer orden pues, por primera vez, un país del Este europeo equiparía, siquiera parcialmente, los servicios de la comunidad. La prensa local resaltó más tarde dicha circunstancia, «que habla bien a las claras de la continua apertura practicada por el gobierno, y de los deseos de promover una total normalización de nuestras relaciones con los países del bloque comunista». Pese a todo, Sánchez, mecánico e importador de automóviles, amén de excepcional jugador de dominó, no se sentía satisfecho. Entre Mirandita y Ansorena le habían convencido para que prestara su firma al contrato y para que el permiso de importación figurara a su nombre, «es más normal», le dijeron, «tú te dedicas a esto». Primitivo y su jefe tenían que guardar la cara ante los militares que, a lo peor, no encajaban bien lo de negociar con el Este. Callaron, eso sí, que desde lo de Matesa las cosas se habían vuelto más complicadas en el Ministerio de Comercio, «los funcionarios se la cogen con papel de fumar», a pesar de que todo el mundo daba por descontado que indultarían —como así sucedió meses más tarde— a los ministros responsables del despojo, a fin de que ni siquiera tuvieran que ir a juicio, con gran alivio para sus familias, incluida la espiritual, y gran escándalo de Gerardo Anguita, que se preguntaba qué entendían por Estado de Derecho unos señores capaces de perdonar a nadie una sentencia antes de promulgada, antes de demostrarles que eran culpables.

—En cambio de ti, Ataúlfo —le dijo Primitivo bajo los espejos del café, al hilo de sus comentarios sobre la incorporación a la barra de una puta un poco menos vieja que las otras—, ¿quién va a pensar nada raro de ti, si llevas toda la vida en esto? Lo mismo que traes coches de una Alemania, los traes de la otra. Y te ganas un dinero bobo, ¿eh?

La comisión terminó de ablandarle el ánimo, y marchó a conocer a Medardo Miranda de la mano de su hermano Sebastián. Las cosas anduvieron de forma rápida y fluida. «No hay problema», les dijo el concejal, «el alcalde es muy bragado, muy *echao palante*, y piensa que poner autobuses fabricados por los rojos le puede dar hasta popularidad», la popularidad era importante, claro, aunque no hubiera elecciones, «porque, ¿quién aguanta ser alcalde ni ser nada en contra del pueblo? Franco, por ejemplo, está ahí porque los españoles quieren que esté. Y es ahora mucho más querido, todavía, y tiene mayor apoyo, que cuando ganó la guerra». Sólo existía un problema, una minucia, el municipio tenía muy pocas fuentes de financiación para cosas que no estuvieran en el presupuesto, cosas importantes, como recibir al Príncipe, cuando fuera, como se merecía y reclamos por el estilo. Vendría bien poner un sobreprecio, nada del otro mundo, un diez o un quince, apenas se notaría, y con eso él garantizaba que el concurso se lo adjudicaban a ellos, porque concurso habría que convocar, ¿eh?, las formas eran las formas.

Cuando el señor Cienfuegos echó cuentas, se preocupó seriamente por el giro que iba adquiriendo la operación. Entre la mordida de la alcaldía, la coima para el concejal, pagar a Ataúlfo, lo que le dieran a Mirandita, la comisión de Ansorena y el margen lógico para la empresa, los precios ofertados no resistirían. ¡A ver si se iban a presentar a una concesión para perder dinero! Y Primitivo, que no se preocupara, que los húngaros, como cualquier otro, reducirían un poco la calidad para mejorar los márgenes. Una agarradera menos aquí, un asiento algo más duro allá, y todo solucionado. Pero Cienfuegos, erre que erre, que no se fiaba y, al final, al otro le sale de dentro el soldado, él responde de la operación, «como de que me llamo Primitivo, porque yo la he organizado, y no se altere, que aquí no pasa nada, y no vamos a dejar perder un contrato de cientos de millones», ni se iba a pasar toda la vida vendiendo aspiradoras después de haber sido propuesto para la medalla militar individual y lucir dos ángulos de herido en el frente de Rusia. Todas estas cosas no las tenía todavía bien digeridas Eduardo Cienfuegos, padre, al que Ansorena no le dijo, a la hora de firmar su contrato laboral, que era oficial retirado, aunque buen jugo le sacó después a eso. Había llegado de la mano de un pariente lejano, «es hombre algo mayor, pero verás como te sirve». Vaya si sirvió. Apenas había comenzado la década cuando el divisionario Ansorena, empleado por La Comercial Abulense, se dispuso a recorrer la ciudad tratando de colocar, puerta a puerta, una aspiradora último modelo que iba a liberar, por fin, a las amas de casa, del trabajo doméstico. Tenía dotes de convicción, una voz poderosa y un físico todavía atractivo, un poco a lo Clark Gable, al decir de mucha gente, o a lo Alfredo Mayo, aunque sin el mostachín. No había casa que se le resistiera ni puerta que no se le franqueara. Don Eduardo le introdujo en los secretos de la venta ambulante y, juntos, pusieron en práctica un novedoso sistema que el señor Cienfuegos había importado de las costumbres americanas. Elegían el sector de la capital que pensaban planchar materialmente con sus hordas de vendedores, luego, guía telefónica en mano, comenzaban a llamar por teléfono, ¡enhorabuena, señora!, ha sido usted seleccionada entre cien mil madrileños para participar en el sorteo de un viaje a Palma de Mallorca, sólo necesita recibir en su casa la visita de uno de nuestros agentes, que les haría, de paso, demostración de un invento singular y revolucionario, capaz de cambiar las costumbres del hogar y de aportar felicidad y concordia a toda la familia. Cliente hubo que congregó con tal motivo a sus nietos y sobrinos, para que pudieran asistir a la comprobación de semejante prodigio que, vagamente, identificaban los interpelados con la televisión en color o cosa por el estilo. Luego llegaba el ex legionario provisto de una limpiadora mecánica y se dedicaba a cepillar todas las tapicerías de la casa, con gran regocijo de los niños y no poco estupor de los mayores. La familia que barre unida permanece unida, era el mensaje subliminal. Pero la verborrea de Ansorena resultaba irresistible para las señoras, que acababan firmando dieciocho letras, sin intereses ni entrada, y quedándose con el aspirador.

No sólo las damas sucumbían a tales encantos. Ahora Ataúlfo se fotografiaba para la posteridad con Medardo Miranda, junto a un modelo del Magyar Bus A 70, capaz de transportar veinticinco pasajeros sentados y muchos otros de pie, dotado de un sistema especial para ahorro de combustible, con filtro anticontaminante y todas las innovaciones imaginables de la técnica. Desde luego, notaba en la lengua una especie de sabor agridulce, fruto de la inquietud que todo aquello le había producido desde el primer momento. A su mujer prefirió no explicarle nada, ni tampoco a sus dos hijos. Ninguno de ellos se interesaba por el negocio, que iba de mal en peor desde que en España se habían comenzado a instalar fábricas de automóviles, con perjuicio de los intermediarios. Aunque, lo comido por lo servido, si ahora las importaciones rendían menos, el taller mecánico estaba de trabajo hasta los topes. Ya lo decía Primitivo:

—Cuando un día tengamos que intervenir, porque lo reclame la patria, no sé cómo los tanques podrán llegar a la Gran Vía. Como no sea aplastando coches...

—Gajes de querer ser desarrollados. Lo del tráfico está imposible —corroboraba él—, a pesar de que Carlos Arias ha hecho lo que ha podido como alcalde. Buena persona este Arias y, como es rico por su mujer, no tiene por qué robar.

Ataúlfo Sánchez había nacido en Málaga, aunque se marchó de la ciudad antes de que Carlos

Arias Navarro se encargara de la gobernación de la misma, después de la guerra. Este fiscal de profesión se desempeñó con enorme dureza en el puesto, y no le temblaba el pulso, ni probablemente el corazón tampoco, a la hora de pedir o dictar sentencias de muerte. Tantas ejecutó que el sentir popular le había bautizado como el Carnicero. Semejante historial no era muy conocido por los madrileños de entonces que, a partir del comienzo de los sesenta, habían visto transformarse su ciudad bajo la vara de alcalde y la sonrisa beatífica de don Carlos. Una de sus primeras y más célebres medidas fue la eliminación de las vaquerías del casco urbano. Alberto, cuando niño, en su camino al colegio, que no duraba más de cinco minutos a pie, pasaba por delante de uno de esos establecimientos, cuyos portales hediondos expandían su tufo en varios metros a la redonda. Una docena de pobres reses estabuladas, la mayoría tísicas, pacían aburridamente la paja en los pesebres de la trastienda, detrás de un mostrador en el que el patrón, de cara gorda y sonrosada, y su hija, de facciones igualmente encendidas, despachaban la leche ayudándose de unas medidas de cinc y vertiéndola, con expresión jubilosa, en las jarras de los clientes. Adulteraban el líquido con agua o con orina de los animales —pues la densidad de ésta hacía que no se apreciara el fraude—, y todo el mundo suponía que en los antros como aquél, donde también solían despachar mantequilla, quesos y magdalenas caseras, anidaba un gran catálogo de enfermedades. De modo que era imprescindible cocer la leche a diario, en las casas, para evitar infecciones. Los pucheros fabricaban una abundante nata, espesa y amarillenta, que flotaba sobre el líquido recién hervido. Doña Flora apartaba aquella especie de iceberg doméstico y lo dejaba enfriar en la fresquera, para después batir la crema con azúcar, elaborando un postre que a él le parecía tan suculento como indigesto a su padre. Semejantes ritos, mantenidos durante décadas, resultaban normales y nada exóticos en los barrios burgueses del Madrid de los cincuenta, lo mismo que la llegada del carro de la basura (por cierto, había añadido Medardo Miranda, que además de autobuses incluiremos en el pedido un par de camiones para tratar desperdicios). Como el municipio no tenía posibles para hacerse cargo de la recogida, una flota de maltrechas galeras, arrastradas por asnos, mulillas, yeguas cojitrancas y algún que otro percherón tan viejo que las costillas se le marcaban bajo la piel despeluchada, invadía las áreas señoriales de la ciudad a primeras horas de la mañana. Desplegados sobre el pescante de los carromatos, los gitanillos que los conducían hacían sonar una bocina de mano, o mejor aún una campana, a cuyo tañer mucamas encofiadas, amas de clase media en bata boatiné y jubilados con zapatillas de fieltro a cuadros salían de los portales de sus inmuebles, provistos de unos paquetes malolientes y espesos, medio apañados con papel del periódico del día anterior, que contenían los desechos domésticos de la jornada. Éstos se iban apilando, de cualquier manera, sobre las plataformas de los vehículos, dejando escapar una monda aquí, una raspa allá, bañados en apestosos jugos cuya fermentación temprana incitaba a la náusea. Si en cuestión de hedores competían con las vaquerías urbanas, en cuanto a suciedad lo hacían con las carbonerías encargadas de suministrar leña, antracita y cisco para las calefacciones y los confortables braseros, que hacían más llevadero el invierno de la meseta. A las ocho y media de la mañana, cuando Alberto emprendía su breve paseo hacia la escuela, los carros iniciaban el regreso hacia los vertederos del suburbio, donde sus dueños descargarían y seleccionarían aquellos despojos, tarea que realizaban a pocos metros de las chabolas que les daban cobijo. Siempre recordaría aquel espectáculo. Con las primeras luces del día, los vehículos comenzaban a remontar, alineados, las calles de Goya o de Alcalá. Las ruedas de madera, protegidas por un aro metálico, hacían crepitar chispas en su contacto con los adoquines, al tiempo que producían un martilleo rítmico, de admirable sonoridad. Algunas gitanas, cuya belleza resplandecía entre el tizne de sus facciones y las greñas mal sujetas por vistosos pañuelos, presidían el cortejo encaramadas sobre los montones de mierda, canturreando aires flamencos, tiesas como faraonas. Ni el cansino deambular de los jumentos, ni la abundancia de moscas e insectos que pululaban en torno a la mercancía, eran capaces de disipar la imagen de aquellas reinas de la miseria, transportadas en ella como en carroza, a las que un día, pensaba Alberto, visitará el hada buena para convertir los pollinos en alazanes y los carros en suntuosos cajetines, demostrando por fin que Cenicienta no poseía la piel blanca ni facciones occidentales.

¿Qué tenía que ver aquel espectáculo medieval y siniestro con los vehículos de tratamiento de residuos sólidos que Ataúlfo Sánchez encargaría a petición de Medardo? Absolutamente nada. Estaba bien claro que la desaparición de los carros de la basura y la venta de leche embotellada formaban parte, inexcusable e irrenunciable, de la modernización del fran-

quismo, pero ni siquiera los nuevos camiones basta-
rían para compensar la pérdida de márgenes a que la
empresa de Cienfuegos iba a verse sometida por mor
de los numerosos intermediarios que la apertura al
Este había concitado. Los telegramas y las llamadas a
Budapest se multiplicaron, solicitando, reclamando,
exigiendo un acomodo en las calidades, algo que permitiera a todo el mundo hacer negocio, que justifica-
ra el esfuerzo y el riesgo de la inversión, que satisfi-
ciera al alcalde, al concejal, al garajista, al profesor, al
coronel y al empresario, aunque para ello tuvieran
que moderar sus ansias el director de la fábrica, el jefe
del plan, el secretario local del partido, el ministro y el
comité central. Y así se decidió.

Diecinueve

Esteban Dorado poseía una vocación policial mayor de la que él mismo aceptaba reconocer. Incorporado al Ejército por la vía rápida mediante unos cursillos acelerados, extremadamente fáciles de aprobar para todos los que habían militado con las tropas franquistas, enseguida mostró ambiciones ocultas. Casado, con siete hijos, católico de comunión diaria, el coronel Dorado había sido oficial de Estado Mayor adscrito a la sección Segunda Bis, encargada de la inteligencia. La obsesión de las autoridades por mantener servicios de este género era notable, aunque probablemente no desentonaría hoy mucho comparada con la actitud de la mayoría de los gobiernos democráticos. Cada quien organizaba su propia y particular agencia de investigación. La presidencia del gobierno, los militares, la Guardia Civil, la policía nacional, incluso algunos cuerpos de policía local, tenían los suyos, y todos gastaban una apreciable cantidad de dinero en mantener confidentes, infiltrados, chivatos y secuaces de cualquier jaez, a fin de obtener datos que les permitieran elaborar pomposos e insustanciales informes. Un gabinete especial de escuchas, instalado en la compañía Telefónica y ajeno al control de los responsables de la empresa, facilitaba la tarea, gracias a la costumbre que inauguraron los gobiernos de la República de servirse de la colaboración del monopolio de comunicaciones, bajo amenaza de cancelarle la licencia o castigarle en las tarifas.

Los espías tenían prioridades tan amplias que resultaba difícil cubrir todas con la precisión y el rigor adecuados: los comunistas, el terrorismo vasco, los líderes de la oposición democrática, los nacionalistas catalanes, los cuadros sindicales, los cabecillas universitarios, los intelectuales y artistas, los curas y obispos díscolos, los diplomáticos y periodistas extranjeros..., nadie escapaba a la turbia mirada de los Servicios, con mayúscula, y menos que nadie los propios integrantes de las diversas familias del régimen que se espiaban de forma mutua, con una desconsiderada avidez por encontrar fallos, errores, omisiones, deslealtades o traiciones que pudieran debilitarles ante el mando. El almirante Carrero presumía a veces ante sus colaboradores del enorme volumen de información confidencial que llegaba a sus manos. «Le voy a leer a usted la lista de los masones de la logia de la provincia de Madrid», comentó un día a un atónito visitante. Ni corto ni perezoso, abrió una gaveta de su mesa de trabajo y extrajo un papel que mostró lleno de orgullo, como prueba de sus capacidades en la materia. Allí estaban identificados, catalogados de la A a la Z, un buen número de ciudadanos, algunos bastante conocidos, pertenecientes a los círculos de la economía, la milicia, la universidad y la diplomacia, de los cuales nadie hubiera imaginado que vestían mandilón y capucha, de acuerdo con la indumentaria que la imaginería popular atribuía a los masones. «Bueno, algunos no lo son exactamente, no a las claras. Por ejemplo los rotarios o los rosacruces, pero al final resultan todos lo mismo: paganos y materialistas. Como Marx.»

Los servicios que el coronel Dorado comandaba no se dedicaban únicamente a la contemplación de las actividades ajenas. También organizaban grupos de acción, algunos muy violentos, que bajo múltiples y diversas siglas se dedicaban a hostigar a quienes consideraban elementos subversivos y a sus compañeros de viaje. La policía era la encargada de llevar a cabo dichas tareas sucias, y lo hacía alimentando la creación de bandas fascistas, cuya existencia ayudaba a difundir el espejismo de que el gobierno mantenía posiciones más templadas.

El comisario Centeno y el inspector Trigo parecían personajes arrancados de una mediocre escena del celuloide mudo. Medianamente alto, con aspecto de funcionario o de maestro, pero en cierta medida elegante, el primero; bajo, raquítico y vulgar, dotado de un enorme mostacho negro y una abundante cabellera, el inspector. Acostumbraban a ir en pareja a todas partes y poseían la dudosa cualidad de inspirar repugnancia e irrisión a un mismo tiempo. Sólo el azar era el culpable de que sus apellidos hicieran honor a la campaña cerealera, chiste con el que les mortificaban a cada rato, e incluso hubo quien avisó de la inconveniencia de que el coronel tuviera dos ayudantes con nombres tan peculiares, que más recordaban a un tratado de agricultura que al manual del buen investigador. Pero no era Dorado hombre que reparara en esa clase de detalles. A Trigo —en realidad se llamaba Fernández Trigo, pero la práctica le había llevado a suprimir de su vida el apelativo paterno— sus compañeros le apodaron el Cachorro, tanto por su aspecto aniñado, que el bigotazo no podía disimular, como por el infantilismo de su carácter, que no desdecía

de su tendencia innata a la crueldad. En cambio, el
comisario se había hecho acreedor a algún prestigio
dentro del cuerpo gracias a su ya larga permanencia
en él y a que tenía en su haber determinados éxitos
policiales, las más de las veces fruto de la eficacia de
unas cuantas palizas o de las confidencias de las putas
de cualquier bar de alterne. Los dos se habían convertido en inseparables, como el punto y la i, desde que
Dorado les convocara para encabezar su brigadilla de
operaciones especiales. Solicitaron, y les fue concedido, no sólo un abultado presupuesto con cargo a los
fondos de reptiles, sino también depender de manera
inmediata del propio subdirector, saltándose la línea
jerárquica y, con ella, al temido jefe de la Brigada Social. Centeno era un hombre entrado en años, con
experiencia como detective y criterios más o menos
establecidos respecto al mundo de la política, sus
valores y sus miserias adyacentes. A él se debían, entre otros, los informes sobre Alberto Llorés, o los más
recientes que venía elaborando acerca de Gerardo Anguita y sus misteriosos encuentros con Ruiz de Avellaneda. Trigo era simplemente un activista, dedicado a reclutar chivatos y matones, y a amedrentar a la
gente en los pasillos de la universidad. Un día, disparó al aire su arma en pleno vestíbulo de la Facultad de
Derecho, simplemente porque le encantaba provocar
de esa manera, y porque sabía que la impunidad era
el premio a sus abyectas misiones. En otra ocasión,
detuvo a punta de pistola a uno de los líderes estudiantiles, al que metió el cañón en la boca delante de
más de veinte compañeros del muchacho, que se meó
pantalones abajo para la consternación de muchos y
la irrisión de no pocos. El Cachorro disfrutaba jodien-

do al prójimo y había quien explicaba que eso se debía a que era impotente, pero seguro que eran venganzas mediocres de quienes no se atrevían a enfrentarse con él. Hacía meses que había reclutado para la acción directa a José Manuel Rupérez, alias Lobo, un macarra de Vallecas hijo de un asentador de pescado. Su primer encargo, darle un susto de aúpa al maricón de Anguita, lo cumplió *cum laude*. Al coronel le molestaban sobremanera los ademanes groseros y el mal gusto en el vestir de que alardeaba el policía, pero se rendía a la evidencia de su profesionalidad. Nunca le había fallado en nada, y nunca se había ido de la lengua.

Aquella mañana de noviembre Centeno y Trigo acudieron, como cada miércoles, a despachar con él. Dorado tenía por costumbre trabajar con los postigos de las ventanas semicerrados —«por motivos de seguridad»— y la estancia permanecía, pese a lo avanzado de la hora, sumida en una oscuridad tenebrosa, sólo rota por la luz de una lámpara estilo imperio, que reposaba sobre su mesa de trabajo. Centeno ofrecía un aspecto adusto, como de preocupación, mientras su compañero fumaba sin cesar rubio emboquillado de estraperlo, porque el otro, el que vendían en los estancos con el sello de Tabacalera, no sabía a nada, por seco y por antañón. Tras un mínimo saludo, el comisario depositó ante los ojos de su jefe una carpetilla de cartón color caramelo, sin ningún tipo de leyenda. Era el informe que tanto había solicitado el coronel sobre la subversión en la universidad. «Si no sabemos quiénes son los líderes, ¿cómo vamos a controlarlos y perseguirlos? Los verdaderos líderes, quiero decir, los que operan en la sombra, no los que más gritan o se manifiestan.» Ahí estaba por fin el resultado de la indagación de tantos meses, ¿pero podían asegurar la veracidad de aquellos datos?, que se cayeran muertos allí mismo si algo de lo que se decía no era cierto.

—Siendo así, caballeros, no comprendo estos aires de pesadumbre con que me vienen —observó el coronel, al que le gustaba mantener un distanciamiento, ridículo por lo excesivo, con la mayoría de sus subordinados.

—Ábralo por la página diecisiete —sugirió Centeno mientras evitaba, con ademán brusco, que el inspector tomara la palabra.

Dorado se caló unas pequeñas gafas para vista cansada y ojeó nervioso el folio indicado. Como notara las miradas de los policías fijas en él, se propuso firmemente que, cualquiera que fuese la sorpresa que la lectura le llegara a deparar, ninguno de ellos pudiera atisbar en su semblante la más mínima reacción. Una actitud así era la requerida por todo el que ejerciera su responsabilidad, se decía a sí mismo. Trigo daba nerviosas chupadas al cigarrillo y expulsaba el humo intentando, sin éxito, formar pequeñas rosquillas, como señales de indio, una habilidad que le había entusiasmado desde niño y en la que no lograba progresar por más empeños que hacía. Centeno entornó los ojos, como asaltado por un súbito sopor, aunque escudriñaba tras sus cristales de miope el más mínimo gesto de su inmediato jefe. El coronel terminó la lectura y, ostensiblemente, repasó un par de veces la misma hoja. Luego se repantigó en el sillón, adoptando un aire de serenidad, pareció que se disponía a hablar. Ése fue el preciso instante en que la

puerta se abrió de sopetón: el jefe de gabinete entró
en tromba con gran aparato de jadeos y agitando en
su mano el papel de un teletipo. Mientras caminaba
hacia Dorado, profería unos grititos histéricos.

—¡Es la ETA, Esteban, es la ETA! Aquí está
el comunicado.

Dio un respingo que le hizo perder el equilibrio, hasta casi derribarle del asiento. Volvió a colocarse las medias lunas graduadas y leyó, de un tirón,
el texto que su ayudante le ofrecía. Los etarras rei-
vindicaban el secuestro, llevado a cabo en la noche
anterior, del cónsul honorario de la República Fede-
ral de Alemania en San Sebastián, Eugen Beihl. Aseguraban que estaba bien tratado, en poder de sus militantes, y exigían, a cambio de su liberación, la de los
dieciséis activistas acusados de terrorismo que iban
a ser sometidos a un consejo de guerra en Burgos. ¡Lo
que faltaba! La tensión había ido creciendo en las últimas semanas con motivo del anuncio de dicho juicio, en el que iban a sentarse en el banquillo, entre
otros, los acusados del asesinato del comisario Manzanas. La tregua inicial, con que la oposición y los
círculos disidentes recibieran al gobierno de tecnócratas hacía un año, se había ido deteriorando durante
el primer semestre y acabó por romperse, de manera
simbólica, con la celebración de un Congreso general de la Abogacía Española, en el verano. En dicha
asamblea, miles de juristas de muy diferentes ideologías clamaron por la necesidad de importantes refor-
mas legislativas y judiciales, y lograron conmocionar
a la opinión con sus demandas contra la tortura policial y a favor de las garantías procesales típicas de
cualquier Estado de Derecho. A partir de la reaper-

tura del curso universitario, volvieron a proliferar los plantes, las huelgas, y las manifestaciones, mientras menudeaban los actos de violencia en el País Vasco. Sectores importantes de la Iglesia Católica, la misma que todavía prestaba el esplendor de sus capas cardenalicias y los honores bajo palio al protocolo de la dictadura, parecían ahora abiertamente alineados con los grupos de oposición. Pastorales de obispos, declaraciones de curas, manifiestos de intelectuales e incluso tímidos editoriales de algunas revistas sometían al régimen a una presión cada vez más acuciante, sin otro resultado visible que una creciente rigidez del aparato represivo, dedicado a dar palos a troche y moche, presa probable de un pánico escénico ante el inmediato futuro. Los miembros del gobierno sabían que el espectáculo de sentar ante un tribunal militar a acusados de delitos con raíz y motivación política, por graves que fueran, era algo inaceptable para las democracias integrantes del Mercado Común, con las que se habían esforzado en estrechar lazos en un imposible ejercicio de ósmosis, como dando a entender que no había mayores diferencias entre la España del general Franco o la Francia del general De Gaulle. El lavado de cara a que el franquismo se pretendía someter desde hacía tiempo, con el nombramiento del Príncipe como sucesor, la aprobación de leyes institucionales en remedo de una inexistente Constitución, la apertura de la economía y el relajamiento de las costumbres sexuales, consecuencia este último de la avalancha turística, parecía otra vez destinado al fracaso. La falta de credibilidad democrática del régimen le proporcionaba aún mayor fragilidad en la renegociación de los pactos con Estados Unidos, menos escrupuloso que sus colegas de Europa Occidental a la hora de establecer apoyos y estrechar lazos con regímenes dictatoriales de signo anticomunista. Movidas, quizá, por un sentimiento de culpa, pero también por sus deseos de demostrar que la transparencia a la que aspiraban era cierta, las autoridades decidieron que el juicio de Burgos se celebrara con toda clase de publicidad, ya que no podían hurtarle a los militares el privilegio de integrar el tribunal. Periodistas de todos los países, observadores extranjeros, representantes de la abogacía y numerosos familiares de los presos tendrían acceso a la sala para comprobar la limpieza del procedimiento. Pero el secuestro de aquel anciano cónsul, de cuya existencia poca gente sabía hasta esa misma fecha, añadía un dramatismo especial y horrísono a la situación.

—Vienen tiempos duros, Matías —le dijo Dorado a su asistente—. Estos hijos de puta nos las van a hacer pasar de a kilo.

Luego recogió los papeles de la carpeta que le había entregado Centeno, no sin antes subrayar unos párrafos en la página diecisiete, plegó el portafolios y lo encerró, bajo llave, en el cajón de su mesa.

—Muchas gracias, caballeros —despidió a los policías.

Después se volvió hacia el jefe de gabinete y éste atisbó un punto de emoción en sus ojos, enrojecidos y acuosos, al borde del llanto, o de la indignación.

—A trabajar, Matías, a trabajar. Que este Trigo me parece a mí que no es trigo limpio.

Y flanqueó la puerta del despacho, rumbo a las dependencias del ministro, con el comunicado de ETA en la mano.

Veinte

Se sorbió las lágrimas con un gesto adolescente. Tumbada en el sofá de su casa, escuchaba los ruidos que subían del patio, y que las viejas ventanas de madera eran incapaces de detener. Al canturreo de los alumnos de la academia se había sumado, hacía ya semanas, la agresión de un inexperto saxofonista que machacaba, escala sobre escala, sus ejercicios de primerizo con total desprecio por la vecindad. Lunes, miércoles y viernes, de cuatro a seis de la tarde, el inmueble se llenaba con aquellos sonidos, que más parecían proferidos por algún animal agónico que por un virtuoso de la música. No era confortable la casa. A la muy tenue calefacción central, que difundían unos hermosos radiadores de hierro, la ancianidad de las tuberías, que sudaban por sus oxidados poros, y la vetustez indigna de los muebles, había que añadir la confabulación ruidosa de muchos de los inquilinos. Pero Enriqueta no prestaba atención a tantas incomodidades. Ya sabía que, antes o después, tendría que suceder, y aun se reprochaba el no haber tomado la decisión en hora más temprana. ¿Por qué había permanecido tanto tiempo junto a Eduardo?, ¿por miedo, por despecho? Fue su propia reacción, cuando ella le dijo que había decidido dejarlo, lo que la reafirmó en la necesidad de hacerlo, al tiempo que era la mejor prueba de su error por haber prolongado una relación que, desde el principio, nació sin proyecto alguno. A veces Eduardo había osado hablarle de futuro, como si el porvenir, le contestó, fuera algo interesante para nadie, ¿para qué guardar tanto, por qué angustiarse ante lo de mañana, si luego una mala enfermedad, un accidente, un hijo de perra apostado en una esquina, se te lleva por delante? No podía tenerle rencor, eso no, aunque, bien mirado, era como todos, egoísta, impermeable a cuanto le rodeaba, incapaz de pensar en los demás, cobarde. Sobre todo eso, cobarde: tenía sentimientos pequeño burgueses. No le sorprendió que su única preocupación aparente fuera devolverle la pistola cuanto antes, deshacerse del paquete de forma casi apresurada, como si se quitara, por fin, un peso de encima. Contempló el arma, sobre la cómoda cercana. Le gustaría saber usarla y estaba decidida a aprender el mecanismo. Después de casi dos años de armario, habría que engrasarla y hacer prácticas, claro, aunque ella tenía buena puntería y no había verbena de la que no saliera con un osito de peluche debajo del brazo, ¡premio para la chica!, fruto de las dianas que acertaba con aquellas carabinas de aire comprimido, trucadas y todo como estaban, las bombillas saltaban hechas mil pedazos por el impacto de los perdigones, provocando un pequeño estruendo y un gran regocijo entre los rapaces amontonados a su alrededor, déjeme un tirito a mí, señorita, vaya puntería que tiene la tía esta, se lamentaba el propietario del tenderete. Había disfrutado poniéndose aquellas viejas bragas y el sostén que, todavía ignoraba bien por qué, metió en el macuto antes de pedirle al camarada Andrés que lo guardara en su taquilla del diario. Olían a cerrado pero no estaban sucios. Sola ante el enorme espejo, la única pieza de mínimo valor que albergaba aquel viejo apartamento, sin duda porque el casero no encontró mejor sitio donde depositarla, se entretuvo en contemplar su cuerpo con minuciosidad obsesiva. Le gustaría ser más bella o, mejor dicho, ser bella a secas, tener un pecho poderoso y caderas amplias y recias, como de hembra paridora, en vez de aquellas tetillas ridículas y unas nalgas tan escurridas. Su anatomía no era la más adecuada para el sujetador, no se lo pondría más, podría enarbolarlo en símbolo de liberación, como hacían las jóvenes americanas, a no ser que decidiera aderezarse con postizos. Amaba, en cambio, su pelo, todo su pelo, no sólo el de la cabeza. Criticaba la manía que tenían las mujeres de depilarse, nunca lo había hecho, ni tenía pensado mudar sus hábitos, quizá las piernas, si aquel suave rocío de minúsculos cabellos desperdigados comenzaba a adquirir densidad, pero nunca los sobacos, Eduardo le había contado que, pocos años atrás, un funcionario militar había tachado la palabra axila en una galerada del periódico enviada a censura, las equis eran peligrosas para el régimen incluso en las quinielas, pero una axila joven, protegida la entrada de su mínima cueva por aquella mata sedosa, capaz de enjugar con discreción los discretos olores de su transpiración, ¡eso tenía que ser el colmo para cualquier censor! ¿Y qué decir de la otra pequeña maraña, arrebujada en el bajo vientre? Se tocó con descaro buscando excitarse, primero con dulzura, presa de la melancolía, más tarde hurgando apresuradamente en la verija, indagando con brutalidad el centro de su cuerpo, hasta desparramarse en el orgasmo con un estertor desconsolado, como si se sintiera culpable del desperdicio de tanta fertilidad. El placer solitario es para los hombres, les encanta meneársela, manipularse por dentro no es lo mismo. Por un momento imaginó cómo sería hacérselo con el cañón del revólver. Los periódicos contaban que en su misma calle un poco más arriba, hacia la Puerta del Sol, un guardia civil retirado mató a su amante de un disparo en el útero. Hubo gran conmoción en todo el barrio, aunque ya andaban diciendo que al policía lo iban a absolver, porque había sido un accidente durante un juego sexual. Otra cosa habría sucedido si ella le hubiera pegado un tiro en los huevos, como quien no quiere la cosa, por divertirse un poco.

Los días con Eduardo habían sido luminosos. Hubo un tiempo en que él se planteó la separación de su mujer pero luego nació la niña, le ascendieron en el diario, lo que le obligó a asearse un poco, aunque sin perder aquel aire bohemio, de gañán distinguido, y descubrió la esclavitud sublime de la vida en familia y la responsabilidad laboral. Cada vez fueron más distanciadas sus visitas, cada vez menos cómplices sus sentimientos. Las inquietudes políticas, que ella trataba de avivar, se fueron diluyendo en el espeso duermevela de las noches de amor, untuosas y felices todavía en tantas ocasiones, aunque hoy llega borracho y no se le levanta, menos mal que las cogorzas no le dan violentas, o mañana no puede faltar a una entrevista, o la niña tiene anginas y ha de ayudar a Carmen, o este fin de semana lo pasaré en el campo con los suegros, o no vamos a discutir ahora pero no pienso volver a engancharme en ningún grupo y los de la ETA son unos cabrones, sí caramba, cabrones y lo que quieras, pero están dando el callo y ahora van a juzgar a dieciséis, ¿qué a juzgar?, ¡a matar!, que lo del juicio es una pantomima. No podía negar que habían sido dichosos y que seguía subyugada por la atracción inmensa que Eduardo ejercía sobre cualquiera que se acercara a él. Era menos culto, menos inteligente de lo que presumía, pero poseía una asombrosa facilidad para interesarse por todo, devoraba los libros y parecía entenderlos, para luego obligarla a que los leyera ella, Marcuse, Althusser, Mandel, sus autores de cabecera, pero también Nietzsche, John Donne y Rosa Luxemburgo, luego estaban los conciertos matinales, encaramados al gallinero del Monumental, disfrutando el premio a sus largas horas de espera ante la taquilla, o las visitas a las cada vez más numerosas galerías de arte que se instalaban en Madrid, desafiando sus dueños los cócteles molotov, las pedradas y los asaltos de las bandas de ultraderecha. Picasso se había convertido en una obsesión de aquellos matones, a los que bastaba la visión de una reproducción del Gernika en cualquier papelería para hacer estallar el escaparate e incendiar sus existencias. No podía negar Enriqueta que habían disfrutado. Pero entre aquel sinfín de emociones abruptas y apresuradas, en las que era difícil distinguir si su diálogo era político o sentimental, para dar luego paso simplemente al sexo, nada menos que al sexo, únicamente al sexo, se fue abriendo de forma paulatina y sagaz la brecha de la indiferencia. ¿Habían sido felices en verdad?

«La felicidad es lo más parecido a lo que experimenta un gato cuando está calentito junto a la lumbre.» Bertrand Russell.

No sentía ella nada diferente. Le gustaba acurrucarse, semidesnuda, sólo cubierta por el jersey de lana virgen portuguesa, pesado y rasposo, entre los brazos de su amado, husmear con discreción su aliento entremezclado de alcohol y de tabaco, su sudor varonil, y mirarle a los ojos de frente, con aquella insolencia tan peculiar que Enriqueta tenía, con aquel ademán que la convertía de fea en guapa, de frágil en poderosa, de lagartija en serpiente. Se transformaba, crecía, se le henchían los labios y los pómulos se le afilaban, cabalgaba furiosa, con rabia, sobre la rendida anatomía del otro. Sudorosa, sentía en la nuca el sabor de la venganza, contra todos los machos, contra todos los jefes, contra todos los padres, contra todos los órdenes, arrancarles el placer era castrarlos, someterlos, destruirlos. «¿Te gusto?», preguntaba desde la cima de sus cuerpos, quería gustar antes que enamorar, quería saberse deseada, hubiera dado media vida por tener un cuerpo bonito y que los hombres babearan a su paso, volvieran la cabeza y se excitaran sólo con el roce de su piel, odiaba la belleza ajena, le parecía una usurpación de sus derechos, y contra eso también era preciso rebelarse, lamentaba aquel aire de indiferencia que la envolvía contra su voluntad, la fría mirada de sus pupilas sabias, la timidez, quizá, y el gesto huidizo que ponía como en guardia al sexo opuesto, todo se transformaba, era distinto, en el acto sublime de la posesión, su revancha gozosa, aunque caduca y breve, amar era una forma de protesta, por eso los amantes no pueden ser cobardes.

Plantada ante el espejo, se juzgó ridícula, como una cacatúa sin plumaje. Decidió abandonarse sobre el diván. Ya no se acariciaba, las lágrimas salían a borbotones, esparcían su reguero por las mejillas buscando la comisura de los labios, bebérselas era como besarse a una misma, pensó, y la melancolía sabe a mar, pero no estaba dispuesta a compadecerse porque una paniaguada de mierda, como Carmen, se hubiera salido con la suya.

—¿De manera que lo habéis dejado? —inquirió Liborio, un poco por educación, no fuera a pensar Eduardo que no se interesaba por sus cosas.

—Lo nuestro era así, ya se sabía. A éstas, una vez que te las follas un par de veces empiezas a perderles el gustillo.

El fotógrafo se sintió incómodo, no le gustaban aquel tipo de confidencias.

—¿Un par de veces? ¡No jodas! Un par de años, por lo menos.

—Pues eso, ¿y qué más da?, la vida va muy rápida, Liborio, y yo ya he hecho mucha mili. Era hora de que me organizara un poco.

Veintiuno

Si uno no tenía coche propio, la forma más rápida y económica de llegar al noviciado era tomar un tren de cercanías en la estación de Príncipe Pío hasta el apeadero de El Espinar, y alquilar luego un taxi que, por veinte duros, te dejaba en la puerta misma del internado. Claro que los vagones solían ir a tope y los asientos eran rígidos, aunque por fin había desaparecido la tercera clase, y ya no estaban hechos de listones de madera, como aquellos banquillos que recordaban a los convoyes de las películas del oeste. Lo que resultaba insoportable era el vaivén. A ritmo descompasado, balanceaba con estrépito los cuerpos de los viajeros, arrojando los unos contra los otros sin distinción de creencias, sexos ni clases sociales, como en una auténtica democracia. Pero las incomodidades podían soportarse porque el trayecto no era muy largo y el que quisiera podía entretenerse, además, atisbando el panorama tras el sucio cristal de las ventanas. Los pueblos de la sierra madrileña se parecían mucho entre sí, aunque permanecían relativamente aislados, sin el cordón umbilical de las urbanizaciones de ahora, plagadas de chalecitos adosados y apartamentos de semilujo, piscina, trastero y plaza de garaje, con lo que cada cual guardaba una cierta identidad singular, de la que sus habitantes se sentían muy orgullosos. Los tejados de pizarra de las casitas alternaban con otros de color rojizo que procuraban un afrancesamiento del paisaje, los edificios eran en su mayoría de piedra, casi ninguno muy grande, y los más estaban rodeados por jardines con chopos, pinos, y un par de sauces llorones. En algunas dehesas pastaban toros de lidia, en otras vacas de engorde o lecheras y también era frecuente la presencia de rebaños de ovejas, muchas veces entremezcladas con las cabras. Era la estampa de un campo antiguo, pequeñito, hecho a la medida del hombre, como colocado allí por alguien únicamente para ser visto, igual que si fuera un nacimiento de figuritas de barro, el río fluyendo por debajo del puente con ínfulas romanas, los pastores agitando la onda al aire y el perro ladrando al paso del convoy, un campo de mentira, donde no se sufría ni apenas se gozaba, un campo de fin de semana, para veraneantes, toreros de postín, ganaderos de lujo y políticos de moda, un campo para la gente a la que no le gustaba el campo.

Jaime Alvear no quiso que le acompañara nadie en el viaje. Doña Sol y su hermano Francisco, junto con el padre Mario y Gerardo Anguita, acudieron a la estación a despedirle. «No vayas a montar ningún espectáculo en el andén», había pedido a su madre, y en verdad que se había portado con mucha discreción. Las lágrimas fueron abundantes pero silenciosas, no hubo aspavientos y las menciones al difunto Manuel resultaron correctas, nada que pudiera avergonzar a ninguno de los dos hermanos, siempre temerosos de que la natural expresividad de la viuda les dejara en evidencia en cualquier parte. El padre Mario le regaló un libro de oraciones y Gerardo Anguita le abrazó con ternura. «Espero que no te equivoques», le susurró al oído, tan cerca que él sintió la lengua sobre su piel, y hasta notó como si unas diminutas gotas de saliva le salpicaran, deslizándose luego por la oquedad hacia la profunda morada del aparato auditivo interno.

Contemplaba, pensativo, el paisaje que se deslizaba ante él a velocidad moderada. El granito se acumulaba en pequeños promontorios, a veces con inscripciones publicitarias sobre las piedras, como si fueran pintadas estudiantiles, pero llamaban al orden comercial en vez de a la revolución. Entre dehesa y dehesa, los pinos todavía jóvenes, muchos de ellos plantados por el gobierno en sus programas de repoblación forestal, competían con las encinas y las jaras. En ocasiones descubría el vuelo de un grajo o la escapada veloz de un conejo despistado. Todavía no había nieve en las cumbres, pero los campos permanecían escarchados pese a que ya era casi mediodía. El tren avanzaba despacio y uno podía recrear la vista sin temor a perderse los detalles. Atravesaban una tierra castigada por los siglos, infértil, severa, con la reciedumbre de las cosas eternas, un paraje que no incitaba a la dulzura ni al consuelo, pero Jaime podía descubrir en él la serenidad suficiente que su alma demandaba. ¿Estaba seguro de la decisión?, le había preguntado Gerardo, no estaba seguro de nada, no era una pregunta que pudiera permitirse formular, no se encontraba ante un problema racional sino ante una revelación. A nadie se había atrevido a decir que había visto al Maligno, que sintió su aliento amenazante, su figura intangible y su mirada, que mantuvo con él un esforzado diálogo de siglos, y que le había vencido. Hay quien piensa que la gracia divina llega en forma hedonista, placentera, pero quien la recibe sabe que es más bien un latigazo, una angustia entrañable, una comezón ardiente, una agonía. No es sólo el amor de Dios, sino su poder y su fuerza, sobre todo, los que se revelan a quienes él elige. El poder de Dios sobre uno mismo, y el poder que uno recibe para ejercerlo, difundirlo, administrarlo. El poder de edificar y destruir, de recompensar y castigar, de hablar y de ser escuchado. Sólo el poder y la fuerza, el saberse vencedor en aquella desigual contienda contra un Luzbel real, presente y actuante en nuestras vidas, podía explicar el sentimiento de plenitud inigualable que desde entonces padecía: se llenó de certezas, de ambiciones morales, se sentía elegido, designado para alguna misión todavía no bien definida, camarada de Dios. La acción política dejó de interesarle y la marcha de Ramón, junto a la ambigüedad del compañero Pablo, le facilitaron su propio abandono. A éste fue al primero al que le comunicó su deseo.

—¿Sacerdote, tú? Mmmm... claro que me parece bien, pero de la teología de la liberación, ¿eh?

A doña Sol no le hizo mucha gracia que abandonara la carrera, pese a verse compensada por la alegría de ver entrar una sotana en la familia, aunque lo de la sotana era una metáfora, porque la prenda talar ya estaba en desuso y había dado paso, otro signo de modernidad, a los trajes de chaqueta con alzacuellos, al estilo de los pastores anglicanos. Esta innovación en el pretaporter de los curas, que enseguida alcanzó también a los mismísimos obispos, provocó un gran revuelo social y algunas polémicas sobre cómo se debía llamar el nuevo uniforme del clero, antes de que lograra imponerse el anglicismo *cler-*

gyman, que las gentes comenzaban a utilizar de manera corriente.

—Yo estoy de acuerdo en que se llame clerimán, como quieren muchos académicos —defendía Sebastián Miranda, mientras cerraba al siete en el chamelo.

—Pues a mí eso me parece una mariconada —terció Ansorena.

Y no se habló más del caso en la tertulia. Pero los periódicos se ocupaban con profusión del tema, y estaban llenos de modismos y propuestas imaginativas: *cleromán, pantocler, ternocler...* Jaime Alvear vestía, para la ocasión, un conjunto de pana rayada y una blusa a cuadros, de villela, con corbata de lana. Más parecía un estudiante británico que un aspirante al sacerdocio, pero ya le habían dicho que tendría que cambiar su atuendo por un sencillo traje de franela gris oscura, con camisa blanca y corbata negra. Iba a parecer un viudito temprano, o un chupatintas de la funeraria, le dijo su hermano Francisco. A él no le preocupaban esas minucias.

Pararon cerca de media hora en la estación de un enlace ferroviario en el que los grandes convoyes se dividían, unos con destino a Galicia y otros a las Vascongadas. Los trenes de cercanías solían verse afectados por las maniobras y su salida se retrasaba más de lo previsto. Jaime había pasado algunos veranos en aquel pueblo cuando su padre vivía. Alquilaban una casita modesta con el tejado de pizarra y un jardín pequeño, recogido, en el que él y Francisco jugaban a pídola y los pies quietos. Allí se enamoró por primera y última vez, a los trece años. María José era morena, con labios pequeños y carnosos, cejas arqueadas y ojos color de almendra. Llevaba unos pantaloncillos blancos, como de torero, ajustados al cuerpo, con la pernera cortada sobre los tobillos. Andaba con un medio noviete, mucho mayor que Jaime, pues debía de estar ya por los quince o más, y que, por si fuera poco, tenía una barba poblada y una voz poderosa, cosas con las que él se veía incapaz de competir. Pero María José era su Dulcinea y no estaba dispuesto a renunciar a ella simplemente porque la chica ni siquiera se fijara en su existencia. En la piscina, cuando los de la pandilla se amontonaban para tomar el sol apretados los unos contra los otros, buscando el suave roce de una pierna, un brazo, una caricia fortuita urdida a escondidas, como no queriendo ser caricia, le sorprendía con frecuencia el olor a colonia de la chica y tenía que hacer esfuerzos imposibles para evitar que los demás vieran que se había empalmado. Muchas noches se despertaba mojado después de soñar con ella. Las poluciones nocturnas no son pecado, decían los curas del colegio, porque faltan la advertencia plena y el consentimiento completo, dos condiciones indispensables de las tres requeridas por la teología moral para que uno peque de verdad. Quedaba claro que no las aprobaban pero no sabían cómo sancionarlas. A Jaime le producían una enorme turbación. Un día le dijo a su confesor que tenía dudas, que no sabía si le había venido un orgasmo involuntario, que no estaba seguro. «Es imposible no darse cuenta», le dijo el sacerdote, «se experimenta un placer inmenso, irrepetible». Cuando le sobrevino por vez primera, Jaime pensó que su director espiritual exageraba. Daba gusto, pero nada más. Francisco le explicó que era bueno lavarse enseguida porque, si no, uno andaba luego como resinoso y el pantalón del pijama se acartonaba. Sin embargo, él prefería enrollarse en el lecho y aspirar el olor profundo, a salazón, que le subía de la entrepierna, al tiempo que pensaba en María José, su novia imposible pero tan real que estaba dispuesto a entregarle, para siempre, toda su vida. En aquella misma estación, detrás de uno de esos árboles que flanqueaban el andén principal, había esperado la aparición de su amada. Ella cruzaba por allí a diario, camino del encuentro con los amigos. La espió durante días para cerciorarse de la hora acostumbrada, de que no cambiaba el itinerario, y para acopiar fuerzas también. Por fin, después de una semana de dudas y de un par de intentonas fallidas, una tarde de agosto emergió desde detrás del álamo y le dio el sobre con el billete de amor. La otra sonrió, ¡gracias, Jaime!, y lo guardó en el bolsillo trasero del pantalón, en el que sólo a duras penas le entraba la mano, de tan apretado que estaba a sus nalgas, nunca más le dijo nada y aún hoy mismo Jaime desconocía si María José había leído alguna vez aquella carta, aunque esos mensajes nunca se desprecian, pensó melancólico. Aquella había sido su única experiencia amorosa. La muerte de su padre, la necesidad de graduarse cuanto antes para ponerse a trabajar, le convirtieron en un muchacho prudente y estudioso. Si no hubiera sido por su encuentro con Gerardo Anguita jamás habría conocido tampoco los azares de la vida política. Siempre había experimentado un hondo interés por ayudar a los demás, era la solidaridad lo que le movía, «pero sin el poder no se pueden transformar las cosas», le dijo un día el compañero Tomás. El poder no le interesaba, sólo los otros, los pobres, los desheredados, los presos, los perseguidos, «las putas y los paganos —se sonrió, complaciéndose otra vez en sus recuerdos—. Entonces, es el poder de Dios al que aspiro».

Ya en el viejo taxi, por la angosta carretera que conducía hasta la finca de La Dolorosa, en donde los novicios de la orden velaban sus primeras armas antes de ingresar en ella, cerró los ojos y voló hacia arriba para contemplarse a sí mismo. Divisaba la escena con total nitidez, como encaramado a una nube: se veía, primero, acodado en el asiento de atrás del vehículo, meditando; al poco, acababa convertido en un sacerdote joven, sonriente y feliz, de paso por algún lugar cálido de la América Latina, rodeado de gentes que le querían y a los que él transmitía la palabra de Cristo, como promesa de liberación y como motor de la revuelta social. No había desorden ni angustia en sus previsiones. Sólo luminosidad y promesas, en torno al carisma de un joven misionero, *sacerdos in eternum*. Pues eso era a lo que aspiraba: abandonar el país, destruir su mundo cotidiano, abominar de él, reservarlo únicamente para la nostalgia.

—Hemos llegado, joven.

La voz del conductor le arrancó de su ensimismamiento.

El noviciado era un caserón menos lóbrego de lo que había imaginado. Construido, claro está, en piedra y coronado por uno de aquellos tejadillos a la francesa, había sido antes hospital de tuberculosos y residencia de niños huérfanos. Dentro olía a piel de manzana —«será por la humedad», pensó—, había muy poca luz y mucho frío. En el vestíbulo le esperaban el director y un alumno que le ayudó con las maletas, el primero sonreía con aspecto beatífico aunque

había un rictus entre sardónico y estúpido en su mueca, su aliento revelaba algún problema de estómago
ya antiguo.

—¡Bienvenido a la casa del Señor!

Jaime tuvo que hacer un esfuerzo para evitar
la arcada, aquel individuo parecía más un guardián
del infierno que el rector de un seminario, echaba azufre y fuego por la boca. El estudiante, en cambio,
podría ser un arcángel si no fuera por los sabañones
y porque resultaba obvio que los arcángeles no hablan
con ese acento andaluz tan cerrado, de la serranía cor-
dobesa, según explicó. El director le dio algunas instrucciones, luego ellos dos subieron, cansinamente, por
una gran escalinata hasta el segundo piso. Recorrie-
ron un pasillo largo, la espesura del aire se confundía
con la del silencio.

—La cena es a las ocho —le dijo el otro cuando le dejó ante su cuarto.

Y la puerta se cerró tras él.

Veintidós

La noche anterior, don Epifanio Ruiz de Avellaneda pidió a su esposa que le planchara el uniforme blanco. ¿Había pleno de las Cortes?, inquirió ella sin mucho interés. No, una manifestación. Las radios, la televisión del Estado —la única que existía—, los periódicos, se habían encargado de anunciar profusamente la cita. El Caudillo convocaba a los fieles a la plaza de Oriente, en los jardines de Sabatini, ubicados entre el Teatro Real, entonces reducido a sala de conciertos sinfónicos porque a Franco no le gustaban la ópera ni ninguna otra música, como no fuera la copla, y el ala norte del palacio de los Borbones, antigua sede también de la presidencia de la República, y que el Generalísimo utilizaba sólo para la recepción de credenciales de los diplomáticos extranjeros. Aquel mismo paraje, frontera histórica del Madrid de todos los tiempos, construido sobre la muralla árabe y el antiguo alcázar y sometido a constantes empeños de remodelación, había sido testigo a mediados de los años cuarenta de una gran concentración en apoyo del dictador, cuando las potencias internacionales vencedoras en la II Guerra Mundial decretaron el bloqueo contra España. La plaza de Oriente constituía, desde entonces, lugar de encuentro del sentimiento patriótico de los franquistas, que se rebelaba contra cualquier asomo de injerencia foránea.

Madrid se lanzaba con frecuencia a la calle, desde hacía siglos, con aires de romería. Lo mismo daba que se tratara de asesinar al invasor francés, de aclamar al absolutismo o de festejar los veinticinco años de la victoria de las tropas nacionales en la contienda civil. Siempre había un buen motivo para aquella demostración de fuerza y unidad, de puro casticismo, ante las afrentas, injurias y difamaciones que llovían desde el exterior. Y si no lo había, se inventaba. «¿Por qué es la manifestación?», le preguntó a don Epifanio su esposa, sin esperar respuesta.

—¡Pues, esta vez, porque sí! —había exclamado Primitivo Ansorena—. Porque nos sale de los cojones, y porque ya está bien de asesinos y de rojos.

Pero don Epifanio Ruiz de Avellaneda era menos ardoroso. No se trataba de una cuestión de huevamen, sino de cacumen, explicó, complaciéndose en el juego de palabras, que le parecía muy acertado y lo suficientemente expresivo para la situación. Había que arropar al Caudillo ante tanta adversidad, incluso si él mismo era el causante de muchas de las desgracias que ocurrían. Ya se había encargado de avisar al ministro que designar un tribunal castrense para juzgar crímenes políticos, como los de ETA, era un error en toda regla. Pero, cuando lo hizo, ni siquiera podía imaginar que los jueces de Burgos pudieran llegar a comportarse tan torpemente. Desde que comenzó la vista, con gran aparato informativo nacional y extranjero dispuesto a cubrir el acontecimiento en profusión de detalles, no habían cesado de cometer errores. Las medidas de seguridad a la entrada del acuartelamiento donde se celebraba el proceso fueron innecesariamente vejatorias para los familiares de los presos y los periodistas, y no evitaron, en cambio, las manifestaciones de adhesión al separatismo vasco en plena sala de audiencias. Más de una vez habían tenido que desalojar de orden del presidente, que acabó por celebrar las sesiones a puerta cerrada, asustado y ofendido con la actitud hostil de los acusados. Uno de ellos llegó a amenazarle con un hacha depositada como prueba acusatoria sobre la mesa, y de la que se apoderó en un descuido de la guardia. La petición fiscal, que incluía varias penas de muerte, había desatado una protesta generalizada en muchos países y en amplios sectores de la sociedad española. En Cataluña, cientos de intelectuales, encerrados durante tres días en el monasterio de Montserrat, publicaron un manifiesto solicitando la amnistía política y el reconocimiento del derecho de autodeterminación.

—Dicen que con ellos estaban Miró y el doctor Trueta, el famoso traumatólogo —comentó don Epifanio, dándoselas de entendido—, pero yo sé que es mentira, aunque queda claro que este Miró no se priva de nada, anda en todas las salsas. Donde sí estuvieron fue en Sarriá, en la capuchinada, y se marcharon enseguida, por la puerta de atrás, aduciendo problemas de salud. Para la propaganda en el exterior, esos nombres cuentan mucho.

Permanecieron tres días con sus tres noches en una sala del monasterio, acosados por la policía. El oficial al mando que acordonó el lugar, símbolo emblemático del nacionalismo clerical catalán, amenazó con asaltarlo si no salían los revoltosos. Sólo lo hicieron cuando lograron garantías de que no ten-

drían que identificarse y de que no se tomarían re-
presalias.

—Alguna habrá que tomar —protestó Anso-
rena—, no se nos van a ir vivos los separatistas estos.

—¿Y qué hacer? —intervino Mirandita—, al
fin y al cabo, son miles los que protestan. Si bien se
mira, parecen más que los que callan.

—Eso es porque montan mucho ruido —zan-
jó el divisionario.

Sea como fuere, escritores y líderes políticos de
la corte, antiguos fascistas como Ridruejo, marxistas
militantes como Tierno Galván, y hasta el demócrata
cristiano Gil Robles, habían suscrito otro documento reclamando que no hubiera sentencias capitales,
mientras la Santa Sede y los obispos presionaban en
idéntico sentido, entre otras cosas porque entre los
acusados se encontraban dos sacerdotes. Para colmo,
hubo que soportar el espectáculo de aquel teniente,
ya en las boqueadas finales del proceso. Descompues-
to su ánimo por las voces y exclamaciones de los reos,
que se levantaron gritando *Gora* ETA y cantando
himnos revolucionarios, no tuvo mejor ocurrencia
que desenvainar el sable para enfrentarse al alboroto,
en un ademán tan ridículo que, lejos de intimidar a
nadie, generó un cachondeo colectivo. Los observadores internacionales, representantes de instituciones ju-
rídicas y organizaciones humanitarias, tenían que haberse llevado una penosa impresión de nuestro país, la
manida expresión de que *África comienza en los Piri-
neos* volvería a ponerse de moda. Todo eso era funesto
no tanto para el turismo, que incluso podría encontrar en el evento motivos de añadido exotismo para la
visita a España, sino sobre todo para los planes de los

aperturistas, entre cuyas filas presumía de figurar don Epifanio. Difícil se les ponía ahora la explicación de los avances producidos en el camino hacia la democracia, a ver si ablandaban el corazón de los europeos y nos permitían entrar en el Mercado Común, con las cortapisas y limitaciones que ya se encargaba Anguita de poner de relieve en sus informes. Por cierto, Gerardo se había portado lealmente con él, sin por eso traicionar a sus amigos. Era un hombre valioso, desde luego, un intelectual, no un activista y, por equivocado que estuviera en tantas cosas, no le faltaba razón cuando insistía en que decretar el estado de excepción, como se hizo en Guipúzcoa, y suspender el Fuero de los Españoles, limitando con ello aún más la escasísima libertad individual de que gozaban, no arreglaría nada: no impediría los desórdenes, irritaría más a los enemigos del régimen y enconaría los ánimos por doquier.

Las observaciones de don Epifanio no habían producido, empero, ningún efecto positivo en el sentir del gobierno, sino que a punto estuvieron de sembrar la desconfianza hacia él o, cuando menos, la duda sobre su comportamiento. Pero no era el miedo, ni la necesidad de demostrar lealtad al sistema, lo que le empujaba hoy a manifestarse, no eran los cojones de Primitivo, ni la estúpida afirmación de identidad que éste quería promover, sino el lamento sincero que la situación provocaba en su entumido espíritu. Por las mañanas, cuando se afeitaba frente al espejo, musitaba melancólico la jaculatoria de José Antonio, «amamos a España porque no nos gusta», le dolía el país, qué caramba, como a los del 98, la generación destruida, y le dolía también la injusticia que se estaba cometiendo con el Generalísimo, tan mal aconsejado como estaba por un gobierno de tecnócratas y una camarilla de sicofantes y aduladores. Él quería expresarle su adhesión, aunque estaba convencido de que no sería mala cosa que muriera cuanto antes, porque marcharse no se iba a marchar nunca. España era lo que era gracias a él en gran medida, y si los jóvenes supieran el hambre que se pasaba antes, la inseguridad que reinaba en todas partes, hubieran comprendido mejor el alzamiento militar. Que una guerra, lo que se dice una guerra, nadie la quería. Todo lo cual no le impedía reconocer que Franco estaba ya demasiado viejo para el mando y que su mal llevada ancianidad era un vaticinio de que no podría morir dignamente, «por lo que terminará derrumbándose sobre nosotros, contagiándonos su decrepitud».

Se enfundó cuidadoso la guerrera, las palas azules refulgentes sobre el estambre blanco, y la orden del Yugo y las Flechas orlando su pecho, junto a otras condecoraciones con reminiscencias menos imperiales. Como no tenía abrigo de uniforme, había decidido acudir a cuerpo, por lo que tomó previamente la precaución de calzarse unas polainas de lana y embutirse en una camiseta de mangas largas, seguro de que aquello bastaría para protegerse contra la gripe. Luego consultó el reloj, oteó la calle desde la ventana, apartando levemente el visillo, y comprobó desazonado que todavía no había llegado Alberto. Se preguntó si, finalmente, acudiría.

—No puedo faltar —le había explicado a Marta, adoptando un aire compungido, desorientado—. Me lo ha exigido.

—Eso no lo puede exigir nadie, *bambino.* ¡Pues no me faltaba más que te hubieras vuelto franquista!

Lo de *bambino* le hería profundamente, casi tanto como el tono despreciativo, humillante, con el que pronunció la palabra. Y él, que era mentira que se hubiera hecho de nada, ni se iba a poner ahora a demostrarlo, pero había que transigir, ser prudentes, no significarse. Claro que no iba a levantar el brazo ni cantar el *Cara al Sol,* y ella, que no sabe lo que es el *Cara al Sol,* ¡pues el himno fascista, mujer!, aunque algunos de sus redactores son hoy más demócratas que Dios, él se limitaría a estar, a mirar como un curioso, y no creía en la amenaza de que fuera a divorciarse por eso, ahora que estaba embarazada, y que tampoco él se había metido nunca en sus comunisterías, pero ya no pudo acabar el diálogo porque primero voló un zapato hacia su cabeza, y luego lo hicieron media docena de volúmenes de la enciclopedia Sopena, un cenicero de alabastro y otro de cristal de bohemia, o de donde fuera. Pasó la noche más amarga de su vida, desparramado sobre el sillón del cuarto de estar, preguntándose si era cobardía, sensatez o miedo lo que le había llevado a asentir a la invitación de don Epifanio para acompañarle a aquel multitudinario aquelarre, ¿le estaban demandando, todavía, una exculpación por lo del manifiesto?, ¡después de tanto tiempo!, pues eso no lo iba a aceptar, pero estar allí, como uno más, incluso podría ser útil, interesante. Los hipidos de Marta sonaban forzados a través de la puerta del dormitorio, alternaban con explosiones coléricas pero él no se preocupó mucho porque ya le habían dicho que las mujeres se histerizan cuando están preñadas, sobre todo en las faltas, y eso debía ser, no iba a admitir, además, que se hubiera olvidado de todo lo que había hecho por ella, de cuánto se arriesgó, en ocasiones, de su silencio cuando insistía en rodearse de aquella caterva de agitadores pulgosos, aunque no lo fueran todos, pues Gerardo o Jaime Alvear parecían gente bien, pero ninguno de los dos militaba ya en nada, como no se considerara militancia lo del seminario. No le apetecía ir a la plaza de Oriente, pero uno tiene que tragarse un sapo cada mañana si anda metido en política. Aquél sería su sapo del mes, no podía negarse, lo tenía muy claro, y de lo único que se arrepentía era de habérselo dicho a Marta pues, de otro modo, ni se hubiera enterado, aunque ahora tenía que reconocer que se encontraba incómodo, envarado, aterido, con las manos en los bolsillos, apretado su cuerpo contra el uniforme de don Epifanio, estrujado por la pasión festivalera que les rodeaba, «¡Franco!, ¡Franco!, ¡Franco!», mientras el viejo salía al balcón, flanqueado por el Príncipe y su esposa, que saludaban tímidamente detrás del dictador, agitando la manita con indecisión. Con el rostro sonriente, los ministros, una bandada de cuervos enfundados en abrigos verdes de caza, aplaudían y vitoreaban. Podía haber cien mil, doscientos mil manifestantes, aunque la prensa diría al día siguiente que eran un millón, y eso que un millón no cabía allí ni en muchas calles a la redonda, pero los españoles eran aficionados a esa cifra, también aseguraban que hubo un millón de muertos en la guerra civil, y es que estaba visto que les encantaba ser millonarios de lo que fuera, incluso de cadáveres, porque había sido tan grande la escasez en su historia, y tan inmensas la envidia y los deseos de abundancia, que no importaba que ésta se desbordara en muerte, con tal de que lo hiciera en algo.

Delante de donde Alberto se encontraba —¡qué vergüenza si alguien lo viera!, ¡cómo se arrepentía ahora!—, unas jóvenes rubias, bien alimentadas, ensayaban brazo en alto el saludo fascista. Vestían un uniforme recién estrenado y todavía se podían apreciar los pliegues del planchado de sus blusas azul mahón que contrastaban con las boinas rojas, ladeadas sobre la melena, como prestas a posar para una revista de modas. Don Epifanio apenas se movía, no coreaba los gritos de rigor, ni siquiera se veía tentado de levantar el brazo. Minutos antes, cuando se acercaban a la plaza, abriéndoles paso un motorista entre el gentío, habían visto los autobuses alineados junto a las aceras. Venían de Ciudad Real, de Toledo, de Andalucía. Quinientas pesetas y un bocadillo habían sido suficientes para convencer a sus ocupantes de que se embarcaran en la excursión, que incluía un día de fiesta en la capital y garantizaba el éxito de la convocatoria, «Villarejo, con Franco», rezaba una pancarta, y otra más allá: «A ti te lo debemos». Don Epifanio sabía que aquello era necesario, que la política se fabrica fundamentalmente a base de emociones y de corrupciones, pues los pueblos no tienen voluntad sino instintos, pero abominaba de tanta farfolla. Unos metros más lejos, Primitivo Ansorena, la camisa de falangista asomándole bajo el uniforme de militar, animaba a quienes le rodeaban, ante la pasividad de Ataúlfo y de Mirandita, asombrados de la vitalidad de su amigo. Como se apercibieran de la presencia de don Epifanio, entre la multitud de cabecitas que se estiraban tratando de divisar la figura del Caudillo, comenzaron a hacerle gestos para llamar su atención pero él se hizo el desentendido, consideraba que estaba allí en misión oficial, que estaba porque tenía que estar, que era lo suyo, no quería enzarzarse en camaraderías.

Alberto pensaba en Marta. Esa mañana, ella había dejado la casa muy temprano sin despedirse, de modo que no la vio, aunque él mismo se había levantado de buena hora. Al percibir su ausencia se sintió víctima de una extraña emoción, mezcla de angustia y de libertad, tuvo un primer impulso de ponerse a registrar cajones y armarios, atribulado por la sospecha de que le hubiera abandonado, y respiró hondo al comprobar que todo estaba en su sitio, la ropa interior, los libros, los mejunjes de cosmética, y hasta una diminuta agenda personal que siempre acompañaba a la chica. Hacía semanas que se había vuelto irascible, incluso huraña. Al principio, él no le dio demasiada importancia, «el marido huele mal cuando estás encinta», le explicó mamá Flora, «a tu padre lo envié por tres meses a dormir a un sofá», pero eso Marta no lo había hecho nunca todavía y fue él, voluntariamente, quien abandonó aquella misma noche la habitación, en un acto que no sabía si era de rebeldía o de respeto, «¡Franco!, ¡Franco!, ¡Franco!», claro que comprendía su irritación, a él tampoco le hacía ninguna gracia estar allí entre el vocerío fascista, pero lamentaba no haber llegado a hacerle comprender que con radicalismos no se llegaba a ninguna parte, el ejemplo de Anguita podía haberle convencido de que el diálogo con el poder no era necesariamente malo y que una persona como él, que a la postre no estaba en ningún bando, podía limar asperezas, contribuir al entendimiento. «Una cosa es el diálogo y otra que te acuestes con ellos», fue su desabrida contestación, la verdad que no le importaría hacerlo con una de esas rubias de ahí delante, o con las dos a la vez, aunque vete a saber si éstas se acuestan con nadie que no sea el Corazón de Jesús, «¡Franco!, ¡Franco!, ¡Franco!», sería cosa de preguntárselo a la salida, cuando todo aquello acabara, porque está claro que España ha cambiado mucho y que ya no sólo follan las progres.

Veintitrés

Eduardo Cienfuegos entró en la sala de redacción agitando el papel del teletipo y dando botes de contento.

—¡Lo han liberado! Han liberado al cónsul Beihl.

Jesús, el conserje, levantó la mirada de la papelera que estaba vaciando y le miró con escepticismo.

—Aquí no queda nadie. Se han ido a celebrar la fiesta.

Los terroristas habían soltado al alemán justo el día de Navidad, como queriendo dar a entender que no eran tan crueles. ¿No merecía la pena hacer una edición especial?

—Sí, claro —le dijo Artemio Henares al otro lado del hilo del teléfono—, pero a estas horas ya no hay quien lo organice. Ésa es una noticia para la televisión, muchachete.

Henares tenía razón, los redactores jefes siempre la tienen, aunque sean tan gordos, insoportables y abusivamente maleducados como éste. Pensó que los etarras eran unos torpes. Por culpa de la hora, iban a perder mucha cobertura en los medios de información, y el gobierno sabría utilizar la caja tonta a su manera.

Eduardo Cienfuegos no soportaba las fiestas navideñas, y eso que en su casa prevalecía el sentido lúdico y pagano de las mismas, frente a las tradiciones religiosas. Amelita Portanet, señora de Cienfuegos y madre del periodista, disfrutaba como nadie en aquellas ocasiones. Solía engalanar, con muy buen gusto por cierto, un gran abeto natural que plantaba en mitad del cuarto de estar, sin importarle, por una vez, que el tiesto chorreara la alfombra, apenas protegida por un plato y un papel metálico, y se echara a perder. En la noche de autos, convocaba a toda la familia a cenar sopa de almendras, besugo y pavo. Los invitados no eran sólo los hijos y los nietos, sino también parientes de segundo grado, o algún amigo descolgado de los suyos e incluso llegó, hacía diez o doce años, a seguir la consigna «siente un pobre a su mesa», pero como no quería arriesgarse a que la cosa saliera mal o a caer en el ridículo, consideró que era suficiente convidar a Jonás, el hijo del portero, sordomudo de nacimiento y un poco retrasado, a fin de que sus padres pudieran disfrutar mejor la noche. El experimento resultó fallido porque Jonasín, que parecía bobo, no lo era y se pasó todo el tiempo metiendo mano a doña Amelita por debajo del mantel, hasta que el padre de Eduardo soltó un trallazo de no te menees, primero sobre la mesa y luego otro sobre el rostro del subnormal, que no tuvo que hacer ningún esfuerzo para comprender de qué se trataba y apartó la mano del culo de la anfitriona como si le hubiera dado un calambre.

Amelita se pasaba las semanas previas a la Navidad de tienda en tienda, buscando los regalos apropiados para cada uno de los suyos. Disfrutaba haciéndolo pero se quejaba constantemente, como si fuera un castigo impuesto por la desidia ajena y el desinterés del resto de la familia. En la Nochebuena de 1970, decidió atender la sugerencia de su marido e invitar al ágape a un tal Primitivo Ansorena, un empleado distinguido de La Comercial, militar y un poco facha, le había dicho, pero honrado y muy activo.

—Es soltero y, este año, su hermana, con la que acostumbraba a pasar las fiestas, ha tenido que ir a Palencia por mor de una nuera enferma. Además, me interesa estar a bien con él, acaba de hacer una operación importante.

—Pues que venga —dijo Amelita—. Donde caben quince caben dieciséis.

Y contaba con los dedos disimuladamente, tratando de rememorar el número de hijos, nueras y cuñados que estarían presentes, sin olvidarse de su nieta, a la que Eduardo se empeñó en ponerle el nombre de Cristina, no se sabía por qué extraña razón, porque en la familia Cienfuegos nunca nadie se había llamado así.

Primitivo Ansorena estaba muy excitado con la invitación. Era todo un detalle por parte de su jefe, eso le confirmaba lo que siempre había sabido, que no todos los rojos eran malas personas y que algunos eran mucho mejores que los del Opus, o los meapilas como Mirandita, aunque a Sebastián había que estarle agradecido, los primeros autobuses llegarían después de Reyes y el pedido estaría embarcado por completo en primavera, o sea que para mayo o junio podrían hacer la entrega definitiva. Un negocio redondo, fácil y, lo más importante, absolutamente legal, todo con facturas y con justificantes. Estaba seguro de que, si no fuera por ello, la familia Cienfuegos no le habría festejado como esa noche se proponía hacer y tampoco se montaba muchas ilusiones respecto a su futuro, conocía que don Eduardo era hombre tacaño, quizá por compensar los excesivos dispendios de su esposa, con la que había coincidido únicamente en un par de ocasiones, como de paso, en la oficina. Con todo y eso, lo de invitarle por Nochebuena le parecía una auténtica gentileza y desde luego se propuso causar la mejor de las impresiones. Comenzó por hacerse un traje en una sastrería muy renombrada de la calle Cedaceros, se la había recomendado don Epifanio y, al parecer, allí cortaban para lo mejorcito de Madrid. No era hombre de gustos exquisitos Primitivo, aunque sí muy apañado en la vestimenta, procuraba llevar siempre bien planchada la raya del pantalón —criticaba con frecuencia el concepto británico de la elegancia, relacionado con los bombachos y las perneras anchas—, le gustaban las camisas blancas y las corbatas de seda, que acostumbraba a sujetar con un pasador bañado en oro en el que lucía, esmaltado, el escudo de la Legión. El limpiabotas del café se encargaba de lustrarle los zapatos, otro signo de policía y limpieza con arreglo a los estándares militares. Aquella tarde, ante la importancia del acto al que se disponía asistir, decidió hacerse a sí mismo un regalo navideño, al tiempo que compraba unas chucherías para la nieta de doña Amelita, la del periodista ese que dicen que es un borracho díscolo, pero ya se le pasará. En un establecimiento de la Gran Vía se mercó unos zapatos de piel de cocodrilo, «son muy discretos», le convenció el dependiente «y duran para siempre», discretos del todo no le parecían, y hasta pensaba que sería difícil vender aspiradoras yendo de esa guisa, pero lo de las aspiradoras había pasado a mejor vida, en adelante lo suyo eran las grandes operaciones, maquinaria, bienes de equipo y cosas así, al fin y al cabo los comunistas trabajaban barato y eso se debía a que no había huelgas, a que estaban prohibidas, a que allí no se andaban con chiquitas.

Eduardo Cienfuegos Portanet se encrespó. Desde luego había bebido demasiado, eso que Carmen no cesaba de advertirle durante toda la noche, y que llevaba un tiempo tratándose con un psicólogo amigo e inyectándose sueros que le hacían abominar el alcohol, le producían náuseas en cuanto tomaba una cerveza, y hasta el olor de la colonia le repugnaba. Pero si el Varón Dandy de Ansorena le daba arcadas no era por ningún suero, que no se lo ponía desde hacía semanas, pues en Nochebuena algo había que beber, sino porque atufaba a pachulí. No le gustó que su madre invitara al divisionario, del que ya le habían hablado en casa y que resultó ser peor de lo que imaginaba, fanfarrón, petulante, con un toque de cursilería y un arrebato de machismo que le asemejaban en todo a cualquier chulo de putas de la calle de la Ballesta, a los que conocía bien porque frecuentaba los bares de la zona después del trabajo. No le gustaron los comentarios que durante toda la cena se permitió hacer sobre el secuestro del cónsul, el juicio de Burgos, los vascos —así, vascos a secas, como si todos fueran terroristas o secuestradores o bandidos— e incluso los catalanes, aunque en ese punto el militar estuvo más comedido pues sabía que doña Amelita era de Ripollés. «No, si a mí no me importa», le disculpó ella, «si son tremendos, ¡lo sabré yo que soy de allí!». Pero fuera por el alcohol, fuera porque estaba absolutamente harto, el caso es que el co-

mentario sobre las huelgas y la producción le encabritó.

—No digas tonterías, ¡hombre! —le espetó
mientras trataba de disimular su lengua de trapo—.
Si los comunistas producen más barato es por la plani-
ficación Y si no hay huelgas es porque es absurdo que
los trabajadores se rebelen contra ellos mismos, allí la
producción es de todos. Para opinar, hay que saber.

Niñato de mierda, pensó Ansorena, pero Carmen se adelantó a su impulso, dirigiéndose a su marido entre sumisa e imperante.

—No bebas más, Eduardo, que te va a sentar mal.

—¡Bebo lo que me sale de los huevos! Y ya
está bien de callarse. ¿Tampoco hay libertad de expresión en esta casa?

—Sí, pero con educación —terció su padre.

Ansorena se revolvió nervioso en su silla. No
quería que la fiesta se estropeara, y menos por su culpa, no le convenía. Todo lo que había hecho era elogiar
el sistema de producción comunista, para halagarles
a ellos, que sabía que eran republicanos, para darles a
entender que podían ser amigos, ideologías aparte,
pero no contaba con el borrachuzo aquel, ni con que le
pusiera de tan mala leche, aunque él se la iba a tragar,
¡vaya si se la iba a tragar!, en el Ejército se había acostumbrado a eso y a mucho más, no estaba dispuesto a
perder un buen empleo por mantener opiniones de las
que, además, no se sentía muy seguro.

—Pues si hay libertad de expresión —continuó Eduardo, tratando de moderar el tono—, con-
vendrá decirle a este caballero, por muy comandante
o coronel, o lo que sea, que una condena a muerte en

el juicio de Burgos sería simplemente un asesinato, y que la ETA pondrá en libertad al cónsul no para evitar las sentencias, sino por un sentimiento humanitario, y que los comunistas producen mejor y más barato —bueno, algunos— porque la plusvalía se la queda el pueblo y no los poderosos, y que, y que...

—¡Y que en mi casa se guarda respeto a los invitados! —tronó el padre—. ¡A ver si me vas a dar a mí lecciones de democracia!

Primitivo no sabía qué hacer, se sentía responsable del incidente y no se reconocía ninguna habilidad para tratar de solucionarlo. El resto de la familia procuró desperdigarse por los salones, eludiendo la trifulca.

—Vamos a abrir los regalos —sugirió doña Amelita, tratando de quitar importancia a las voces—. En Nochebuena hay que estar alegres.

—En Nochebuena hay que ser sinceros y decir la verdad —porfió Eduardo.

—¿La verdad? —intervino Carmen—. ¿Tú hablas de verdad cuando me has estado engañando durante tanto tiempo?

Lamentó de inmediato haberlo dicho, se había jurado que nunca lo haría, que ése sería su secreto, ahora que Eduardo había vuelto. Le dolió su aventura, pero la aceptaba, porque ella no había sabido entenderle como Enriqueta, porque no había compartido sus sueños ni sus ilusiones, porque sólo se había abierto de piernas ante él, para que le hiciera un hijo, y se había preocupado de sus migrañas en los despertares de la resaca, pero no entendía los libros que leía, ni participaba de sus anhelos ni de sus conspiraciones, ni le interesaba toda aquella monserga política.

Eduardo había sido su único amor, sería su único amor durante toda la vida, le había perdonado y le perdonaría mil veces más en el futuro, daba por descontado que aquélla no sería la última, sólo quería que no bebiera, que no se destrozara a sí mismo, que no se suicidara de esa forma. El mal, sin embargo, ya estaba hecho: la denuncia, firmada ante toda la familia. ¡Vaya vergüenza para ella misma!, ¡vaya falta de dignidad la suya!

Sí, le había estado engañando, puesto que quería una confesión pública ahí la tenía, respondió Eduardo airado, pero no fue casualidad, ni un desliz, ni un atolondramiento, fue una decisión consciente porque ella era mala en la cama y mala en la cocina, porque sus padres eran unos burgueses de mierda, como los de él mismo, porque follaba con otras por lo mismo que bebía a destajo, y porque le había dado la real gana. La bofetada del presidente y dueño de La Comercial Abulense se estampó sonora en la mejilla de su hijo mayor. Amelita Portanet intentó, inútilmente, interponerse entre los dos hombres y a punto estuvo de ganarse ella otro sopapo. Ansorena se abalanzó, de inmediato, sobre su jefe, reteniéndole como pudo, temeroso de que aquello fuera el comienzo de una paliza en toda regla. Carmen corrió hacia la cocina o el cuarto de baño, al fondo del pasillo, buscando un agujero donde ocultarse.

—¡Ésta es la última vez que te comportas así en mi casa! —gritó a su hijo el señor Cienfuegos, desaforado, luchando por desasirse del militar.

—¡Ésta es la última vez que me comporto de ninguna manera!

Alcanzó su zamarra y se marchó dando un portazo. Odiaba la Nochebuena. Odiaba la familia.

En la casa, Amelita Portanet se deshacía en lágrimas mientras Primitivo Ansorena, oficial en la reserva, caballero legionario y voluntario en la División Azul, trataba inútilmente de consolarla. A Eduardo Cienfuegos, el compañero Andrés, le sorprendió la mañana del día de Navidad mientras dormía la curda en la redacción del periódico. La campana del teletipo que anunciaba la liberación del cónsul fue su despertador.

Veinticuatro

—A los soldados los han acuartelado —dijo Miranda—, lo sé por mi chico, que como todavía no le das la perpetua, anda el pobre pelando más guardias que patatas. A este paso le despiden del hospital.

Ansorena le miró con un punto de irritación, como diciendo ya queda poco, ya queda poco..., no me olvido de lo de los autobuses, pero es que este Ansorena, pensó Mirandita, es un caradura de campeonato, primero me mete en el lío de la concesión, luego me da cuatro perras y de lo de Carlos casi nada, cuando a mí eso es lo único que me importa... menos mal que, por lo menos, no lo han enviado al Sáhara.

—¿Habéis visto la putita esa nueva de la barra? —les llamó la atención, como de costumbre, Ataúlfo—. Es más negra que mi suerte, pero está buena.

—Acuartelados o no, estoy seguro de que el Caudillo pondrá solución —terció don Epifanio—. Las manifestaciones le van a ayudar. Las ha habido en todo el país, hasta en Bilbao, y ya nadie podrá decir que un acto de clemencia es un signo de debilidad.

Ansorena fue tajante:

—Uno no, pero nueve, vete tú a saber. Y son nueve los condenados a muerte, nueve los hijos de puta. A mí no me importa que los maten.

—¡Pero si ha pedido por ellos hasta el Papa! —exclamó Mirandita.

—Este Papa pide siempre por los comunistas, él mismo es uno de ellos y así andamos, que todos los días hay encierros de obreros en iglesias y pastorales de esas contra el régimen. ¿Pero una pastoral no era un sinfonía?

Ataúlfo volvió a la carga:

—¿No os gusta la chorva? A mí me pone cachondo. ¿Cómo te llamas, monada? —abandonó la mesa del chamelo, andando lentamente hacia la chica, que seguía acodada en la barra, sorbiendo una Coca-cola y hablando con el barman.

—Delfina, guapo, y ábrete que estoy esperando a mi novio.

Al decirlo, la Caoba enseñó una boca inmensa, de lengua colorada y dientes blanquísimos. Apenas había pronunciado la frase cuando apareció en la puerta de la cafetería un hombre maduro, de pelo cano, repeinado hacia atrás, y unas gafas para la miopía a las que faltaba una patilla, lo que desequilibraba su postura sobre la nariz aguileña. Andaba despacito, oprimiendo entre el índice y el pulgar de su mano izquierda una colilla que amenazaba con abrasarle las yemas. Don Epifanio lo reconoció enseguida y le hizo una seña, como invitándole a sentarse con ellos, pero el otro pareció no verle, o no hacerle caso, y se dirigió, sin volver la cabeza, hacia la putita negra, que saltó de su taburete para abrazarse a él con efusión. Ataúlfo aún acosaba a Delfina, contra sus indicaciones, y como se produjera un momento de desconcierto, la Caoba se dirigió nuevamente a él:

—Mira, éste es Ismael. ¿Y tú cómo te llamas?

—Yo Ataúlfo, Ataúlfo Sánchez.

—Para servirle —le tendió la mano el otro.

Se saludaron con brevedad y el recién llegado tomó asiento junto a ella, mientras el mecánico comenzaba un repliegue discreto hacia donde estaba el grupo jugando al dominó. La mirada del recién llegado le acompañó paso por paso hasta que se cruzó, de improviso, con la de don Epifanio. Al verlo, inclinó la cabeza como saludando y se volvió de espaldas.

—¿Quién es? —preguntó la Caoba.

—Un amigo del jefe. Le conozco de vista.

—Vaya novio viejales que tiene la guarra —comentó Ataúlfo cuando retomó su silla—. Parece que te conoce, Epifanio.

—Yo le conozco a él, sobre todo. Es policía, y de los más duros, con esa cara que tiene de don Juan antiguo. Mala gente.

—Los policías siempre lo son —añadió Ansorena—. Por eso hay que poner militares para que los manden.

—¿Qué hay de nuevo, Caoba? —hablaba con un tono distante—. ¿Me traes algo?

No había gran cosa que contar. ¿Por qué no la sacaba de una vez de aquel barrio inmundo?, con sus tetas y su inteligencia podía ser más útil en sitios de postín, allí mismo, por ejemplo. Seguro que esos viejos de ahí saben más de todo que Lorenzo.

—Esto ya no es lo que era, ha caído mucho. Los años buenos fueron los cuarenta, cuando se podía comprar penicilina de estraperlo en la barra.

—¿Y de qué quieres que te informe? Habla muy poco, ni siquiera me ha dicho que sea comunista ni nada. A mí me la mete y se corre en un plis plas, en cuanto le meo un poquito, y a veces sin meter, sólo con el orín. Pero no tiene un duro y si no me trasladas de *clú* voy a acabar muriéndome de hambre. Con lo que me das no llego ni a fin de mes.

La miró indiferente.

—Ahora tiene un amigo, ¿sabes? Vino el otro día con él, pero al chico no le gustó el ambiente y se marchó de naja. Es italiano, creo, y un tío macizo. A ése no le van las putas, seguro.

—¿Italiano? —pareció, por vez primera, medianamente interesado en la conversación.

—O argentino, no sé. Habla raro, un poco amariconado, pero jula no es.

—¿Y está en su casa?

—Eso dijeron. Anda aquí de vacaciones. ¿Quieres que me entere?

Volvió a su indiferencia.

—Si puedes... —luego aplastó la colilla contra un platito de cristal, la ceniza le emborronó los dedos. Miró a la otra con un atisbo de ternura—. Te invito al cine, ¿quieres?

Salieron del brazo, cuidando el hombre de no dar cara a don Epifanio. Cuando se hubieron ido, éste se despidió de la concurrencia, tenía invitados a cenar y quería llegar antes por si servía de alguna ayuda.

—Ya se sabe, con lo del feminismo, ahora nos tenemos que espabilar todos y colaborar en casa. No os preocupéis, que habrá clemencia.

Clemencia era lo que Esteban Dorado no estaba dispuesto a mostrar, cualquier cosa menos eso, pero le agradecía mucho a Epifanio la invitación, y qué bueno está todo Rosita, eres la mujer ideal, mira que servirnos la mesa y no cenar con nosotros, y Rosita Aguilar de Ruiz de Avellaneda, que ya está acostumbrada, que la vida con Epifanio es así, y que él aporta, no te creas, porque hoy ha puesto la mesa, según está el servicio hay que saber valerse por uno mismo y sin hijos tampoco tenemos líos, ni preocupaciones, sólo nuestro ahijado, Albertito, que va a ser padre y todo, los hijos dan muchas satisfacciones, pero también muchos disgustos, a mí me hubiera gustado tenerlos, y a Epifanio, pero Dios no ha querido, Alberto se separó de nosotros en cuanto creció, de pequeño era un chico obediente, simpático, y luego se volvió más difícil, por la mujer esa que tiene, las extranjeras ya se sabe, aunque ella es de muy buena familia, su padre diplomático y comendador o no se qué, se dice *comendattore*, Rosita, bueno pues como se diga, yo me voy a acostar, les dejo con el café, adiós, Esteban, recuerdos a todos los tuyos y a ver si nos vemos un día sin necesidad del trabajo.

—No me vendrás a hablar otra vez de Alberto...

Don Epifanio fue interrumpido con un ademán por Esteban Dorado. Le había llamado por teléfono, «¡quiero verte!», le dijo con timbre de angustia, y él pensó que volvían a la carga, aunque el chico se había regenerado por completo, mucho antes de lo que él hubiera supuesto, era trabajador y serio, y buen contacto con la oposición templada, hasta su mujer parecía que había sentado un poco la cabeza ahora, con el embarazo.

—Hoy no son tus problemas, Epifanio, son los míos. ¿No te parece una ironía? Estoy desconcertado.

Mientras le hablaba le tendió un sobre grande que Ruiz de Avellaneda abrió con meticulosidad.

En su interior había unas fotocopias subrayadas con lápices de colores.

«... *de donde podemos establecer, sin ningún género de dudas, que el cabecilla de la subversión marxista en la Facultad de Ciencias Económicas es Manuel Dorado Galves, estudiante de cuarto curso, sin antecedentes, vecino de Madrid, con domicilio en la calle Almagro, hijo de Esteban, militar, y de Guadalupe, sus labores, ambos afectos al régimen, ocupando el primero el cargo de subdirector general...*»

Esteban Dorado ensayó una mueca. Le temblaban los labios.

—Ya ves, mi Manuel, el mayor...

—¿No puede haber una equivocación?

—Ninguna. Lo han comprobado setenta veces siete. Hace ya tiempo que tengo esto, y me quema. Cuando secuestraron al alemán, decidí aplazarlo hasta resolver el caso. Ahora ya no puedo más. Mi hijo es un terrorista.

—Eso no lo dice el papel...

—Lee más adelante.

«... *el tal individuo ha sido visto repetidas veces en las demostraciones contra el régimen y de apoyo a ETA, encabezando un manifiesto a favor de los acusados en el juicio de Burgos. Entre sus amistades de la universidad se encuentran varias de apellido vasco y desde hace semanas mantiene algún tipo de relaciones con Enriqueta Zabalza, militante del Partido Comunista de España, fracción Reformada, hija de Bienvenido Zabalza Osés, general de infantería retirado, medalla colectiva al Mérito Militar por su comportamiento en Garabitas, con domicilio en Madrid...*»

—Esta Enriqueta me suena...

—Estaba en los papeles de Alberto, era de la célula de su mujer...

—Mi ahijado no andaba en eso, ya te expliqué.

—¿Qué más da ahora? He venido por mí. No sé qué hacer.

—Habla con él.

—¿Con Manuel? ¡Ni soñarlo!

—A lo mejor te explica.

—Serán mentiras.

Don Epifanio descansó su mirada en los ojos del otro. No sintió compasión. Le habían presionado, acosado, incluso hubieran podido destituirle, quisieron arruinar su carrera y la de su protegido, y Esteban Dorado había sido culpable. ¿Dónde quedaba su antigua arrogancia, su seguridad de controlarlo todo? Nunca hasta ese día había mostrado un atisbo de duda.

—Ya sabes lo que pienso —intentó consolarle—, y no me lo tomes a mal. Quien a los veinte años no es comunista es que no tiene corazón...

—¡Déjate de refranes!

Carraspeó ante la insolencia, él sólo quería ayudar, ¿quería ayudar?, ¿por qué? Le complacía ver aquel cuerpo, otrora recto como un poste, desmoronado sobre el sillón, cercano al llanto, balbuceando explicaciones que a él no le interesaban.

—He pensado denunciarle.

—¿A tu propio hijo?

—Ya no lo es, no lo reconozco.

Lo mejor era hablar con él, tratar de aclararlo, y si no quieres lo hago yo, argumentaba don Epifanio, y el otro que no, que quizá le podía echar una mano, pero de distinta manera, si él quisiera contárselo antes al ministro... así le sería más fácil luego, porque el primer trago es el peor, y estaba decidido a dimitir, aunque lo malo no era perder el cargo, lo malo era la deshonra, el fracaso, le caerían fácilmente veinte años si le acusaban de asociación ilícita, a su madre le iba a dar un patatús, ¡y vaya ejemplo para sus hermanos!, pero don Epifanio insiste en que dónde está lo de la asociación, ahí sólo pone, como decían de Alberto, que tiene amigos.

—¡Es más que una amiga!, Epi, están amancebados. ¡Encima eso! A éste me lo cargo yo, y luego me voy, me pego un tiro o hago que me lo peguen, ¡pero vaya que si me lo cargo! ¡Como me llamo Esteban!

Se fue muy tarde de la casa, oliendo a alcohol y al humo de un buen cigarro habano. Cuando la puerta sonó tras él, Epifanio Ruiz de Avellaneda volvió a repantigarse en la mecedora del cuarto de estar. Meditó unos instantes, sonriendo entre dientes, mañana mismo hablaría con el ministro, intercedería por el chaval, a lo mejor incluso insistía para que Dorado siguiera de subdirector, era un hombre eficaz. Echó un último trago a la copa de brandi y cerró los ojos dejándose llevar por aquel placer, repleto de nuevas sensaciones. Sentía una emoción intensa, permanente, rayana en la plenitud. Era el sabor de la venganza.

Veinticinco

Franco los había indultado en el último momento. Poco antes de la medianoche, cuando los españoles se agolpaban ante el televisor, prestos a celebrar la entrada del nuevo año tragándose, una a una, las uvas de la suerte, al son de las campanadas del reloj de la Puerta del Sol, la voz gangosa del dictador les anunció la buena nueva: los condenados a muerte verían conmutada su pena.

—Ha sido la prueba de la solidez del régimen —comentó don Epifanio en uno de sus paseos matinales por la oficina, con todos aquellos moscones, tiralevitas y alabanceros, rodeándole.

Que nadie se equivocara, añadió, la clemencia de ahora podía trocarse en un endurecimiento. Con tanto revuelo, la ley de asociaciones políticas peligraba, no habría ni siquiera aquella especie de partidos descafeinados. Y las bandas fascistas parecían envalentonadas, como si supieran que tenían bula de la autoridad.

Gerardo Anguita estaba convencido, en cambio, de todo lo contrario. Comenzaban a notarse de nuevo signos de debilitamiento y el gobierno no hubiera podido reaccionar de otra forma. La presión era demasiada, resultaba imposible que la dictadura perviviera sin cambios profundos en medio de la Europa democrática, los franquistas parecían cansados, aco-

bardados por su propia infamia, todo lo que esperaban es que se muriera, algún día, el Caudillo para
arreglar las cosas, incluso se decía que muchos de los
que habían ido a las manifestaciones multitudinarias a gritar «¡Franco, Franco!» ya ni creían en él ni
nada, y lo habían hecho para ayudar en la decisión
de los indultos, para impedir ver sumido a su país
en la miseria internacional y en el descrédito más
ruinoso. Alberto trataba, subliminalmente, de justificar también así su presencia en la plaza de Oriente,
que le había deparado las Navidades más tristes de su
vida. Hacía ya tiempo que no compartía cama con
Marta, atrincherada en un mutismo absoluto, sólo roto para relacionarse por cuestiones triviales, y con una
frialdad ni siquiera disimulada ante los amigos o la
familia. Pero Alberto estaba seguro de que aquello no
era sino un cabreo pasajero, un simple enojo de la
preñez y que, cualquier noche, Marta se acercaría hasta aquel sillón que él ya consideraba como su lecho y
le hablaría de sus ansias, de la necesidad de comer ur-
gentemente fresas con nata o tarta de limón, no vaya
a nacernos el niño con un lunar de esos raros, pidién-
dole, ordenándole, que saliera al trote hacia la paste-
lería de guardia.

—¿Pero a estas horas, Martita? No hay pas-
telerías de guardia en Madrid.

Sí las había, se trataba de unas pocas tiendas
con cafetería incluida, donde vendían de todo, y que
funcionaban como los *drugstores* parisinos sólo que mejor, porque a partir de la madrugada recalaban allí
las busconas despistadas, los borrachines de la noche
y algunos estudiantes con ojos pitañosos, atiborrados
de anfetaminas y café, hartos de preparar el parcial

del mes que viene, por si los rumores sobre aprobado general resultaban falsos y finalmente tenían que examinarse.

Fue a finales de marzo, o quizá ya entrado el mes siguiente, cuando Alberto Llorés salió despepitado, desafiando en la madrugada a un aguanieve muy molesto y bostezando a modo, a buscar una lata de pepinillos en vinagre, o mejor un bote de cristal, que el metal en las conservas producía escorbuto. Enfundado en un abrigo de bellardina, *made in Italy*, con el traje cubriéndole malamente la camisa del pijama de la que no había querido prescindir, tuvo que recorrer a pie el trayecto entre su casa y la calle Fuencarral, porque no encontró taxi que le aliviara el paso. En el establecimiento, mientras aguardaba cola para pagar un enorme frasco de variantes —lo más parecido a los pepinillos que había encontrado— se entretuvo en la contemplación de aquel paisaje humano repleto de gañanes, vendedores de lotería que se ayudaban de muletas u otros artilugios para mantener el equilibrio sobre su única pierna, chaperos disimulados, grupos de jóvenes que parecían los flecos de alguna boda o de una despedida de soltero, médicos que salían de la guardia, y putillas de tres al cuarto, el rímel corrido por la lluvia, abrasado el cabello por el tinte, hinchadas sus patorras de tanto andar a la carrera en busca de un cliente, «aprovecha, guapo, que a estas horas hay un cincuenta por ciento de descuento». Fue entonces cuando descubrió el mentón sin afeitar de Eduardo, el compañero Andrés, su cabellera generosa, trepidando cada vez que empujaba el billar eléctrico con un contoneo de nalgas que a Alberto le pareció un poco afeminado, su sonrisa triunfal cuando la máquina regalaba partida, y sonaban los timbres, las campanillas, los clarines de gloria, y se encendían todas las bombillas de aquel cacharro, y la chica dibujada en la pantalla levantaba la pierna enseñando las bragas, como en el can-can, guiñando un ojo al afortunado jugador.

Se acercó por detrás con sigilo, jugando a sorprenderle. El otro tuvo un sobresalto al descubrir su presencia, se saludaron como viejos amigos pero no lo eran todavía, ¿qué tal estaba Marta?

—Esperando. ¿Y Enriqueta?

Lo de Enriqueta se había acabado, y lo de Carmen, si bien miraba, también; se había acabado casi todo menos el billar de luces y el bourbon, ahora le pegaba al bourbon, vivía solo y no lo lamentaba, en el periódico, bien, le habían ascendido, comía con subsecretarios, con banqueros, con intelectuales, iba a cenas políticas, esas multitudinarias que se organizan ahora, caray, quién iba a pensar que la futura democracia española iba a sustituir al parlamento por los restaurantes de cinco tenedores, cualquier día le llamaba a él para lo mismo, o para que le diera una entrevista con Ruiz de Avellaneda, que dicen que va para arriba, todos vamos para arriba, qué maravilla, tú igual, me han dicho que has ascendido, ¿mira que si te hacen preboste del régimen, ahora que se está cayendo? Pero la que más para arriba iba era la nieta de Franco, ¿lo sabía?, la iban a casar con el primo del Príncipe, ¡vaya pasada!, en este país estaban todos locos. Eduardo lo conocía, había coincidido con él en un par de ocasiones, cócteles sociales o así, era alto, bien parecido y completamente idiota, no tenía la mirada de apopléjico de las familias de sangre azul, eso no, ni se le caía el belfo como a los personajes de los retratos de Velázquez o Goya, le gustaba esquiar y vestir bien y, si se dejara el bigote, se parecería un montón a su abuelo Alfonso XIII, a su padre, en cambio, nada, su padre era un cachondo, un vividor, un listo, pero este Dampierre ya se sabe, le han enseñado cómo tiene que agarrar la paleta del pescado aunque de la vida, *nastic*. Claro que Alberto ya sabría todo eso, aunque todavía no lo publicaban las revistas, ni había fotos, mira que enrollarse en semejante conversación... Lo dicho, quedarían un día para verse, y contarse historias. Por la mañana no, que estaría durmiendo, ahora hacía el turno de noche en el periódico, salía muy tarde y por eso le encontraba allí, matando el rato. ¡Ah, por cierto!, que le diera recuerdos a la chica, y enhorabuena por el niño, ¿es niño o niña? No lo sabemos. Mejor que sea niño, le dice el compañero Andrés, con las chicas ya se sabe, en cuanto te descuidas se engolfan.

Regresó a casa protegiendo el frasco de variantes con el abrigo. Había más tráfico del normal y sólo entonces reparó en que era viernes. En las noches de los fines de semana, Madrid se esforzaba en perder aquel aire antipático que había comenzado a adquirir en los sesenta, cuando se convirtió de una capital provinciana, administrativa y poco industrializada, en una gran urbe que competía con Barcelona por el número de habitantes, queriendo crecer más que nadie, aun a costa de destrozar el urbanismo, sacrificado en el altar de la especulación. Ésta no hacía sino derribar los palacetes de la Castellana para construir sobre los solares inmensas torres de edificios, con el horizonte rasgado por los pasos a desnivel, los puentes y viaductos, incapaces las calles de absorber tanto coche como afluía a sus encrucijadas. El desarrollo había convertido la ciudad en un tormento diario para los que en ella vivían. Palabras desconocidas hasta entonces para los madrileños como contaminación, atascos, retrasos —que no fueran los del tren—, salían a relucir en muchas conversaciones, aunque en la clase media siguiera tan de moda lo de protestar por lo mal que estaba el servicio. Algún periódico había comenzado a publicar un mapa de la polución, con gran regocijo de los adolescentes cachondos, que no entendían que la polución fuera cosa distinta que una corrida nocturna, y no de las de toros. Se multiplicaban las alergias entre los ciudadanos, que iban incorporándose casi insensiblemente a las formas de vida de la modernidad, convencidos de que la sociedad de la abundancia acarreaba necesariamente todas aquellas incomodidades, fruto directo de la mejora de los índices macroeconómicos. Probablemente por eso, los fines de semana se lanzaban a la calle dispuestos a vengarse de los sinsabores diarios, las avenidas se llenaban de automóviles ruidosos y los bares, sobre todo los del barrio de Argüelles, se convertían en cenáculos abiertos hasta el amanecer, incapaz la autoridad de obligarles a bajar el cierre a una hora temprana, tal y como reclamaban muchos bienpensantes.

Aunque ya casi despuntaba el alba y hacía un frío de los demonios, quedaba alguna taberna con la falleba sin echar, la luz pastosa filtrándose por los cristales de la puerta, y un murmullo imperceptible de risas inundando la calle. Benito le aguardaba en el portal de su casa, era de los pocos serenos que iban quedando en la ciudad. Asturiano, como todos, seguía haciendo sonar su chuzo contra el adoquinado de la calle, amenazado ya por su reconversión en asfalto, y acudía a las palmadas de los vecinos agitando en el aire el manojo de llaves, como un san Pedro joven, dispuesto a rescatar a los náufragos de la noche y a conducirlos al puerto seguro de su hogar. Alberto se alegró de verle pero no tuvo tiempo de decírselo porque el otro, ¡hombre de Dios!, ¿dónde andaba?, le explicó que no era nada, que no se preocupara, aunque a su esposa le ha dado un desmayo y se la han llevado para el hospital de La Paz, como usted no venía, yo mismo llamé a la ambulancia, pero no tenga cuidado, que de parto no está.

Tardó todavía en encontrar un taxi, como es viernes ya se sabe, comentaba Benito tratando de calmarle, y pasó casi una hora hasta que la enfermera le recibió en el mostrador de urgencias. Marta estaba bien pero no se la podía ver hasta las nueve, que comenzaban las visitas, si quería podía esperar en el pasillo. Y allí estaba Alberto, abrazado a un frasco de pepinillos y aceitunas en vinagre, protestando a voces y diciendo no sabe usted con quién está hablando, aunque se había prometido que nunca pronunciaría una frase así, y que si no le dejan pasar y no le explican va a llamar al ministro de inmediato, y al cónsul de Italia, pues su mujer es ciudadana italiana. A las voces acudió el médico de guardia, un muchacho joven de aspecto deportivo, rogando silencio y tratándole de tú.

—Pero yo te conozco —le dijo al oír su nombre—. ¿Llorés, Alberto Llorés, el ahijado de don Epifanio? Mi padre me ha hablado mucho de ti, para joderme claro, para ponerte de ejemplo. Soy Carlos

Miranda —le estrechó la mano con cordialidad—. Estoy aquí de prácticas, los viernes por la noche, ya se sabe, nos dejan a los nuevos. ¿Marta es tu mujer? Con ese apellido tan raro, Calamaci..., ¿por qué no usa tu nombre? Ella está bien, sólo son nervios; todavía queda para que seáis padres.

Carlos Miranda se movía por los pasillos de la clínica como si toda la vida hubiera estado allí, aunque a tiempo completo apenas llevaba unas semanas, desde que lograra escaparse de la mili, gracias a los buenos oficios de un oficial cabrón, pero de buena entraña, que le debía un favor a su padre. Mientras se dirigían a la habitación donde reposaba Marta, le dijo que esa misma mañana le darían el alta. La chica dormía profundamente, en un cuarto donde estaba ingresada también una gitana que había dado a luz mellizos. La madre de ésta, acodada malamente en una silla con la tapicería de plástico imitando piel, dormitaba profiriendo unos pequeños ronquidos que inundaban la habitación de olor a ajo. Alberto disimuló un gesto, haciendo como que no percibía la fetidez, pensó que Marta se merecía algo mejor. Carlos le sugirió que se sentara en el pasillo, podía dejar la puerta abierta y vigilar desde allí si despertaba su esposa. Depositó el tarro de variantes sobre la mesilla y se derrumbó, por fin, sobre una banqueta que encontró en un pequeño cuarto de baño contiguo. El reloj señalaba las cinco y media de la mañana y en ese mismo momento, en el *drugstore* de la calle Fuencarral, Eduardo Cienfuegos marcaba partida doble en la maquinita. Entonces decidió que era ya la hora de retirarse y abandonó su premio para disfrute del que ocupara el billar después que él, porque lo importante, pensó, no era ganar sino participar, y aquello de la máquina era como el golf, tenía la ventaja de que uno competía consigo mismo y con nadie más. Autodestruirse no era pecado.

Veintiséis

El Cachorro fracasó otra vez en el intento. Soplaba y resoplaba como un energúmeno, unas veces con fuerza, otras dulcemente, como besando el aire, pero el humo se enroscaba en su bigote negro, se enredaba en el pelo, contorsionándose, buscando quizá la perfección del círculo, hasta que acababa por diluirse, y escapaba entonces por entre los dientes, por los orificios de la nariz, por las orejas peludas, de un blanco cerúleo en el lóbulo, sonrosadas y hasta rojas en el resto, como si la sangre se le agolpara en la parte superior del pabellón. Sólo los cabrones tienen las orejas de dos colores, pensó José Manuel, es una seña inequívoca de hijoputez.

—Mira, Lobo, yo te pago bien, ¿no? —el inspector chupó otra vez, nerviosamente, el cigarrillo.

—Tú sabes que no me muevo por dinero, el viejo es rico, actúo por convicción, la pasta es para los muchachos y para comprar material.

—Bueno, para quien sea, el caso es que hay que subir un poco el tono, no basta con abroncarse ni con andar dando empellones en la Facultad, tenemos que hacer algo sonoro.

—¿Tenemos?

—Hombre, yo también colaboro, y si hay que deteneros, pues se os detiene un par de horas nada más, para que no sospechen. Es la mejor manera de protegeros, aunque no lo entiendas.

Es la mejor manera de protegerte tú, pedazo de mierda, pensó José Manuel Rupérez, que estaba ya más que arrepentido de haber comenzado todo aquello, pero atrás no se iba a echar, eso sí que no, por dos razones fundamentales, la primera y principal porque perdería prestigio ante los muchachos y la otra, porque su padre le estaba agradecido a Fernández Trigo, desde que colaboraba con él ya no había problemas en el mercado central, los competidores desaparecían a la primera de cambio.

—¿No ves que se están envalentonando? —insistía el Cachorro—. Como Franco perdonó la vida a esos canallas de vascos, se les ha montado el tupé y piensan que nadie les va a hacer nada. Mira la prensa, ¡qué porquería!, los intelectuales, el teatro..., pornografía pura, y ahora a festejar a Picasso, que es un pintamonas comunista.

Lobo tenía sobre su cama una imagen de la Inmaculada de Murillo y pensó que en lo de Picasso llevaba toda la razón, pero le daba miedo.

—Tú tranquilo, chaval, que el mando está al corriente. En realidad no se trata más que de acojonarles un poco, para que no se crean ya que todo el monte es orégano.

A la mañana siguiente, José Manuel reunió a todos en el garaje de la casa de su padre en Pozuelo. Era un chalé destartalado, que la familia no usaba desde hacía años, aunque en un tiempo veranearon allí o pasaron largas temporadas. Lobo disfrutaba pensando que aquélla era su guarida. Se reunían con frecuencia para jugar al mus, bebían, montaban guateques, bailaban, se daban el lote y, si alguna chica estaba muy borracha, se la tiraban sobre las hamacas del jardín. Eran jovencitas bien, hijas de funcionarios, de militares, hasta de catedráticos, a las que no importaba andar con gente grosera como José Manuel, y habían ayudado a que en el grupo entrara un par de petimetres, estudiantes de Derecho, con el pelo cortado a navaja y oliendo a brillantina cara. Encima presumían de leídos, se sabían de memoria las obras completas de José Antonio, ¿pero quién leía a esas alturas a José Antonio?, y debían de mear agua bendita, porque iban a misa a diario. «Nosotros somos guerrilleros de Cristo», proclamaban orgullosos, «estamos contra la violencia, pero no nos asusta usar la fuerza si lo reclama el bien de todos. También Jesús echó a latigazos a los mercaderes del templo». Pues iban a ver latigazos ahora, peor que eso, ¿sabían cómo fabricar un cóctel molotov?

Arsenio, un jaco fornido un poco tartamudo, profesor de gimnasia durante el día y portero de una discoteca de barrio desde el anochecer hasta la amanecida, se encargó de explicárselo. Había hecho la mili en un regimiento de montaña y tenía cursos de supervivencia. Toda una mula. Usarían botellines de cerveza y mejor si se las bebían antes, convenía entrar en acción un poco pimplados, en Vietnam los negros y los puertorriqueños atacaban forrados de droga, ¡si no, cualquiera! Tenían que entrenarse pero no lo harían con fuego real porque no había dónde, bastaría con estrellar algunos cascos contra la pared de la nave. También llevarían piedras, y un par de espráis para hacer las pintadas, «muerte a los rojos», «Picasso, traidor», «comunismo no, España sí», esta última parecía demasiado larga y en cuanto a Picasso, mejor no menearlo, lo de los rojos estaba bien. Total, no tendrían mucho tiempo para jeribeques, lanzarían el ataque a medianoche, la librería estaba en una calle céntrica pero de no mucho tránsito, llegaban en los coches, salían seis y otros dos seguían al volante, con los motores en marcha, un par de ellos lanzaba las piedras, tres, los cócteles, uno por barba, aunque si les daba tiempo podían repetir mientras el sexto hacía la pintada, terminarían en dos minutos, o hasta en minuto y medio, y escaparían a toda velocidad, Fernández Trigo se encargaría de que no hubiera patrullas, era fácil, limpio, resultaría sonado.

Aquella noche, Eduardo Cienfuegos estaba más borracho que de costumbre. Pocas horas antes había tenido una discusión de aúpa con Carmen, ¿por qué le llamaba por teléfono?, ¿quería más dinero?, se lo enviaría entonces, pero no era eso lo que quería, quería que volviera, que sentara la cabeza, que dejara de beber y de ir por ahí, que pensara en su hija, que se hiciera respetable, que se hiciera adulto, que no la insultara más, que no la maltratara, que fuera consecuente, que le había perdonado, que sus padres le habían perdonado, que le había perdonado hasta el militar, ¿qué militar, el fascista de Ansorena?, ¿y a mí qué me importa Ansorena?, a mí tampoco, a mí sólo me importas tú, a mí tú no, eso crees porque estás ofuscado pero yo sé que eres bueno, no soy bueno, soy un cabrón, ¡soy un cabrón!, ¡soy un cabrón!, no te excites, caramba, ¡no me excito!, a voz en grito, pero no soy gilipollas, gilipollas no soy, lo sería si volviera contigo, si volviera con alguien, no me hables de Enriqueta que es la culpable de todo, culpable de nada pero que la vayan dando por el culo lo mismo que a ti, a mi padre, a Ansorena y al mundo, y que se joda

Dios, que se jodan todos, que me joda yo más que nadie, pero volver no vuelvo. Fue una tontería ponerse al aparato. Fue una tontería mayor enfilar la callejuela aquella del barrio de los Austrias, desviándose de su camino hacia la redacción, y embutirse en el portal a toda prisa, como si fuera un forajido, para luego subir los peldaños de dos en dos, de tres en tres, al compás del canturreo de los de la academia, *to go, went, gone,* y de ese resoplar de búfalo que tiene el del saxo, vaya apartamentito el de Enriqueta y vaya sorpresa se va a llevar de verme aquí, pero me apetece verla, me apetece tirármela, me apetece hablar, aunque la sorpresa se la llevó él, ¿por qué siempre pensó que la encontraría sola?, ¿por qué daba por sentado que le iba a guardar la ausencia?, ¿pero cómo imaginar que se iba a echar novio tan pronto?

—No es mi novio —le dijo—, sólo está de paso, ¿no te acuerdas del compañero Ernesto, el italiano?

Y Ernesto huidizo, ¿cómo estás?, me alegro de verte, él también se alegraba, se alegraba y se cabreaba porque quería hablar con Enriqueta a solas, nada urgente, otro día sería, le gustaba saber que andaba por allí, ¿qué tal el partido?, caray, preguntaba por el partido como quien lo hace por un familiar lejano, sí, sobre todo lejano, muy lejano, definitivamente. De modo que salió del apartamento más corrido que una mona, ¿cómo se correrán las monas? Encontró a Liborio dos manzanas antes del edificio del periódico y, aunque el fotógrafo se resistió lo indecible, lo arrastró a tomar unos tragos, «con una condición», le reclamó el otro, «que no me des la paliza, ya sé que todas son unas putas». O sea que llegó al trabajo como un bizcocho borracho en opinión de Alejandra, la telefonista, que subrayó lo de bizcocho cuando él mismo le preguntó si le veía muy tocado porque no quería dar mala impresión ahora que era jefe. Algún día me lo comeré, pensó la operadora, una cuarentona que no acababa de acostumbrarse a las nuevas centralitas de botones, ella lo que sabía, de verdad de la buena, era manejar las clavijas, y reía pícaramente cuando soltaba esa frase, que le parecía muy picante. Ahora Alejandra no pretendía dar ningún segundo sentido a sus voces de alarma por el fuego, no le estaba diciendo que ardía en deseos de él ni nada parecido, sino que los fascistas habían incendiado una librería en el centro de Madrid.

—¡Liborio, ven aquí! —gritó Eduardo al conocer la noticia—. ¡Esto es la hostia, ya estamos como los nazis, quemando libros! Vete andando hacia ese sitio que yo te alcanzo enseguida.

Pasó por los lavabos. Inclinado sobre la taza del retrete, hundió sus dedos en la garganta hasta acariciarse la campanilla, los forzó hacia abajo, con fuerza, y de pronto notó el olor agrio de su vómito y aquel puré espeso resbalando por la mano antes de estrellarse contra el sanitario, mientras todo su cuerpo se deshacía en un descomunal espasmo. Por un minuto le pareció que se había empalmado. Metió la cabeza debajo del grifo después de enjuagarse la boca y de lavarse las manos con esmero. Liborio no se había ido y ahora entraba en los servicios con un café cargado y una aspirina.

—¿De verdad quieres ir tú, Eduardo? ¿Por qué no mandas a alguien?

—Porque esta noticia es mía y porque me aburro como una vaca sentado aquí en la redacción, rumiando la mierda.

Cuando llegaron todavía salían llamas por el escaparate de la tienda, que una dotación de bomberos rociaba con agua y espuma, la policía acordonaba la zona y una docena de curiosos se agolpaba en silencio, contemplando el espectáculo. Liborio tiró unas cuantas placas antes de que un guardia se abalanzara sobre él y le arrebatara la máquina. Sus protestas le llevaron ante el comisario que mandaba la fuerza, un individuo ya mayor que hablaba pausadamente, con educación.

—Compréndanlo, son órdenes.

—Nosotros sólo cumplimos cón nuestra obligación, tenemos el derecho a informar.

Blandían con arrogancia fingida el carné, una tarjetita con aspecto institucional, expedida por la Federación de Asociaciones de la Prensa. En su dorso se demandaba, a quien correspondiera, que facilitara la tarea profesional de los periodistas en todo momento. El policía lo ojeó con interés.

—¿De modo que es usted Eduardo Cienfuegos? —dijo mientras se lo devolvía—. He leído artículos suyos, me gustan, son valientes, si todos los periodistas escribieran así, este país sería mejor. Comisario Centeno, para servirle.

Les entregó la cámara sin el carrete. Por cierto, don Eduardo se veía algo pálido, mejor dicho, blanco como el papel, ¿se encontraba mal? Llamó a un inspector.

—Trigo, este señor se ha puesto enfermo, que un auto lo lleve a su casa.

Luego, dirigiéndose al periodista:

—Me alegro mucho de conocerle, aunque sea en circunstancias tan penosas. Estos ultras son unas verdaderas bestias. Y unos ignorantes.

Le estrechó la mano y se dio media vuelta. El que se llamaba Trigo decidió prescindir de los servicios del chófer y entró él mismo en el coche con Liborio y Eduardo. Dejó a ambos en casa del último, el fotógrafo le acostaría, no era nada, un *alka seltzer* y a dormir, luego enfiló la carretera de La Coruña. En el garaje del señor Rupérez había una gran fiesta, el comando incendiario y un par de chavalas celebraban el éxito de la noche. Eran rubias, bien vestidas, llevaban una boina roja terciada sobre sus cabezas, parecían maniquíes de París. El Cachorro fue recibido con alborozo. Echó la mano al bolsillo y sacó un convoluto de plástico transparente que dejaba entrever una especie de pasta marrón.

—Este costo os lo habéis ganado.

Se abalanzaron sobre el jachís y comenzaron a liar los porros, una operación tediosa porque había que machacar la droga hasta pulverizarla, deshacer los pitillos y desmenuzar sus hebras para mezclarlas con aquella melaza antes de poder reconstruir el canuto. Fernández Trigo encendió el último cigarrillo de la jornada pero esta vez prefirió no intentar el numerito de los anillos. Se sentó en una desvencijada banqueta, apoyando la espalda contra la pared del galpón. Le pareció que los chicos reían estruendosamente. Ellas no le gustaban, estaban buenas pero parecían de plexiglás, muñecas hinchables, demasiado pintiparadas, aunque seguro que jodían como perras en cuanto mezclaran el alcohol con los petardos. Lobo estaba contento, eufórico, ya no sentía miedo, todo había sido más que fácil y sólo lamentaba no haberse podido quedar a contemplar el espectáculo, le encantaba mirar el fuego, el fuego era tan infinito como el mar, uno podía guindarlo así durante horas y no aburrirse.

—Caray, Lobo —le dijo la más alta—, pareces un poeta.

Retozaron durante un tiempo sobre una colchoneta mugrienta, extendida en el suelo y rodeada de cascotes de cristal, restos de las botellas que habían servido para el simulacro del asalto. Después quedó entendido que la chica tenía que llegar virgen al matrimonio. Él, sentado en el jergón, se dejó hacer. Ella le desabrochó el pantalón con parsimonia antes de empuñar su miembro como si fuera un pájaro asustado, sintió el calor de la avecilla, tierna y temblorosa, latir entre sus dedos como un animalito, pero en cuestión de segundos desplegó las alas y se volvió enorme. Lobo cerró los ojos aguardando el momento sublime, le encantaba que se la menearan así, con fuerza y ritmo pero con suavidad también, le gustaba correrse con dulzura. Cuando sintió que el semen se desparramaba abrió los párpados y su mirada se topó con la figura siniestra y ridícula del inspector que se masturbaba contemplándoles en medio de gran agitación. Le sorprendió lo pequeña que era la minga del policía, se quedó un rato observándola hasta que el otro eyaculó, emitiendo un chirridito de placer, pudo distinguir claramente que la tenía igual que las orejas, bermellón en el extremo y de un blanco opalino en sus raíces. Sólo las malas personas tienen la polla como el arco iris, pensó, y se abandonó a un sueño profundo, agotado por tantas emociones.

Veintisiete

—¿De modo que el Cipri tiene una novia, y que te la ha presentado y todo?

Ernesto asintió a la pregunta de la camarada Cristina. Estaban metidos en un buen lío.

Le había invitado a tomar una copa, por salir un poco, no le había dicho de mujeres ni nada parecido. Cuando entraron en el club él comprendió qué clase de sitio era y quiso irse cuanto antes, pero la negra salió de algún sitio, se les echó encima, se comió a besos al compañero Lorenzo, y no hizo más que preguntar por su acompañante, tan apuesto, tan guapo, tan extranjero. Cipriano Sansegundo quedó azorado, no supo cómo reaccionar y al final confesó el secreto de la Caoba al italiano. Lo hizo con un punto de orgullo, como diciendo a ver si te crees que porque me veas con esta pinta de mosquita muerta no me calzo una mujer de bandera, aunque era evidente que tenía que pagar para ello. Ernesto ya no podía estar tranquilo en casa de Lorenzo y esa misma noche pidió asilo a Cristina. El otro quedó avergonzado, pero más preocupado por que trascendieran los hechos que por los hechos mismos. Era importante que no se supiera, le pidió que no dijera nada en el partido, ni en el sindicato, ni a los amigos, y Ernesto, interrumpiéndole, que a los amigos sí se lo diría, que era la bofia quien no se tenía que enterar pero los camaradas tenían derecho, resultaba imperdonable tanta torpeza, tal falta de seguridad.

Había venido con la misión de informarse sobre los cada vez más numerosos fascistas italianos que asentaban sus reales en España, Madrid estaba plagadito de ellos, pero también la costa, sobre todo la de Cádiz. «Nuestras bandas de ultraderecha son un peligro mayor de lo que se imagina.» «Pues las nuestras no se quedan cortas», le contestó Enriqueta. De todas formas, en Italia era diferente, estaban preparando un golpe de Estado, y Enriqueta, que aquí el golpe lo pegaron hace ya mucho, éste es un golpazo permanente. No sabía que Ramón se hubiera marchado, ni que el grupo estuviera tan disuelto. «Prácticamente sólo quedamos Lorenzo y yo, aunque me estoy encargando de organizar algo nuevo, una especie de patrulla», le dijo ella, encantada de poderle dar cobijo en un lecho improvisado en su salón comedor. Podía llevar chicas si quería, no le importaba, o chicos, no era fanática.

Ernesto no tenía nombre de guerra, en Italia no necesitaban esas cosas, como tampoco pasaba nada porque se apellidara Franco, era un nombre común allí. Se quedaría sólo un tiempo, hasta despistar a la poli, que le seguía los pasos desde la frontera. Había llamado a Cipriano porque le parecía el enlace más seguro. ¿Qué sabía de Marta? Marta estaba hecha una imbécil, convertida en mamá y ama de casa, pero Ernesto la quería, eran amigos desde siempre, no le parecía mal que hubiera madurado, aunque más que madura está ya pasa, apostilló su anfitriona.

Pensaba vivir allí unas semanas antes de bajar al sur, pero al poco de su estadía se presentó el borrachuzo de Eduardo, de improviso, sin avisar.

—No hay manera de encontrar una cueva al abrigo —se quejó a Enriqueta.

—No veía a Eduardo desde hace meses. No lo esperaba —se disculpó ella.

¿Que quién era Eduardo?, el compañero Andrés. Ahora caía en que él sólo conocía sus alias, sabía muy poco de todos ellos el tal Ernesto Franco, y ellos del italiano.

—Y cuanto menos sepamos, mejor, *carissima*. Si nos pillan, no podremos cantar.

Enriqueta no cabía en sí de gozo. Después de meses de inactividad, de llamar inútilmente a Lorenzo, a Pablo, de tratar de reorganizar, sin éxito, la célula, de buscar fórmulas nuevas, personas nuevas, compañeros nuevos, se presentaba aquel centurión alto y apuesto, se arrellanaba en su sofá, se comía sus lentejas y compartía con ella la lectura del periódico, huelgas, consejos de guerra, encierros, protestas de profesionales, la gente se movilizaba, Ernesto la devolvería a la acción política.

—¿Qué tipo de acción buscáis? No cabe más acción que la verdadera, la revolucionaria.

Recordaba vagamente aquel primer encuentro con el grupo en el pisito de la Sociedad de Estudios Europeos. Le parecieron todos unos chiquitos asustados. Sólo el compañero Lorenzo tenía los pies sobre la tierra, sólo él insistía en las actitudes precisas, por eso lo eligió como enlace, durante esos años se mantuvieron en contacto, intercambiaron informaciones, se ayudaron mutuamente.

—Cipriano habla muy poco —explicó la compañera Cristina—. Nadie sabe nada de su vida.

En la reunión de la casa de Embajadores, Ernesto también se había fijado en Enriqueta, en su audacia, en su disposición para la lucha, se sintió halagada, no lo podía creer, por eso no tuvo dificultad en aceptar la sugerencia de que se mudara a su casa, aunque Sansegundo no veía peligro en que lo hubiera conocido la Caoba, no hablaría, y el hecho de llevarlo al club había sido sólo una prueba de amistad.

—Ha sido una prueba de que estáis desentrenados, amigo —le contestó él—. Cualquier precaución es poca.

Por eso no le gustaba aquel encuentro fortuito con Andrés, aunque de nuevo la chica insistiera en que era de fiar y él, que ni siquiera había llamado a Marta, que pretendía pasar inadvertido y ya se había topado con la mitad de la gente que conocía en Madrid.

—A lo mejor el desentrenado eres tú —comentó Cristina, burlona.

¿Cómo quería que la llamara?, ¿Cristina, Enriqueta? A ella le daba lo mismo, tenía dos nombres, no dos personalidades. Sí, a lo mejor también él estaba desentrenado, por lo menos desentrenado en el amor, pensaba la chica, nerviosa ya porque pasaba el tiempo y ni siquiera se le había insinuado, ni siquiera le había dado la oportunidad de decirle que no, o de resistirse, aunque no se resistiría, era ya mucho tiempo con ganas de hombre y sin nada que llevarse a la boca como no fuera el pesado de Manuel Dorado, torpe en la cama y torpe en la conversación, con el que probó una vez y se juraba que nunca más.

Ernesto era extremadamente educado, muy pulcro en sus ademanes, con una elegancia un poco femenina que contrastaba con su rostro varonil, su espalda de galán y su fuerte complexión, necesariamente adquirida durante muchas horas de gimnasio. De todas formas cambiaría sus planes, no podía estar mucho tiempo en la ciudad cuando ya había dejado tantas pistas. ¿De qué acción hablaba Cristina?, ¿de verdad le interesaba participar en algo serio?, ¿serio, como qué, como ETA?, no creía en los nacionalismos, le gustaba la valentía de aquellos gudaris, aunque a veces le parecían un poco de opereta, no estaba segura de que matar a un par de guardias por la espalda o secuestrar a un diplomático anciano o a un rico industrial fueran actos revolucionarios. ¿Por qué no?, ¿por qué la fuerza tenía que convertirse en patrimonio exclusivo del Estado, más todavía, cuando se trataba de una dictadura opresora, de un Estado de ignominia y vergüenza como padecían los españoles? La muerte no constituía necesariamente un camino vedado, no podía estar prohibido para unos y permitido sólo para los poderosos. Podían argumentarse el miedo, la inoportunidad política, pero no la ausencia de motivos morales. Sin embargo, el partido —dijo Enriqueta— había elegido la vía pacífica, se había infiltrado en los sindicatos oficiales, participaba de las instituciones franquistas, subvirtiéndolas desde dentro, manipulándolas. Era una posibilidad, él no lo negaba, aunque así Franco moriría en la cama, quería decir el otro Franco, claro, no él, que no pensaba morirse todavía. Rieron un poco. Al fin y al cabo, continuó la chica, el dictador se extinguiría de forma natural, eso era algo descontado, no estábamos para magnicidios en España, lo importante era el posfranquismo, el día después. Ernesto explicó convincentemente que no habría posfranquismo si las fuerzas revolucionarias no tomaban el poder, si no se hacían fuertes ya en las postrimerías del régimen, si no implantaban sus condiciones y dirigían las masas. Toda Europa, Estados Unidos, el mundo occidental, aguardaban la desaparición del dictador para proceder a un maquillaje somero del régimen burgués, homologarlo con su entorno e incorporarlo a sus propias miserias y contradicciones. ¿No reparaba en lo que sucedía en Portugal? Caetano no era mejor que Oliveira, significaba sólo un salazarismo con rostro humano, y ni eso, un salazarismo con rostro idiota. Continuaban las guerras imperialistas en África, la opresión política en la metrópoli, Occidente no podía permitirse el lujo de que el capitalismo sufriera una derrota en la península Ibérica, la internacional fascista se estaba rearmando en Italia, en Alemania, en Francia. El problema, por eso, no era sólo práctico, no podían convertir la violencia en un mero utilitarismo, se trataba de una cuestión moral, existencial, tenían que decidir sobre los límites del poder, enfrentarse a la fuerza con la fuerza. Resultaba muy fácil criticar los atentados, horrorizarse con un acto de brutalidad ocasional, con un error o con un mal necesario y asumir, en cambio, la crueldad institucional, representada en todas las manifestaciones de nuestra vida, la familia, la escuela, el trabajo. Todo estaba organizado al servicio de los poderosos, la ley y su aplicación no eran sino apéndices sumisos de la voluntad de quienes mandaban. No era preciso hacerse ilusiones sobre lo diferentes que serían las cosas una vez que muriera el dictador. Si éste había durado tanto tiempo no era por casualidad, sino por el apoyo consistente y reiterado de los países vecinos, que se complacían en enseñar su pedigrí democrático pero no se diferenciaban mucho de la dictadura ni en sus

estructuras ni en las percepciones de la ideología dominante. ¿Y cómo enfrentarse a semejante Leviatán
desprovistos, como estaban, de sus temibles armas?
Sólo la astucia, el ingenio, la sorpresa, podían compensar su evidente inferioridad. Disparar por la espalda a un policía o poner una bomba en los lavabos de
un bar no eran actos de cobardía sino tácticas peren-
torias. Pero que no se preocupara Cristina, que él no
había ido a España a colocar petardos ni iba a conven-
cerla para que ella los pusiera, él estaba allí en misión
informativa nada más. Holgaba decir que la lucha no
podía ser individual, que se necesitaba una organización, algún tipo de jerarquía, autogestionada, flexible, cambiante, asamblearia, pero jerarquía al fin. De
todas maneras era una lástima que gente como ella
estuviera paralizada, sometida a los dictados de un
partido esclerótico más preocupado ahora por el compromiso histórico, el pacto por la libertad y todas esas
estupideces, que por sentar las bases de la revolución.
En Italia las grandes formaciones, la Democracia
Cristiana y el Partido Comunista, habían tocado fondo desde hacía años, el compromiso histórico significaba la traición consensuada de todos ellos, a fin de
mantener las importantes cuotas de poder que habían
adquirido. Ése era el mejor caldo de cultivo imaginable para el resucitar del fascismo que, en realidad,
nunca había estado muerto. La internacional negra
crecía y se multiplicaba ante la pasividad de las autoridades y con la complicidad de las policías y los militares de los países que se llamaban democráticos, la
izquierda se había sometido finalmente a los dictados
del capitalismo. Comunistas, socialistas, socialdemócratas, todos una panda de borregos que habían re-

nunciado a la abolición de la propiedad privada como método seguro de construcción de la nueva sociedad. El mercado, la abundancia y el desperdicio eran los nuevos paradigmas morales. Por eso surgían los grupos alternativos, capaces todavía de enarbolar las banderas dignas, de emprender las acciones adecuadas, de rebelarse contra el insoportable yugo del poder. ¿Cuántas veces había mencionado la palabra poder en su perorata?, muchas, ya lo sabía, pero es que ése era el único secreto, ya decía Alicia, la del país de las maravillas, el país de los asombros en realidad, y de las alucinaciones, lo importante es saber quién está detrás del espejo.

—Pero dejémonos de charlas, estarás cansada y yo también lo estoy. Mañana parto hacia el sur. ¿Conoces Zahara de los Atunes? Me han dicho que es un sitio hermoso y que sirve de refugio a viejos nazis. Cerca hay un pueblo que parece dedicado a mí: Barbate de Franco.

—Te sorprendería la cantidad de ciudades, villas, aldeas, barrios, avenidas, plazas y calles que llevan tu apellido. Son más de treinta años adulando al dictador.

No se podía culpar al pueblo por ello, el pueblo no era nunca culpable de nada, bastante tenían las buenas gentes con preocuparse del bienestar posible, del porvenir de sus hijos. Aunque quizá podría acusarles de estar adormecidos, de inhibirse, de no creer en la política, ¿cómo creer en ella cuando se había convertido en una cueva de asesinos y ladrones? Por eso era necesario jugar fuerte, atreverse a disentir desde las raíces, enfrentarlos a todos con la propia miseria, lo contradictorio y lo absurdo de sus vidas, explicarles que en este mundo de arbitrismos y de explotación, en esta sociedad donde la gente vale según tiene, y no por lo que pueda pensar o sentir, donde el dinero es la única medida de la felicidad, la propiedad sigue siendo un robo y la dicha de los menos cabalga a lomos del oprobio, la desesperanza y la esclavitud de la mayoría.

Veintiocho

Medardo Miranda había convenido con el alcalde que era preciso aprovechar la recepción oficial del Magyar Bus A 70 para organizar algún tipo de festejo que aumentara la popularidad del primer edil de la ciudad.

—A uno le nombra el mando, pero con esto de la apertura cualquier día cambian las tornas y nos tiene que elegir el pueblo en vez del gobernador. La democracia orgánica pasa por los ayuntamientos.

Sebastián no estaba muy seguro de a qué apertura se refería su hermano, pero el gobierno aseguraba que estaba dispuesto a liberalizarse. Familia, municipio, sindicatos: ésos eran los sustitutos necesarios de los partidos políticos. Sobre tales instituciones, pilares tradicionales del nacionalsindicalismo, una doctrina que parecía la versión dulcificada del nazismo, se podría crear un sistema representativo auténtico, lejos de la corrupción ideológica y moral que los partidos suponían, pero el proceso no acababa de concretarse.

—Yo estoy de acuerdo con lo que dicen los de la oposición templada —se atrevió Miranda a opinar—. Si quieren una democracia orgánica, pues que la hagan de esa forma, que sean de verdad lo que dicen que son.

—Los vascos lo están jodiendo todo —argumentó Ansorena—. En Guipúzcoa, estado de excepción cada dos por tres. Así no se puede vivir. Habrá eso que tú dices, o lo que tenga que haber, cuando dejen de alborotar.

Los preparativos para el festejo con motivo de la entrega de los vehículos se prolongaron durante semanas. Don Eduardo Cienfuegos pensaba que ése debía ser el día de su reconciliación definitiva con el régimen. Al fin y al cabo, él era un hombre de orden, y de derechas... ni te cuento. Simplemente, no soportaba la violencia y por eso hizo lo que hizo durante la guerra. Pero si ya les parecía bueno el dinero de Franco hasta a los comunistas, ¿por qué le iba a hacer él ningún tipo de asco?

—Él es fetén, te lo aseguro, Epifanio —se esforzaba Primitivo en explicarle—, no tienes nada que temer por mostrarte a su lado. Para nosotros sería importante que asistieras al acto, le daría brillo, prestigio, el alcalde lo agradecería.

—No si yo, que me fotografíen con Cienfuegos me parece de perlas, pero me han dicho que ese alcalde no es muy de fiar —interrumpió Ruiz de Avellaneda—. Tiene fama de meter mano en la caja.

—Imposible —atajó Miranda con tono alarmado—, mi hermano trabaja con él y no permitiría una cosa así.

—¿Acaso eres tú el guardián de tu hermano?

Soltó la frase bíblica en son de guasa, pero sonó tronante y Sebastián se puso total y definitivamente encarnado, tanto que Ataúlfo, sentado a su derecha, podía percibir el aumento de la temperatura ambiente en torno suyo.

No, no era el guardián de nadie, farfulló Mirandita manoseando nervioso sus lentes, pero su fa-

milia era tan honorable como cualquier otra. El caso
es que el A 70 constituía un éxito de la tertulia, explicó Ataúlfo, porque casi toda ella estaba involucra-
da en el negocio, de manera legal, por supuesto, y a
don Epifanio no le habían dicho nada precisamente
para no complicarle, dada su posición. Por lo mismo estaría muy bien visto que acudiera al festejo para
que el alcalde viera que todo andaba en orden y,
¿por qué no decirlo?, se hiciera de paso la ilusión de
que Ruiz de Avellaneda le apoyaría en el ministerio.
Éste reiteró sus disculpas cortésmente, como siempre,
porque ese verano parecía que Franco no había preparado ninguna sorpresa y a él, el 18 de julio no le
pillaba fuera de Marbella, que ya apretaba el calor.
Conocería en cualquier otra ocasión al señor Cienfuegos, que tanto interés mostraba, por cierto, ¿ese Cienfuegos le toca algo al periodista, el que firma la crónica política? El mismo, explicó Ansorena, luego se
extendió en detalles sobre lo azaroso de la escena que
tuvo que vivir en casa de su jefe por culpa de ese pe-
lagatos borracho que casi logra enviar a su madre al
cementerio, del arrechucho que le dio. Y don Epifanio, pues a mí me gusta lo que escribe, respira independencia. Miranda se ponía progresivamente más
rojo, a él qué le importaba el tal Cienfuegos, él sólo
quería que se acabara cuanto antes la historia de los
autobuses y que no pretendiera Ansorena seguirle
pasando facturas por lo de Carlitos, pavoneándose
de que gracias a sus gestiones le habían dado la perpetua, «ya ves, Mirandita, que yo cumplo, los de la División Azul siempre lo hacemos, no como los jesuitas».
Sebastián se preguntaba qué narices tendrían que ver
los jesuitas con aquello y pensaba que ya estaba hasta

los mismísimos de aguantar a Primitivo. Noble, lo que se decía noble, lo era, pero fanfarrón, maleducado y grosero, también un rato y si no hubiera sido por el chico él no se habría metido en lo de los camiones, ni en los que llevaban gente ni en los que llevaban mierda.

Las unidades móviles de reciclaje de residuos sólidos, explicaba ahora a la prensa su hermano Medardo, mientras esperaban la llegada del alcalde para dar comienzo a los actos, no estaban previstas en el concurso. Pero había sido tan buena la oferta húngara que era imposible resistirse a encargarlas. «¿Y qué son esas unidades móviles con nombre tan raro?», preguntó Amelita Portanet. «Camiones de la basura, mujer», contestó su marido, «también hemos importado camiones de la basura».

El desfile dio comienzo con unas charivaris de muslos rollizos y morriones blancos. Alineadas un poco al desgaire, ejecutaban números de malabarismo mientras levantaban ritualmente sus piernas de adolescentes a los compases de un par de tambores, aporreados por los integrantes de la banda. Tanta exuberancia de juventud soliviantó secretamente el ánimo de Ataúlfo Sánchez que presidía la ceremonia de pie, junto a la primera autoridad capitalina y a un viceministro que había llegado de Budapest para hacer la entrega del material. La guardia municipal, a caballo, abría paso al convoy de los flamantes autobuses que, pintados de verde y engalanados con guirnaldas de papel, hicieron su entrada triunfal en el parque de la Emperatriz, un jardín romántico construido en medio de la ciudad en homenaje a doña Eugenia de Montijo, que después de la guerra civil las autoridades decidieron rebautizar en memoria de Agustina de

Aragón, aunque la voz popular nunca aceptó el cambio y lo seguía llamando con el nombre de pila que le dieron sus creadores. Unos cuantos cientos de personas, quizá un par de miles, se habían congregado bajo los enormes chopos, junto a los andenes asfaltados, en aquella mañana de domingo. Había corrido el bulo de que la actriz Aurora Bautista, inolvidable protagonista de la película que había inmortalizado la gesta de la heroína zaragozana a la que estaba dedicado el pensil, iba a hacer acto de presencia para amadrinar la entrega, pero fue una hija del alcalde, apenas rota la pubertad y ataviada con el espeso traje regional, quien estrelló solemne una botella de sidra El Gaitero contra la carrocería del autobús que encabezaba el cortejo, marcando así el comienzo de la entrada en servicio de la nueva línea urbana que enlazaría el parque con el sector periférico de la ciudad. El primer edil pronunció un discurso bastante comedido para la época, agradeció al Caudillo la confianza puesta en él por encomendarle las tareas de la alcaldía y al gobernador civil, presente en el acto, su amistad y camaradería, al tiempo que hizo múltiples protestas de lealtad y admiración, pero el grueso del parlamento lo dedicó a elogiar las vías de comunicación y los medios de transporte como paradigmas de la modernización social. Los autobuses húngaros que, desde ahora, recorrerían la villa lo harían discurriendo sobre el trazado de una antigua calzada romana que enlazaba el norte y el sur de la comarca, la abrupta y húmeda montaña con el valle y la huerta, esas dos zonas tan diferentes y características que hacían de aquel lugar, como de tantos otros en España, un vergel lindando con un desierto y un llano con una cordillera. Todo lo cual le permitió citar a Franco, nuevamente, para poner énfasis en la variedad y unidad de las tierras españolas. Elogió el civismo y capacidad de diálogo de sus convecinos y terminó implorando la bendición del Altísimo, ruego de inmediato atendido por el ordinario del lugar que, hisopo en mano, comenzó a rociar de agua bendita los vehículos, empezando por los transformadores de residuos sólidos, para terminar asperjando las cabezas de las autoridades y las de todos los asistentes con tanta saña y convicción que Sebastián Miranda pensó por un momento que había comenzado a llover.

Y, en efecto, así era. El cielo descargó con furia su primera tormenta del verano, dispersando a los curiosos y a la comitiva oficial. El viceministro húngaro partió veloz hasta el aeropuerto de la base militar cercana, donde le esperaba un pequeño avión de fabricación soviética, que le devolvería a su tierra a tiempo de llegar a una cena oficial. El obispo, que se marchaba para Madrid, acogió en su coche, un haiga de los de antes, a Ansorena y a Mirandita. El matrimonio Cienfuegos partió en compañía de Ataúlfo Sánchez, comentando entre sí lo satisfactorio de la jornada y que el banco de Suiza ya había comunicado oficialmente la recepción de la última transferencia en dólares.

A la misma hora en que se producía dicha conversación, Julianito Sigüenza, sobrino del primer teniente de alcalde de la afortunada localidad que había comprado los A 70, se subía a uno de los nuevos flamantes autobuses en medio de un atropellado gentío que pugnaba por buscar refugio contra la lluvia. Había asistido, como tantos otros adolescentes, a contemplar el desfile civil organizado por su tío y ahora volvía a casa, caída ya la tarde, en aquel vehículo pintado de verde en homenaje a la producción local de olivas. A Julianito no le sorprendió el aluvión humano que se precipitó en el coche nada más abrir sus puertas. Por más esfuerzos y peticiones «a los de arriba» que hiciera su tío, el presupuesto del ayuntamiento seguía siendo magro y hubieran sido necesarios el doble de autobuses para cubrir con holgura las necesidades del público. Éste, empapado pero jubiloso en tan singular día de fiesta, se metió a empellones en el vehículo. Julianito se acomodó como pudo en una esquina, en la parte de atrás, justo detrás de la rueda, y se puso a mirar por la ventanilla. El autobús arrancó emitiendo un rugido de motor joven y los apretujados viajeros, con un aire de autosatisfacción incomprensible dado lo azaroso de su hacinamiento, comenzaron a elogiar los asientos de imitación piel, en color rojo, y los sujetamanos de acero inoxidable. Al primer bache del camino el coche se conmovió como un bastón saltador y todos pudieron comprobar la fortaleza de los amortiguadores y la dulzura de sus muelles. «Además de comprar autocares podían también arreglar las calles», jaleó un gracioso, y recibió un extendido murmullo de aprobación, pero muchos se solazaban con aquel traqueteo, una especie de sube y baja divertido, que se hacía más potente y sonoro a medida que menudeaban los badenes. De pronto, Julianito notó algo parecido a un quejido, o al crujir de una madera, y sintió que el suelo cedía bajo sus pies. Primero fue un resquicio, apenas una rendija, luego la chapa, desprendida por una de las esquinas del vehículo, se dobló dejando entre-

ver el empedrado de la carretera. El chico se agarró
con fuerza al abridor de la ventanilla y pegó un alarido que fue coreado inmediatamente por quienes le
rodeaban.

—¡Pare, pare, que el suelo se hunde!

Los pasajeros, al percatarse del cráter que se
abría bajo sus pies, corrieron hacia la otra esquina del
coche, mientras algunos protestaban a gritos diciendo que morirían aplastados. La chapa desprendida rozaba ya los adoquines, provocando unas chispas atroces
que mordieron con furia el calcañar de Julianito; éste
se aferraba con todas sus fuerzas para no caer, sudaba
copiosamente y notaba que sus pies se encontraban más
veces de las debidas con la carretera, viéndose obligados a intentar unos pasos torpes y apresurados que les
permitieran seguir la velocidad del vehículo. El conductor, avisado por el pasaje, frenó de forma enérgica,
momento en el que el vehículo comenzó a derrapar y
a dar tumbos, tanto más fuertes cuanto que la excesiva carga humana que transportaba producía un efecto acumulativo en el vigor de los bandazos. Poco antes
de que el autobús lograra finalmente detenerse, Julianito perdió la resistencia y fue engullido vorazmente
por la oquedad. Si en vez de haberse acomodado tras
la rueda lo hubiera hecho delante, a buen seguro habría sido aplastado por ella.

Al señor viceministro húngaro de transportes
lo mandaron sacar de la cena de gala para comunicarle la desagradable noticia del accidente que, por si
fuera poco, había afectado a un familiar de una autoridad municipal. El niño estaba bien, aunque habían
tenido que amputarle un pie, lo peor fue el conato de
motín popular, todo el mundo pedía responsabilida-

des. Y el viceministro, ¿qué pretendían?, habían presionado tanto en los precios que no hubo otro remedio que rebajar la calidad de los materiales, además si hubieran respetado las normas y el conductor no hubiera dejado montarse a tanto pasajero —los carteles anunciaban claramente un límite— no habría pasado nada, la culpa era de los españoles corruptos y caraduras, aunque convenía no enfadarse en demasía, no se fuera a perder todo el mercado a causa del incidente, revisarían los vehículos uno por uno y le regalarían a Julianito una prótesis ortopédica, el resto no era cosa suya, sino de la justicia del país.

Mientras el alcalde recibía estas medidas explicaciones desde Budapest, Medardo Miranda se debatía incómodo en su asiento, fulminado por la mirada de su superior, al final habría que buscar un responsable, y seguro que le tocaba la china a él. ¿Por qué tendría que haberle hecho caso a su hermano Sebastián?, aunque bien mirado toda la culpa era de Sánchez, el importador, que no había controlado la calidad como era debido.

—¡Pues que lo detengan! —bramó el gobernador civil al otro lado del teléfono—. ¡Ahora mismo hago que lo detengan! ¡Y tú despídete de la alcaldía!

Pasado el primer sofocón, todos comenzaron a pensar que era peor el escándalo que otra cosa y que lo importante era controlar a la prensa y adoptar una medida ejemplar pero sin pasarse, no fuera a meter nadie la nariz en el negocio y se descubriera la cantidad de intermediarios que habían participado. No enviarían a la policía a casa de Ataúlfo Sánchez, lo citaría el juez y bastaría con acusarle de un delito menor, por negligencia o algo así, culposo y no doloso, al fin y a la postre no había muerto nadie.

—Esto es lo que nos pasa por comerciar con rojos —se lamentaba Ansorena—. Yo, la verdad, no las tenía todas conmigo, aunque las condiciones eran estupendas...

—La culpa fue del conductor, por dejar que subiera tanta gente —protestó Ataúlfo—. Mis abogados me han dicho que tengo que ir a por él. O le emplumo, o me empluman a mí.

—Tranquilos, que aquí no empluma nadie a nadie, un accidente es un accidente —sentenció el divisionario—. ¿No han indultado a los ministros pringados en el caso Matesa? Pues no vamos a ser menos.

—A Dios gracias la prensa ha estado bastante calmada —terció Mirandita—. Casi nadie ha dicho nada más que lo imprescindible. Si no fuera por el Eduardito Cienfuegos..., mira que ponerse a escribir contra su padre...

—Ya lo dice el refrán, cría cuervos...

Sebastián asintió lánguidamente, aunque sabía que eso no iba con él, Carlitos nunca habría hecho nada parecido, rebelarse contra su propia sangre. Una cosa era el conflicto de las generaciones y otra comportarse como un auténtico hijo de perra. Seguro que el alcohol tenía la culpa de todo.

Veintinueve

En el país reinaba la guerra civil
y los poderosos no se sentían seguros.
Entonces, gracias a los soldados, Azdak fue designado juez.

—¿Es el Azdak de *El círculo de tiza caucasiano* enemigo de Carrero Blanco?, ¿a quién teme cuando lo destierra de las carteleras?

Gerardo Anguita nunca había visto tan indignado a Francisco Alvear, aunque la verdad es que últimamente no tenían mucha ocasión de encontrarse pues, desde la marcha de Jaime, sus visitas al hogar de doña Sol menudeaban cada vez menos, para decepción de la viuda. Contaban que el almirante había asistido al estreno de la obra de Brecht para presumir de intelectual y demostrar que los continuados cierres de revistas, los secuestros de periódicos, las censuras a los libros, las clausuras de exposiciones de arte, no eran demostración de una mentalidad cavernícola irrecuperable para el sentido común; pero, horrorizado por la representación, que interpretó como una llamada a la revuelta, abandonó ostensiblemente el patio de butacas y él mismo se encargó de mandar que echaran trancas y cerrojos a la sala, mientras se buscaban soluciones adecuadas y estructurales al problema de la infiltración marxista en el mundo del espectáculo.

«El gobierno ha descuidado la programación de las carteleras, confiando en exceso en la existencia de la censura previa e ignorando que los funcionarios que la ejercen son falibles, no todos tienen la formación adecuada, muchos no pertenecen a la carrera militar, contrariamente a lo que ha venido sucediendo en la censura de prensa, y otros incluso pueden corromperse mediante el pago de dádivas o a cambio de favores de muy diverso género. Matices importantes, como la mayor iluminación en las salas teatrales, donde los espectadores suelen vislumbrarse y aun verse entre sí, por oposición a lo que ocurre en los cinematógrafos, suponen un peso adicional a la hora de crear un ambiente físico y un clima moral propenso a manifestaciones subversivas. Es importante atender al mundo del espectáculo como foco de la revuelta y lugar de encuentro de los sediciosos, tanto como apoyar a guionistas, escritores y actores y actrices leales, verdaderos amantes del arte puro que están hastiados de la instrumentalización política de su actividad.»

El escrito de los servicios de Dorado no ofrecía lugar a dudas sobre la oportunidad de emprender una acción represiva contundente en el mundo de la cultura.

—Podríamos publicar una orden obligando a oscurecer más los patios de butacas —sugirió el director general—, a fin de evitar la connivencia que se establece entre los asistentes cada vez que en el escenario se pronuncia una frase provocativa. Hay precedentes —añadió abriendo un cuaderno de notas y consultándolo con atención—, el mismísimo Jovellanos hizo un informe famoso sobre estas cosas y gracias a él se instalaron asientos en las corralas.

—Pero nos encontraríamos con el problema de la promiscuidad sexual, sobre todo en las últimas filas, como ya sucede en los cines, y eso es algo muy difícil de combatir, a no ser que hagamos lo que aquel gobernador militar de Valencia que, en los descansos, sacaba a las tablas a los novios pillados in fraganti y los hacía desfilar ante todo el mundo como escarmiento.

Hombre, piensa el director, eso es una barbaridad, ya me acuerdo del caso, era el mismo individuo que ponía cara a la pared con los brazos en cruz a los alcaldes que no le obedecían, pero el almirante es un hombre respetuoso y una cosa así sólo la hace un energúmeno; lo que quiere el almirante es proteger el verdadero arte y la verdadera cultura, a él no le gusta cómo pinta Picasso, por ejemplo, y de eso sabe mucho porque él mismo dibuja sin cesar; durante los consejos de ministros no para de hacer apuntes de paisajes con árboles y barcos, y caballos, y en las vacaciones se emplea al óleo; incluso animó al Caudillo a hacerlo también, a imitación de Churchill y de tantos otros estadistas; bueno pues no le gusta Picasso, «pero estoy seguro —dirigiéndose ahora al coronel Dorado, con un rictus de severidad en el gesto— de que desautoriza rotundamente los asaltos a las galerías que exponen sus grabados. Picasso es un artista de un arte que él no aplaude, pero ése no es el problema, el problema es que es un comunista, un enemigo en medio de una guerra cuya estrategia adecuada conoce mejor que nadie el almirante Carrero».

—Lo que pasa es que este Carrero es muy bruto —intentó Gerardo tranquilizar a Francisco.

—Azdak sólo estuvo dos años como juez, y fue tan respetado como discutido, ¿quién temería su imagen? Está claro que el régimen se ha visto retratado en los poderes a los que él desplaza en la obra.

—No pienses que hilan tan fino como todo eso, no les gusta la pieza porque nos gusta a ti y a mí. ¿Recuerdas la frase?, «los poderosos no se sentían seguros», ésa es la única razón para que la prohíban.

—¿Y no habrá ninguna manera de hacer justicia?

—Ya lo dice Brecht, «la justicia es un gato encerrado».

Un gato encerrado era ya casi todo lo que sucedía en el país. Gerardo Anguita, que extremó su prudencia y su moderación para aquietar el turbado espíritu de Francisco Alvear, dispuesto a cualquier cosa con tal de exhibir su protesta, se erigió en cambio en paladín de los mismos reproches frente a don Epifanio.

—Nos quitan el teatro y nos ponen sus leyes —le espetó con dureza en cuanto tuvo oportunidad—. Tienen lo que querían, ¿no?

Habían estrechado la amistad hasta el punto de que se sentía libre para dirigirse a él con tonos de irritación, sin que por ello se sintiera el otro amenazado o aturdido.

—Lo que sucede —añadió— es que todo esto no funcionará.

—¿Y por qué no? El régimen se sucederá a sí mismo. Este año ha sido el de la coronación, el edificio legal está terminado, nueva ley sindical...

—Que prohíbe los sindicatos...

—... Pero garantiza la negociación colectiva y permite la elección de representantes obreros, déjeme, no me interrumpa, decreto sobre el Príncipe para que asuma los poderes si Franco muere o enferma, nueva ley de orden público...

—Una auténtica chapuza..., una ley fascista, como la de vagos y maleantes. Aquí te pueden detener por llevar barba o por ir sucio.

—Me parecen dos buenos motivos —ironizó don Epifanio—. Quiero decir que el proceso está a punto de culminar, incluso los del Opus y los de Falange parecen de acuerdo, todo el poder es ya para Carrero.

—«Si tienes que tratar con tu vecino, toma tu hacha, afílala bien», comienzo a pensar que al menos Brecht tiene razón en eso, que ahí reside la única vía posible...

—No desvaríe, Gerardo, la obra la han prohibido por lo que prohíben todo lo demás, por lo mismo que expedientan a periodistas, censuran semanarios o se ensañan con películas como *Canciones para después de una guerra,* que a mí me encanta, por cierto. ¿La ha visto? No hay nada tan nostálgico, tan evocador, como la música, yo me sé de memoria casi todos nuestros himnos. Están preparando el futuro y no quieren que se les escape nada de las manos, ven rojos por cualquier parte, aunque en el caso de Bertolt Brecht no se equivocan.

—¿También usted los ve?

—Da lo mismo lo que yo vea, estoy amortizado para ellos. No tenga dudas, nada sucede por casualidad, estamos ante un proyecto de futuro, ante el franquismo sin Franco.

Discutían a solas, sin la habitual presencia de Alberto como testigo, mientras paseaban por la Casa de Campo lejos de miradas curiosas o impertinentes, bajo una lluvia de hojas muertas, en el ambiente desolado del final de un verano que se había ido volando para todos. Para todos, menos para los responsables de sanidad del gobierno, enfrentados a una epidemia de cólera que no sabían cómo combatir sin provocar más alarma de la debida entre los ciudadanos. Habían muerto un par de personas, por Murcia o por Andalucía, y el ministro sintió verdadero pánico de que las noticias afectaran a la temporada turística, era preciso por lo mismo que la prensa no hablara de ello, que no se supiera, pero entonces, respondieron los médicos, no podría atajarse la plaga, la enfermedad se transmitía a través del agua, de las verduras frescas, era imposible silenciar esos datos o la población no estaría alertada, debía aprender a hervir los alimentos, a tratarlos con unas gotitas de lejía, a prescindir de las ensaladas como ya se prescindía del huevo en las mayonesas, que el calor las pudría y se contaban por docenas los intoxicados con ensaladilla rusa, callar equivalía a que el gobierno se topase con cientos, miles de muertos por la enfermedad.

—Pero cólera es una palabra muy fuerte, es casi revolucionaria.

—Es el nombre de la dolencia —protestaron los doctores.

—¿Qué efectos conlleva? ¿Cuáles son sus síntomas?

—Diarrea intensa, vómitos, deshidratación.

—¿O sea que la gente se muere de una cagalera?

—Más o menos.

¡Ya estaba!, en adelante el cólera se llamaría para los españoles diarrea estival, así podrían produ-

cirse las vacunaciones masivas, publicitar los llamados a la higiene y a la tranquilidad sin pronunciar
aquel horrendo nombre que evocaba la España del
hambre, del tracoma y la indigencia, sumiendo al país
en las estadísticas del subdesarrollo, desmintiendo la
vocación europea del gabinete, destruyendo la imagen de modernidad y futuro que los gobernantes
querían para sí mismos.

Anguita se había incorporado a las clases sin
pasión. Le gustaba la vida universitaria pero, por lo
mismo, no podía soportar la imagen imperturbable y
cómica de aquel par de uniformados apostados al final de la sala con el ceño fruncido, dedicados a guardar el orden en el interior del aula. Antes, los policías
secretos se matriculaban y se infiltraban entre los
alumnos para denunciarlos, para azuzarlos, para perseguirlos, pero ese espectáculo esperpéntico y genial
de meter a los guardias en clase, con porra y todo, a
cuidar de que los estudiantes no se desmandaran re-
basaba cualquier cosa imaginable. Al principio algunos profesores se resistieron a aceptar la medida, ame-
nazaron con no dar sus lecciones si no se retiraba la
fuerza pública y, en determinados casos, tuvieron éxito pero fueron muchos los que prefirieron no porfiar
más y asumieron la situación, quizá también porque
se sentían así más seguros, porque estaban hartos de
juicios críticos contra los docentes, de contestaciones
abroncadas de los alumnos, de abucheos, insultos,
plantes, imprecaciones y cosas por el estilo. No faltó
catedrático que acusara de clasistas a quienes se
oponían a las medidas de vigilancia, en su opinión
pretendían impedir el acceso de los guardias porque
éstos eran de peor condición, no habían aprendido

modales e incluso olían mal, aunque en el cuartel les habían hecho hincapié en las cuestiones del aseo personal, no sólo por lo prolongado de la epidemia de cagaleras veraniegas sino porque había que ofrecer una buena presencia en el *campus*. Gerardo se preguntaba qué diablos entendería aquella pareja de ganapanes, entrenada únicamente para pegar tortazos y obedecer a ciegas, de cuanto él explicaba con delectación y empeño. Y aunque no podía admitir que su oposición frontal e inútil a la presencia de los agentes ahondara sus raíces en un prejuicio de cuna, no hacía sino recordar los tiempos de la milicia, cuando hizo las prácticas de alférez disfrutando del privilegio que el franquismo mantenía para los hijos de las clases adineradas y los estudiantes universitarios, hacer el servicio militar a plazos, de verano en verano, y salir graduados, de oficiales antes, ahora de sargentos, no fueran a confundirse con los sorchis. Algunos de éstos acudieron a reclamarle por lo que un teniente de cuchara cercano ya a la jubilación les explicaba en las teóricas, al hilo de los comentarios sobre las ordenanzas de Carlos III. No había que lavarse tanto, ni acicalarse con esos afeites y lociones espesas que había descubierto en las taquillas de los reclutas, a las chorvas les gustaba el olor a hombre, a macho, llegaban al sexo por el olfato y eso no se lo tenía que explicar nadie a él, que había nacido en el campo, pero ahora nos tenían amontonados con tantas moderneces que ensuciaban el ambiente más que nada, lo volvían empalagoso, equívoco e insano, hasta la prensa había dicho ya que lo de los aerosoles producía cáncer y dañaba la atmósfera. Una cosa era el aseo, el pelo corto, no fueran a anidar las liendres, y prohibidas las barbas, por supuesto,

pero darse colonia era costumbre de afeminados, sara-
sas y mariposones, cosas todas ellas diferentes aunque
a primera vista pareciera que significaban lo mismo.
«Un afeminado —aclaraba— es el que quiere y no se
atreve, un sarasa el que quiere y presume de ello, y un
mariposón es una maricona corriente y vulgar». En
cuestión de efluvios aquellos dos centuriones habían
aprendido la lección y, aunque el aula era grande, casi
gigantesca, Gerardo percibía desde su estrado la tufa-
rada agria que exhalaban. Eran gente madura, mayores que los alumnos, a los que trataban con temor y
desprecio, se les veía acoquinados bajo sus gorras grises que, en los días difíciles, si se preveían manifestaciones o aunque fuera una simple algarada, intercam-
biaban por unos cascos brillantes e impolutos. Bajo la
influencia de los yelmos parecían transformarse, agi-
gantarse, como si un poder ajeno les insuflara una
nueva autoridad, tenebrosa y abrupta, distante de
aquel mundo de derechos y obligaciones, de liberta-
des ordenadas, respeto al individuo, tolerancia religiosa, igualdad de clases, razas y creencias, que Anguita explicaba siempre con la mosca detrás de la
oreja, esperando en cualquier momento una reacción
violenta, un sopapo o un empellón de la guardia, sobre todo desde aquel día que uno de los agentes comentó a su pareja al pasar por delante de él, en voz alta, para que le oyeran:

—Con éste hay que tener cuidado, en comisaría tiene una ficha por la ley de Mahoma, lo mismo
es el que da que el que toma.

La justicia era un gato encerrado, la policía,
en cambio, podía ser un tigre, cualquier día echarían
el cierre no sólo a los teatros sino, de nuevo, a las cla-

ses y enseguida a todo el país, lo que les gustaba era eso, cada cual en su jaulita con su grillete, o si no la demagogia opuesta, decretarían el aprobado general para conjurar la huelga de exámenes con la que amenazaban los catedráticos, al fin y al cabo la universidad estaba ya más que masificada, se había convertido en una simple expendeduría de títulos, los mejores profesores la abandonaban, hartos ya de la algarabía, de la insolencia que confundía la revolución con los malos modales, de la amenazadora presencia de la fuerza pública, las cargas a caballo, las mangueras, las porras, los batallones antidisturbios, nadie iba allí a aprender y casi nadie pensaba que existieran unas mínimas condiciones para enseñar.

—Lo pagaremos caro, Anguita, lo pagaremos caro —se lamentaba don Epifanio—. Éstas son las generaciones del mañana, las que tomarán el poder cuando todo esto acabe. ¿Qué preparación les estamos dando?

—La libertad no se enseña —Gerardo se sintió más seguro que nunca ante su interlocutor—, sólo se aprende por sí misma, eso es lo que están haciendo estos muchachos.

—La libertad también es un gato encerrado, amigo mío, cuando menos se espera, se revuelve contra el amo.

Treinta

El coronel Dorado se levantó de buena hora, desayunó frugalmente y pidió a su mujer que le lustrara los zapatos más que de costumbre, también que untara con limpiaplatas las condecoraciones, pues había decidido que relucieran bien sobre la pechera. Lupe atendió sus ruegos con prontitud, intuyendo que ése iba a ser un día importante en sus vidas. Mientras él sorbía el café con leche y consultaba distraído las páginas de los periódicos, ella le miraba desde detrás de sus pupilas grises, lindantes siempre con la expresión de algún sentimiento recóndito y secreto que durante lustros de matrimonio había ocultado con firmeza. Nunca había sabido discernir su marido si esa emoción acabaría alguna vez por trastocarse en llanto o en sonrisa y era precisamente el misterioso y anhelado desenlace, la interrogante de cuándo y cómo habría de producirse, uno de los lazos que más le ataban a su muy querida esposa. No le preguntó ella por qué se ponía el uniforme, cuando no lo usaba desde hacía años salvo para los desfiles y grandes ocasiones, ni tampoco él estaba dispuesto a explicar nada más. No le dijo, desde luego, que en la carpetilla de cuero verde que ahora portaba bajo el brazo, además de su carta de renuncia llevaba la que debería ser, quizá, su última orden de detención, la expedida contra su hijo Manuel. Estaba convencido de que su mujer no lo entendería, pese a que hubieran compartido hasta entonces tantas privaciones y durezas, de plaza en plaza, de cuartel en cuartel, antes de que le nombraran jefe del Gabinete Psicológico con categoría de subdirector general, una unidad de inteligencia de elite, la más respetada, secreta y temida de cuantas operaban en el gobierno. Entre los altos funcionarios, policías y militares que la componían se la denominaba como Gabinete de Pensamiento, quizá porque aplicar a esas funciones la palabra inteligencia les parecía un barbarismo, impropio de un régimen que ensalzaba de continuo los valores del casticismo nacional. Dorado había merecido el aprecio de sus superiores no sólo por lo riguroso de la información que era capaz de acopiar con un reducido número de agentes, sino por sus acertados análisis y, muy señaladamente, por las operaciones especiales que de él dependían, incluida la creación de grupos de acción directa. En sus comienzos como director del Gabinete de Pensamiento, el coronel había limitado sus objetivos a controlar la agitación en el sector estudiantil, aunque posteriormente extendió su actividad al campo sindical y aun al de las congregaciones religiosas. De acuerdo con los líderes falangistas de la universidad, estableció una tupida red de espías dedicada no sólo a redactar informes sino, sobre todo, a tratar de movilizar al alumnado y a la opinión pública en general, a favor de una política limitada de apertura que sirviera para aislar a los individuos más radicales y para evitar que la protesta contra el régimen se masificara. En el transcurso de muy pocos años logró sofisticar enormemente los métodos, pese a que en su currículo no constara una especial preparación para ello, estableció contactos en los medios de comunicación afines —el primero, la agencia Efe, poderoso aparato propagandístico de la dictadura— que le permitían filtrar noticias falsas, orientar las informaciones sobre las algaradas antes de que los propios estudiantes rebeldes pudieran colocar su mercancía entre periodistas amigos. Profesores adictos al gobierno colaboraban con él desinteresadamente, de acuerdo con una costumbre muy extendida durante los años cuarenta y cincuenta pero que parecía reverdecer ahora. La más exitosa de las experiencias que puso en práctica fue la creación de comandos de extrema derecha —uno se atrevió a utilizar nada menos que el nombre de Adolfo Hitler—, dedicados a asaltar librerías, destripar conferencias o reuniones en las que se hiciera propaganda de la democracia, aunque fuera en su sentido teórico, y agredir a intelectuales conocidos por su desafección al sistema. Se trataba de crear, en conjunto, la impresión de que existía una derecha dura y montaraz, extraordinariamente agresiva, que operaba distanciada del gobierno, de modo que éste adquiriera perfiles moderados ante la opinión. Tan ocupado estaba Dorado en semejantes quehaceres, a los que dedicaba día y noche si era preciso, y para los que contaba con colaboradores eficaces como el comisario Centeno y mercenarios deleznables como el inspector Fernández Trigo, tan obsesionado andaba con la importancia de su misión y lo sagrado de su deber, que había descuidado, ahora veía que imperdonablemente, la atención a su propia familia y muy en especial el diálogo y el intercambio con sus hijos mayores, pero no estaba seguro de arrepentirse de ello. A Manuel le había dado cuanto un buen padre puede

ofrecer: cariño, una formación cristiana y una educación solvente, el bienestar adecuado de cualquier familia de clase media. La culpa de la traición de su primo-
génito la tenía el veneno de la subversión, inoculado
en sus venas, como en la de tantos casos de jóvenes sa-
nos, inocentes, por la llamada a la desidia y la corrupción ambiental. No, definitivamente no se sentía
responsable ante su hijo pero sí, en cambio, y mucho,
ante sus superiores, era imposible que él permaneciera en el cargo por más tiempo, tenía muy claro lo que
resultaba obligado hacer. No negaba que le atormentaba la idea de que el chico fuera a purgar meses,
quién sabía si años, de cárcel, caso de que le juzgaran
y le encontraran culpable de asociación ilícita. De
cualquier modo, un par de noches en los calabozos
de la Puerta del Sol no se los quitaba nadie. Lo tenía
bien empleado. Pero para el servicio, para sus colaboradores, para sus colegas, aquélla resultaba una situación insostenible, por lo que dimitir era la única salida. No era cierto que hubiera dudado durante meses, si
su toma de decisión se había prolongado en el tiempo
sólo se debía a los esfuerzos de Ruiz de Avellaneda a
fin de que reconsiderara todo el asunto. También,
¿por qué negarlo?, a una esperanza recóndita e injustificada de que Manuel sentara la cabeza. Pero en este nuevo curso la situación, lejos de mejorar, se había
podrido por completo. Estaba convencido de que en
gran parte la culpa de todo la tenía esa tal Enriqueta,
la camarada Cristina, una estudiante de arquitectura
indolente, lasciva y procaz que le tenía sorbido el seso... y el sexo, nunca mejor dicho. Ni una ni otro parecían demostrar mucho interés en terminar su carrera y lo único que le preocupaba es que la chica era

también hija de militar; parecía un signo de los tiempos que quienes habían ofrecido vida y hacienda por la patria recibieran ahora el mal pago del desamor de su especie. De cualquier modo estaba decidido a presentar la renuncia irrevocablemente y ya le había pedido a don Epifanio —su ahijado parecía plenamente recuperado, aunque era preciso desconfiar— que alertara al ministro de lo sucedido, que le preparara el terreno y, si posible fuera, que intercediera por él, habida cuenta de que tenía todavía mucha prole a la que mantener, y existían cantidad de destinos posibles que no le desagradaban del todo, dando por sentado que Lupe se avendría sin esfuerzo a un nuevo traslado, las mujeres de los militares ya saben que su sino es andar de la Ceca a la Meca toda la vida, se apañan con cualquier cosa. Naturalmente sólo pondría objeciones al País Vasco, los informes que de allí llegaban no lo hacían nada apetecible, las *ikastolas* se multiplicaban por decenas, educando a los niños no sólo ni principalmente en el uso del euskera, ¡una lengua que vaya usted a saber para qué diablos la quieren, si es lo más parecido a la de los indios siux!, sino sobre todo en el desapego hacia la patria y hacia el régimen, en la exaltación de valores pequeños y dudosos que pretendían iniciarles en el espíritu de los gudaris. Y aunque la violencia asesina parecía más controlada, sin duda gracias a la política de mano dura que felizmente el gobierno había sabido aplicar, y como resultado de la misma por primera vez caían acribillados más terroristas que guardias, la proliferación de secuestros, la aplicación casi indiscriminada del impuesto revolucionario y los desórdenes callejeros habían hecho irrespirable el ambiente para todo el que se sintiera medianamente español. Pero salvo las Vascongadas cualquier lugar sería bueno, confortable, hasta Cataluña, donde dirían lo que quisieran pero todo era más moderno, más ordenado, más como era preciso, y no había necesidad de que los niños estudiaran catalán. A su hijo mayor no le podía perdonar, lo quería, sufría por él como por el que más, pero perdonarlo, de ninguna manera, sería dar un mal ejemplo cara a sus hermanos y era urgente que éstos entendieran, que apreciaran el cariño, la voluntad y la dedicación que el coronel Dorado había puesto en ser para ellos modelo de español y hombre de bien.

—Aunque una cosa así le puede pasar a cualquiera en estos tiempos —le tranquilizó el ministro— y no hay por qué dimitir, es más importante tu servicio al Estado que tu condición de padre. Ya no es la época gloriosa. ¿Te acuerdas de lo de Felipe, el subsecretario?, maricón y tal, porque maricones los hay en todos lados, le descubrieron relaciones con un moro, no sé si era de los de la guardia personal del Caudillo, con aquellas capas blancas y los cascos relucientes estaban guapísimos, y el bruto de entonces, el que se sentaba en este mismo sillón, el mismito... —dudó un instante—, ¡bueno!, a lo mejor no era el mismo pero sí uno muy parecido, pues va y no se le ocurre otra cosa que dejarle encerrado en su despacho con una pistola cargada sobre la mesa y la frasecita famosa, «ya sabes lo que tienes que hacer». ¿Qué tenía que hacer, pegarse un tiro? Pues no se lo pegó sino que se echó a llorar como una Magdalena, cosa que tampoco debe hacer un hombre, sobre todo cuando va por el mundo de falangista. Tú tampoco te tienes que pegar un tiro, coronel, ni tú ni nadie, sino seguir trabajando y al chico lo escarmentamos pero poco, no sea que en la cárcel se nos vuelva aún peor, no lo detengas, ¡pero por Dios, qué barbaridad!, detener a tu propio hijo, ¡ni que fueras Abraham!, ¿tienes ascendencia judía?, yo me encargo o mejor dile a Centeno que se encargue él mismo, que lo llame a comisaría y le asuste, ¿sabes lo que me dijo Ruiz de Avellaneda?, ¿conoces a Ruiz de Avellaneda, no?, ¡claro que lo conoces, si ha venido por aquí a tratar de defenderte!, pues esto me dijo: «Quien a los veinte años no es socialista no tiene corazón». ¿O me dijo comunista? Da lo mismo, me gusta la frase, me la quedo. Gracias por todo, Esteban, con gente como tú esto no lo tira nadie por mucho que empujen.

—Mi hijo es uno de los líderes, ministro, no basta con asustarle, hay que interceptarle.

—Mira, coronel, no me irrites, tu hijo hace lo que yo diga, y tú también. ¡Sólo nos faltaba un escandalete así: papá detiene al niño! ¿Es que ya no piensas con la cabeza? Anda, vete a tu despacho y sigue trabajando, en su día haremos lo que tengamos que hacer.

Confuso como estaba, el coronel Dorado comprendió empero el significado real de aquella frase. Se levantó y se cuadró marcialmente, dispuesto a continuar con la escenificación, un poco de opereta, de su fracaso. De todas formas sintió alivio al suponer que, de momento, no tendría que darle ninguna explicación a Lupe. Ganar tiempo era importante.

Treinta y uno

De primero sirvieron sopa fría de puerros y de segundo, pollo asado con una salsa espesa, a base de champiñones y naranja, una bazofia bastante cara. Pero el que no asistiera a las cenas políticas de Mayte simplemente no existía. Esa manía antigua de comer para conspirar resultaba muy mediterránea, y sería bastante agradable si no se acabaran reuniendo hasta cien o doscientos comensales que organizaban un gran estruendo, todos orgullosos de sí mismos por poder estar allí, ¿nos detendrán ahora, nadie nos hará nunca el favor de detenernos, aunque sólo sea un poquito?, signo inequívoco de que querían el cambio, de que apostaban por el futuro, la democracia y quizá hasta la República, aunque todo eso se tuviera que producir en un restaurante de cinco tenedores. Los cenadores políticos abundaban en la capital pero muy pocos eran capaces de aunar la tradición y el prestigio, que requiere un establecimiento de esa naturaleza, con la calidad apetecida de los alimentos. En aquella época Jockey ya se veía favorecido por el poder, mientras que Lhardy se debatía en medio de una tenue nostalgia del *ancien régime*, lo que reconfortaba muy mucho a sus clientes habituales pero ahuyentaba a los nuevos. En las noches de verano, falangistas y dirigentes del sindicato oficial optaban por la terraza de Los Porches donde los *rodríguez* se permitían el lujo avasallador de invitar a sus ligues. A Ataúlfo Sánchez le deslumbraba aquel ambiente, como de hampa controlada, que la nueva clase política había sido capaz de establecer, lejos de los remilgos o las perversiones de la nobleza, plagada de homosexuales según insistía Ansorena, y también de la ñoñería que emanaba de los postulados de la jerarquía eclesiástica, que no acertaba a encontrar término medio en sus comportamientos, entre el amancebamiento de los curas jóvenes y las amenazas de muerte espiritual a los adolescentes que se la meneaban. Pero no existía la más mínima duda de que Mayte Commodore era el restaurante del momento. Allí almorzaba a menudo el almirante Carrero, vicepresidente del gobierno y delfín político del Caudillo, acompañado de algún comensal discreto. Sentaditos ambos en una mesa al fondo del comedor, entre la penumbra agradable de la luz artificial, de espaldas a la pared la figura severa del soldado, de acuerdo con las normas de seguridad determinadas por el servicio de escolta, se les veía degustar la perdiz a las uvas o engullir con aplomo la chistorra del aperitivo bajo la mirada esquiva de los camareros. Cuantos trataban a Luis Carrero Blanco coincidían en asegurar que era un hombre de educación exquisita y que la imagen feroz que proyectaba sobre la política española concordaba mal con sus ademanes, expresivos de una singular cortesía castrense, su educado tono de voz y sus conocimientos culturales, más amplios de los que pudiera sospecharse, «naturalmente si entendemos por cultura lo que la cultura ha sido siempre, y no la entremezclamos con vanguardismos estériles». La frecuente presencia del valido del dictador entre los manteles del establecimiento justificaba la atracción que éste ejercía sobre la clase política. Ministros, subsecretarios, gobernadores civiles, jueces, militares, periodistas de postín y hasta intelectuales necesitados de un alibí acudían en tromba a la hora del condumio, atraídos por la exquisitez de las viandas que la propietaria del local servía o por su palmito maduro y atractivo, pero fundamentalmente, también, por la esperada ocasión de hacerse los encontradizos con el marino que gobernaba el timón de la nave de España, ahora que el Caudillo está cada vez más flojo de remos, le tiemblan las manos como a un electrocutado, el *parkinson* avanza y no hay quien lo pare, a veces hace que se le caiga el labio y babee un poco como si fuera idiota, pero idiota no es, que se da cuenta de todo, no hay más que fijarse en esos ojos titilantes y negros, inquisitoriales y absortos, esos ojos de anciano sin memoria dispuesto siempre a dar la batalla, a mantenerse a flote en medio de cualquier desastre. La oportunidad de cruzarse, siquiera en la distancia, con el regidor de los destinos de la patria, mentor del futuro Rey, azote de masones y marxistas, marinero de las aguas amargas y procelosas de la ambición y el deseo de poder, la sola ocasión de poder alzar la mano de manera tímida y acobardada, haciendo un gesto tenue, que me vea ahora que levanta la cabeza, ¿qué tal, mi almirante?, me alegra saludarle, esa sonrisa imperceptible del todopoderoso, ese leve inclinar de la cabeza, su escaso pelo repeinado sobre la generosa calva, las patillas y el cogote rasurados, como los buenos militares siempre dispuestos al pase de revista, ese indicar que se ha fijado en mí, que me conoce y que me tiene en cuenta, sólo eso me basta y me sobra, me justifica el palo que Mayte va a darme en la factura, por rica que estuviera la comida. Pero la de esta noche, en cambio, rica no está, crema de puerros y pollo a la vaya usted a saber qué, todo para escuchar a unos pocos catedráticos irritados, aunque dicen que hoy va a venir Areilza, para armar algún ruido y creerse eso de la disidencia. ¡Hombre, un poco de oposición sí que está hoy aquí!, Tierno Galván, Satrústegui, y otros creen que llegará hasta alguno de los comunistas y el cura ese, Martín Patino, el hermano del cineasta rojo, el de *Canciones para después de una guerra*, por lo visto es secretario del arzobispo y vicario de la diócesis, qué mezcolanza de gentes y de ideas, todos atraídos por la misma pasión de poder hablar en libertad aunque sea a precio de oro. «La libertad es muy cara», había oído Alberto decir una vez a su madre, y fue de las pocas en que recordaba que Aniceto Llorés estuviera lúcido, pese al agujero de su cerebro, cuando rectificó, ensimismado y todo como parecía, «no, Flora, no te engañes, la libertad es muy pobre». Nunca había oído nada con tanto sentido en labios de su progenitor y le sorprendió incluso la claridad magnífica de la dicción, sin necesidad de arrastrar las eses ni morderse la lengua, cosa que había exigido tal esfuerzo de parte de don Aniceto que éste se sumió en un profundo sopor después de pronunciar la frase, como si hubiera sido su postrera y magnífica aportación al refranero universal. «La libertad es muy pobre.»

¿Por qué había ido él esa noche?, ¿para informar a don Epifanio, para acompañar a Marta, por su propia curiosidad? Lo dicho, todo el mundo sabía que el que no asistiera a las cenas políticas simplemente no existía. Los comensales sonreían satisfechos, orgullosos de ocupar los mismos salones —en realidad eran los del piso superior— que a mediodía recibían la visita del poder. La noche es nuestra, pensaban para sus adentros, y cuchicheaban unos con otros señalando al individuo de mirada cansina y anteojos con una sola patilla que había tomado asiento en una de las mesas del rincón. El comisario Centeno, delegado gubernativo en el acto, que se celebraba con la correspondiente autorización pues el cumplimiento de la legalidad parecía requisito obligado, se había presentado a los organizadores media hora antes de que se abrieran las puertas del restaurante.

—Ya saben ustedes que el contraste de pareceres no sólo está permitido sino que el propio gobierno lo impulsa, y conocen de qué cosas se puede hablar y de qué cosas no. Sean consecuentes, no quisiera tener que cancelar la conferencia.

Conferencia no era, le explicaron, y el otro, bueno pues discursos, o como quieran llamarlo, todos sabemos a lo que venimos unos y otros; al final es mejor que comprendan que hay aquí quien informa de manera directa y no anden sospechando de los camareros o de que ponemos micrófonos bajo los tapetes o en los buqués de flores.

—¡Ya quisiéramos tener cacharros de esos para grabarles a todos, como los americanos! Aquí la técnica se la reservan los militares, que nunca se han fiado de nosotros —añadió el comisario, queriendo hacerse el simpático.

La noche les pertenecía, sí, pero se presentaba agitada, no iba a ser una cena como las demás, ese mismo día el gobierno había decretado el cierre definitivo del diario que había osado criticar a Franco, compararle con De Gaulle para decir que no era De

Gaulle, que éste se había ido voluntariamente, se había retirado en bien de su pueblo. El periódico había albergado, incluso, algunas opiniones de izquierda, propugnado el regreso de don Juan de Borbón, y todo bajo la coartada de que su director, su editor, su preceptor y aun muchos de sus redactores eran del Opus. Imposible acusarlos de marxistas, aunque Calvo Serer dicen que se ha visto con Carrillo en París y que está dispuesto a llegar a un pacto con él, ¡Jesús, dónde se ha visto un pacto del Opus con los comunistas! Pero eso era confundir las cosas porque uno podía ser del Opus o de lo que quisiera y al mismo tiempo estar contra Franco. Era como pertenecer al Real Madrid, habían explicado los ministros tecnócratas, agrupados en torno al vicepresidente como un solo hombre, amparando la represión, dictándola, aplaudiéndola. Y la prueba de que no somos una secta es que Calvo, nuestro hermano en la fe, nuestro hermano en la caridad, no será en cambio nuestro hermano en la esperanza; le cerramos el panfleto, pero no le negamos el derecho a ser miembro de nuestra congregación.

—Los enemigos del alma son tres: Rafael, Calvo y Serer —comentaba risueño don Epifanio ante el regocijo de Mirandita que, como buen propagandista de Acción Católica, despreciaba a los seguidores del padre Escrivá—, porque los católicos oficiales son como los militantes de izquierdas —aclaraba Ruiz de Avellaneda—, no se pueden ver los unos a los otros y la lucha que se llevan entre ellos no es muy diferente a la que enfrentó a anarquistas y comunistas durante la guerra.

En los años cincuenta, ese ahora tan perseguido Rafael Calvo, el meapilas, retrógrado y traidor que decía Ansorena, se había enzarzado en una polémica con Pedro Laín Entralgo a cuenta del problema de España, cuestión de mucha enjundia que traía de cabeza a los pensadores españoles desde el desastre del 98, tres cuartos de siglo ya y todavía sin hallar la respuesta. Entonces Laín militaba entre los falangistas liberales, «qué cosa tan rara», apostilló Ataúlfo, «un falangista liberal», pero los había y muchos, ahí estaban Aranguren, o Tovar, el propio Ridruejo, que habían militado en el fascismo duro y luego le dieron la espalda al régimen pero otros en cambio se quedaron, yo mismo me quedé, comenta don Epifanio y no me pienso menos liberal que ellos, no hice menos que ellos por rescatar la inteligencia perdida, lograr el retorno de los exiliados a América, hasta que todo se truncó en el 56, con las revueltas de la extrema derecha, las detenciones de comunistas y las broncas furibundas de nuestros jóvenes en la calle, que le costaron la cartera de ministro a Ruiz Giménez. ¡Cómo habían cambiado los tiempos, verdad, Mirandita? Ahora Laín estaba definitivamente en el liberalismo, el bien entendido, claro, aunque con un humanismo un poco trasnochado también, mientras Calvo era víctima de sus propios correligionarios que clausuraban su libelo justificando el hecho en un oscuro motivo mercantil, alegando no se sabía qué fiducias societarias, porque las acciones de uno estaban a nombre de otro, como si la transparencia contable fuera uno de los distintivos de este país, ¡vaya sarcasmo!

El silencio decretado por el poder amenazaba con volverse griterío en los salones acolchados del Commodore aquella noche de noviembre. Imposible saborear la sopa, mejor hacerlo con los discursos, las medias palabras, los arrogantes desplantes, las promesas, las quejas, los sueños, las propuestas, las dudas, los temores, la esperanza y el tedio de esta ciudad apagada, esta corte de los milagros dedicada a atormentarse a sí misma, a engreírse, a deprimirse, a atar moscas por el rabo, prometiendo la democracia sin partidos, la libertad, pero sólo para el bien, la izquierda de la mano de los del Opus, la revolución a mil pesetas el cubierto, cuando el salario mínimo apenas llega a las cinco mil al mes. Marta los contemplaba entre el pasmo y la angustia, un poco nerviosa, pensando en cómo estaría el niño, no le gustaba dejarlo solo al cuidado de la sirvienta, ni quería tampoco reclamar los buenos servicios de mamá Flora, bastante tenía con atender a su marido, ya más que marido parece una mojama el pobre. Ahora entraba en la sala Adolfo Suárez, acaba de ganar las elecciones como procurador de representación familiar en Ávila, todos aseguran que es la estrella ascendente, el almirante le distingue con su aprecio y es un hombre formal, atractivo, con resolución, de los de fiar, según don Epifanio. Detrás, un tal Juan Altamirano, un muchachito imberbe y bello, recién graduado en la escuela diplomática, saludó desde lejos a Alberto, amigo suyo de la universidad. Las dos Españas, las muchas Españas se habían citado a cenar esa noche, el régimen se mezclaba con la oposición, ¿quién decía que eso era una dictadura?

—Yo lo digo, y lo dice cualquiera —Marta no podía enfadarse mucho pues era ella quien había insistido en ir, pero todo le resultaba desesperante, un país de pandereta, un país que tenía lo que se merecía, todos los países lo tienen, ¿no?

—De ninguna manera —protestó Alberto—, a eso lo llamo yo la interpretación folclórica de la política.

—Pues de folclórica nada, *caro mio,* yo quiero para nuestro hijo mejor futuro, mejor sitio para vivir y no tanta pamplina, quiero un país de verdad, una vida de verdad, no este sucumbir al tran-tran de cada mañana, este esperar a que se muera padre para repartirnos la herencia. Un día el renacuajo crecerá, aprenderá a andar y a hablar, a levantar el puño —rió provocadora—, ¿te imaginas al chiquitillo con el puñito en alto, como un Lenin pequeño, más pequeño aún de lo que era, y sin perilla?, un Lenin hijo de un colaboracionista, porque digas lo que digas te has vuelto un colaboracionista, *caro,* aunque no te preocupes, no me voy a separar de ti por eso, ni por eso ni por nada.

—Yo, en cambio, estoy dispuesto al divorcio por haberme invitado a comer este asco de pollo.

Se querían, su amor se esparcía como una ofensa sobre aquel auditorio de calvas aseadas y barbas incipientes que agitaban el aire con sus aplausos cada vez que alguien tomaba el micrófono y soltaba una arenga, mientras Centeno enderezaba parsimonioso las gafas y escribía, con pulcritud y tiento, unas cuantas notas en las desmayadas páginas de un cuadernito de hule. Por un momento dejó de hacerlo, sabía que muchos le miraban con aire de reproche, acusador, como diciendo qué coño hace aquí la pasma, andemos con cuidado, pero no era necesaria la precaución pues allí no pasaba nada que no debiera pasar, las gentes se irían a su casa después del café y el puro, a dormir, y mañana a la universidad, a la oficina, o al ministerio, de allí no podría salir nada que le

quitara el sueño ni a él ni a los otros policías entre-
mezclados entre el público, ni al coronel Dorado, ¡mira que pedirle que interrogara a su hijo, que le inte-
rrogue su padre, y nunca mejor dicho! Guardó la
cartilla en el bolsillo de la americana, desparramó
la vista sobre los presentes, a muchos los conocía bastante más de lo que ellos podían imaginar, los había
seguido, espiado, escuchado, había redactado cientos de páginas sobre ellos, «confidencial», «muy confidencial», «alto secreto», sus ojos se cruzaron con los
de Alberto, «un burgués débil de carácter, fácil presa de los comunistas, compañero de viaje, reforma-
ble pero equívoco, es preciso desconfiar», con los de
Marta, «caprichosa y alocada, niña topolino, perte-
nece al partido sólo por llevarle la contraria a su padre, el señor cónsul de Italia, inconstante y poco peligrosa», con los de Juan Altamirano, «introvertido e
inteligente, el Gabinete de Pensamiento puede con-
fiar en él», pensó que le gustaría jubilarse, se jubilaría
cuando muriera el Generalísimo. Pasara lo que pasara, los policías como él lo iban a tener mal. Había
guardado algún dinero, el suficiente para rescatar a
la Caoba y apartarla del vicio, buena chica Delfina,
un desastre como confidente, pero majestuosa en la
cama. Adolfo Suárez... sobre él le habían prohibido
hacer informe alguno, era el ojito derecho del almirante. La comida tocaba a su fin. Se recogieron firmas
en protesta por el cierre del periódico y un grupo
más agitado que la media propuso una manifestación, sin apenas obtener eco. Centeno se levantó cansino, eructó con discreción, las cenas a su edad sentaban mal a todo el mundo, pero aquellos políticos
parecían incombustibles, consultó el reloj a la puerta

del restaurante y echó a andar por Serrano, calle abajo, hacia el barrio de Salamanca.

El Shaw era un sitio pequeño y discreto, situa-
do en una vía perpendicular a la Castellana, medio oculto por los grandes castaños de indias que ornamenta-
ban las aceras y apenas identificable gracias a aquel
letrero de neón, con el nombre del local y la explicación abajo: cóctel-bar. Muchos decían que en realidad
el nombre era una equivocación de los electricistas que
cambiaron la *o* de *show* por una *a,* con lo que obligaron
al dueño a convertir lo que estaba destinado a ser una
barra de alterne en un local con pretensiones literarias,
en homenaje al célebre autor de *Pigmalión.* Pues ni lo
uno ni lo otro, aquello era en realidad un lugar de
encuentro de policías, militares y guardias civiles
adscritos al Gabinete Psicológico, un centro de mur-
muración, de tráfico de informaciones, una especie
de territorio reservado para espiones, confidentes y
similar gentuza, que mataban las horas ahogándolas
en güisqui. El bar no cerraba casi nunca y para ingresar en él había que golpear la puerta con una al-
daba de latón en forma de estribo, antes de que un
portero gigantesco y con cara de niño le recibiera a
uno en el vestíbulo y tomara cuidado del abrigo o
del paraguas. A partir de la medianoche sólo fran-
queaban la entrada a quien repiqueteaba una señal
en morse con el llamador, tres cortas y tres largas
(ese, o), con lo que se evitaba la llegada de curiosos,
trasnochadores o aficionados, e incluso la de los periodistas que no estuvieran a sueldo de los servicios.
A Centeno le saludó el tiarrón en funciones de ujier
como a un cliente habitual, no daba buenas propi-
nas el comisario pero, en cambio, era eficaz en los

favores para sacar pasaportes o certificados de penales.

—Llego tarde, perdone —se disculpó el policía al hombre que aguardaba sentado junto a un velador sorbiendo un café.

—No se preocupe —chasqueó los labios—. ¿Nunca aprenderán a hacer el expreso como es debido?

—Es la mezcla —se disculpó Centeno—, le meten mucha achicoria. Y aunque no fuera así..., imposible un café como el de Italia.

Ernesto Franco no habría cumplido los veinticinco, pero aún aparentaba menos. ¡Pues sí que los reclutan jóvenes por ahí!, había pensado el primer día que lo vio, mientras el otro le enseñaba sus credenciales de teniente de *carabinieri*. En aquella ocasión Ernesto andaba muy enfadado, había tenido que abandonar precipitadamente la casa de Cipriano Sansegundo para refugiarse en la de Enriqueta Zabalza, una estudiante feúcha y alocada, a la que tuvo que dar más explicaciones de las debidas, inventándose un par de historias creíbles.

—Le coloqué un rollo sobre los fascistas de Cádiz y se lo tragó, pero hemos perdido meses, años, de trabajarnos al Cipriano, por culpa de esa negra.

Centeno no se atrevió a decirle que *esa negra* colaboraba con él y que Sansegundo no se les iba a escapar nunca, de ningún modo, ya sabían que era del KGB, eso lo tenían archicomprobado, lo que no sabían aún era para qué lo querían los soviéticos. ¿Cómo puede ser un espía ruso tan descuidado y perderse por un polvo con una guineana?, ¿cómo puede un sindicalista, zarrapastroso y bastardo, pagarse una buscona si no obtiene un sobresueldo?, ¿cómo podía ser él, todo un comisario, tan débil, cómo sentirse tan huérfano de amor, tanto que había ido a enamorarse de una prostituta vulgar, sucia y greñuda? Pero todo aquello era agua pasada, a Sansegundo le trincarían en acción, ¿para qué había vuelto el italiano ahora?, estaba fuera, abrasado.

—Tengo un par de amigos que necesitan salir de Italia cuanto antes, papeles y armas.

—... y ha pensado en nosotros.

—¿En quién si no?

Ernesto Franco movía las manos como un bailarín, vestía impecablemente y miraba a los ojos de su interlocutor con una convicción que apabullaba, se notaba que era un profesional.

—Escuche, comisario —añadió—, yo hago lo que me mandan, igual que usted. Tampoco a mí me gustan algunas cosas, pero hay que defenderse del enemigo. Llevo infiltrado desde los dieciocho años, desde la universidad, he involucrado a mis amistades, a mi familia..., toda mi vida. Esos chicos necesitan abandonar el país, la justicia les pisa los talones y si les pillan y cantan, los problemas van a subir de tono.

Centeno le miró en silencio, encendió un cigarrillo y ahuyentó al camarero que intentaba acercarse a la mesa: «¿Qué va a tomar el señor?». «Ya he tomado bastante por hoy, carajo.»

—¿Cuándo llegan?

—Dentro de unos días.

Sacó su libretita de hule, arrancó una hoja rayada y garrapateó en ella una dirección.

—Que vayan a este piso, la llave la tendrá el portero. De las armas, ya hablaremos cuando las necesiten.

Se levantó y salió apresuradamente del bar. Hacía una noche espléndida, estrellada, casi cálida pese a lo avanzado del otoño. Decidió continuar su paseo y lo hizo con parsimonia, deteniéndose a cada poco para encender otro pitillo más, así hasta una decena. A aquellas horas la ciudad le parecía hermosa, plácida. Le gustaba vivir en Madrid, ¿qué otra gran capital europea resultaba tan segura?, ¿en qué otra podía uno deambular solo y sin correr peligro alguno, en medio de la oscuridad? Si los jóvenes supieran..., sufren y gritan por la democracia, organizan cenas multitudinarias, redactan manifiestos, pronuncian discursos, emprenden correrías, y mire usted en lo que se convierte la democracia de los cojones: niños de buena familia, como Ernesto, trabajando para derrocarla desde el corazón mismo del sistema. ¿Hay más libertad en Italia que en España?, ¿libertad para qué? Le sonaba esta pregunta, creía haberla leído en alguna parte, un folleto requisado a uno de los detenidos, o algo así. Por lo menos, aquí podemos ir al cine, salir de casa con plena tranquilidad, por lo menos, aquí sabemos que los policías y los militares no conspiran contra ellos mismos, como esos italianos, no mordemos la mano que nos da de comer ni nos creemos lo que no somos, nos ajustamos a nuestra propia condición de siervos, miserables fumistas dedicados a limpiar las chimeneas en las que arden las pasiones ajenas, poceros de tres al cuarto empeñados en desratizar las alcantarillas de los ricos, pero este placer supremo del conocimiento, de investigar, descubrir, controlar las vidas de los demás, horadar su entraña, escudriñar sus propósitos, prever sus decisiones, compensa cualquier renuncia, cualquier sometimiento. Los señores de este mundo piensan que les obedecemos, que estamos a sus órdenes, cuando son ellos nuestros esclavos, lo sabemos todo de sus vidas, de sus rarezas y de sus inconfesables, genuinas, perversiones. Si no estuviera tan cansado, si me pillara todo esto diez años antes, yo sabría aprovechar mejor que nadie mi posición y podría explicar a todos esos mastuerzos que es imposible tumbar un régimen a base de discursos y que hoy es improbable hacerlo a base de disparos, lo mejor es darle tiempo al tiempo, dejar que las cosas encuentren su curso, no precipitarse y buscar el lado oscuro del corazón de las gentes, el que todos nos muestran antes o después, como Ernesto Franco, el coronel Dorado, Cipriano Sansegundo, Fernández Trigo..., todos tenemos siempre algo de lo que avergonzarnos, todos podemos ser sometidos al chantaje de nosotros mismos, y es únicamente sobre esta convicción, sobre la sabiduría inmensa que nuestra codicia y nuestra maldad nos proporcionan, sobre la que es posible organizar la convivencia de un país. Por eso, al fin y al cabo, somos tan necesarios los policías. Funcionamos como el espejo de la madrastra, reflejamos el mal que anida en los demás y permitimos, así, sus ensueños de redención.

Treinta y dos

Eran cientos, miles. La compañera Cristina volvió hacia atrás la vista y sintió en su interior una especie de aliento profundo, una vibración que provenía como del más allá. «¡Queremos nuestros derechos, y los queremos ahora!» Los gritos sonaban atronadores, potentes, en un clamor de pretendida unidad que muy pocos eran capaces de percibir. La cabeza de la manifestación estaba compuesta por una veintena de personas, empujándose unos a otros, aferrados a la pancarta, «amnistía, libertad», pugnando por ser los primeros, por dar la cara, por enfrentar el riesgo. Eran todos bastante jóvenes, pero no todos parecían estudiantes: profesionales, profesores, sindicalistas, se apiñaban también en medio de aquella masa informe. Habían tardado meses en preparar el salto y estudiado minuciosamente la trayectoria del cortejo. Arrancarían del Paraninfo en pequeños grupos, para ir concentrándose poco a poco a lo largo de la avenida principal, hasta enfilar la carretera de salida hacia Galicia, rumbo al Arco de Triunfo, cortando el tráfico si era preciso, pero sin provocar a los viandantes más molestias que las pertinentes. «¡Amnistía, libertad!», coreaban los eslóganes que alguien lanzaba desde la cola del desfile, enronquecían sus gargantas de emoción y de rabia, su decisión estaba tomada, era preciso dar una respuesta contundente a la continua represión, al menudeo de juicios, cierres patronales y clausura de publicaciones. La dureza sorda y muda de las autoridades, su facundia irritante, había acabado haciendo mella en el sentir de la población y generado el mejor caldo de cultivo imaginable para la protesta. Enriqueta Zabalza, la compañera Cristina, apretó con fuerza la mano de Manuel Dorado, notaba su cuerpo junto al de ella, crepitando de nervios, erizados los diminutos pelos de su cuerpo por la emoción. ¿Lo quería?, no, ni siquiera lo deseaba pero era su amigo y algún día aprendería a follar este Manuelito, algún día dejaría de matar al padre para fijarse en sí mismo, para hacer su propio trabajo, sin referencias ajenas, sin complejos, sin venganzas de parte. En tanto ese momento llegaba, Manuel Dorado era bueno como compañero, incluso demasiado bueno, sumiso, condescendiente. Una complicidad especial anudaba sus destinos, como hijos de militares se habían formado en la abnegación y la austeridad, virtudes tan queridas a los comunistas de batalla. Lorenzo siempre había dicho, medio en bromas medio en serio, que algún día el capitalismo aprendería a reclutar sus trabajadores entre los rojos rebotados, maestros en el estajanovismo y la dedicación a cualquier causa a cambio sólo de experimentar el placer de participar, de ser alguien en el inmenso magma anónimo de la multitud. «No hay nadie tan provechoso para una empresa como un antiguo estalinista», reía Sansegundo, y era de las pocas veces que se mostraba risueño, «lo da todo por nada». Enriqueta y Manuel sabían que no era cierto, no del todo. Había personas con mayor sentido del altruismo y dedicación al sacrificio, gente educada en el concepto de la vida como servicio al otro,

hijos de la obediencia y herederos de los destinos aje-
nos. Por reconocibles que fueran, las virtudes laborales de los militantes más fanáticos del partido pali-
decían en comparación con las que emanaban de los
ambientes cuartelarios. Naturalmente que no era difícil encontrar militares corruptos y que el Ejército era
soporte ineludible, fundamental, de ese castillo de
naipes en que se había convertido el franquismo, condenado a derrumbarse cualquier día en un suspiro, en
cuanto el viento de la Historia soplara con más aliento
o mejor tino, pero la cultura castrense dominante
era la de la escasez, incluso por encima de la sobriedad.
Ellos conocían bien el sino de sus familias, deambu-
lando como apátridas por las provincias, acompañan-
do al padre en los ascensos cada vez que un traslado les
sorprendía con un colegio distinto, un clima diferente, unos hábitos cambiantes, aunque a decir verdad las casas, los parques, los vecinos, el médico, el
farmacéutico, el sastre, siempre se parecían como un
huevo a otro huevo, siempre eran todos militares, se
habían construido la vida en medio de un gueto, rodeados como estaban por un sólido alambre de espi-
nas mentales que a las nuevas generaciones, a los hijos de los oficiales que llevaron gloriosamente a la
victoria a las tropas franquistas, les parecía en verdad
una auténtica corona de pasión, como la del crucifica-
do. Ese vivir aparte, sin mezclarse para nada con los
paisanos, les permitía cruzar estirpes, mezclar apellidos, prolongarse en su introspección colectiva, su
ausencia de reflexión, su ciega fidelidad a los principios del mando, y era precisamente eso, su confianza a prueba de balas en la doctrina revelada, lo que les
mantenía unidos, correosos en su resistencia frente

a la adversidad de los tiempos y los devaneos del siglo. Resultaba lógico que no llegaran a comprender qué era lo que habían hecho mal para que sus jóvenes se revolvieran contra ellos, por qué había tantos vástagos de su linaje que aunaban a su enteca formación guerrera, curtida en la penuria de la disciplina, sus firmes convicciones comunistas, en una alambicada mezcolanza de pragmatismo y ascesis que les llevaba a emprender las acciones más utópicas y a querer realizar también las más estúpidas de las ensoñaciones, volviéndose hedonistas a ratos, a ratos caprichosos, no pocas veces hasta frívolos, pero nunca permitiendo que su ligereza se convirtiera en norma, controlando siempre sus verdaderos sentimientos, sus auténticas metas. Allí estaban ellos dos, como tantos otros, dispuestos a dejarse la voz y hasta el resuello, enardecidos en el reclamo, solicitando airados su parcela de porvenir, «¡queremos nuestros derechos y los queremos ahora!». No se sabía de dónde había partido la consigna. Los prosoviéticos trataron, primero, de impedir a toda costa que la manifestación se celebrara, provocar a la fiera sin un objetivo concreto, sólo por el placer de hacerlo, les parecía suicida. El compañero Lorenzo había estado tajante, aquello olía a montaje policial, el partido no dudaría en desautorizar la convocatoria, él no se presentaría, ni nadie del sindicato, aunque tampoco iban a prohibir la asistencia al que personalmente quisiera estar, eso no, y Cristina enojada, tanto tiempo hablando de pasar a la acción y cuando alguien ponía manos a la obra se les encogía como un caracol sin baba, no le extrañaba que el Cipri anduviera de putas, con lo mermado que era. ¡Un montaje policial!, ¿a quién se le ocurría?, a la pas-

ma le había salido fatal en cualquier caso, porque allí
estaba lo más florido de la subversión auténtica, la izquierda no traidora, las múltiples facciones de un sentimiento revolucionario y de clase que, por mucho
que quisieran infiltrarlo, corromperlo, jamás podrían
desfigurar en su verdadero y profundo significado.
Desde la cabeza de la procesión, girándose a cada rato
para mirar, Enriqueta Zabalza contemplaba las caras
del gentío, le parecían las escamas luminosas de un
reptil emplumado, como si formaran parte de la cola
de Quetzatcoatl, el mesías azteca, pero de pronto sintió un estremecimiento pueril, aquellos ojos vibrantes, aquellos gaznates tersos y vituperadores, envile-
cían su aspecto y se volvían violentos, tenebrosos,
repletos de odio. En los mentideros políticos, en las
redacciones de los periódicos, en los pasillos de los
ministerios, no se había hablado de otra cosa, la manifestación podría convertirse en un campo de batalla
si grupos rivales de ideologías contrapuestas aprovechaban para medir sus fuerzas sobre el terreno. Los fir-
mantes de la protesta comunicaron que impondrían
un servicio de orden que evitara semejante deriva pero, desde un principio, parecieron más interesados en
proteger a los manifestantes de eventuales agresiones
que en evitar que se desbordaran y acabaran provo-
cándolas ellos mismos. Los rumores hicieron desistir
a muchos de sumarse a la convocatoria, otros en cambio entendieron que si existía un riesgo de confrontación ése era el mejor motivo para no faltar, o porque
querían contribuir a evitar los enfrentamientos o
porque anhelaban protagonizarlos. José Manuel Rupérez anduvo muy ocupado por aquellas fechas reclu-
tando matones y perdonavidas, mientras Fernández

Trigo le insistía en lo estricto de las instrucciones, sólo podían defenderse si los otros agredían, nada de tirar ellos la primera piedra, ¿pero qué se habría creído el de la chorra bicolor, el que tenía el pito como un banderín de los de hacer señales?, él no estaba dispuesto a recibir órdenes de ningún pasmado y para una vez que se trataba de batirse frente a frente y no de andar quemando cuadros ni asaltando librerías, ni el Cachorro ni nadie iban a decirle al Lobo lo que tenía que hacer.

—No, si tú eres libre de comportarte como quieras —contestó el otro sin contrariarse—. Pero si andas por tu cuenta no vengas luego pidiendo ayuda.

Enriqueta descubrió, confundida entre la masa, la cara de luna de Francisco Alvear que caminaba tranquilo, decidido, indagó inútilmente la presencia de Gerardo, no la sorprendió no encontrarle y se sintió en cambio turbada, ¿celosa?, cuando su mirada se cruzó con los ojos de Marta, ¿cómo era posible que esa calientapollas se hubiera dignado ir?, ¿cómo se lo había permitido su maridito? Nadie se lo había consentido sin embargo, de estar Alberto en Madrid, no hubiera osado ni siquiera acercarse al lugar de los hechos, pero un inesperado viaje al extranjero hizo posible el milagro. Así de resuelta avanzaba la italiana, el puño en alto, gritando desaforada abajo los curas, abajo la poli, abajo los milicos, abajo los profes, disparando verbalmente contra todo lo que se movía, disfrutando como hacía mucho tiempo no había tenido oportunidad, sintiéndose rejuvenecer, olvidados de momento sus deberes domésticos, sus preocupaciones de madre novata, las consecuencias de estar casada con un funcionario de ringorrango, cada día más respetado, más aupado por los que mandaban. «¡Queremos nuestros derechos y los queremos ahora!» Pero ni el compañero Pablo, ni el compañero Tomás —¿dónde te habrás perdido, Ramón?—, ni el compañero Lorenzo, ni el compañero Andrés, ni el curita de Jaime Alvear... no quedaba nadie de los suyos, nadie que pudiera dar fe de su pequeña memoria histórica, de su reconocible tradición en la lucha contra la dictadura. Ni la nostalgia ni los sueños acompañaban a Enriqueta Zabalza, la compañera Cristina, en aquella ocasión trascendente, del pasado quedaba sólo una italiana tetuda y hermosa, una niña de buena familia metida a rebelde, una socialista de salón, pero de salón de alta costura, Christian Dior por lo menos, incapaz de mirar más allá de sus narices, siempre pegadas al ombligo de un hombre. A cambio estaban todos los demás, anarcos, troscos, etarras, prochinos, cristianos de base, esa representación inesperada del MIR chileno, *uni-dad, popu-lar,* delegaciones de los colegios de abogados, de ingenieros, de economistas, gente del partido, el partido siempre a remolque, no todos son tan cagones como Cipri, feministas desorganizadas, rostros alegres e irritados, multicolores como las escamas del dios serpiente de los mexicas, rostros de fuego y luz, figuras de furia, capaces de arrasarlo todo, de subvertirlo todo, de dominarlo todo por la fuerza de sus convicciones, por la fuerza de su voluntad, por la fuerza a secas, si necesario fuera. Cuando la muchedumbre alcanzó el Arco de Triunfo, un mamarracho remedo de la arquitectura imperial romana, erigido a mayor honor y gloria de la victoria bélica de media España sobre la otra media, la compañía de antidisturbios le salió al paso. Los agentes lucían al cuello un

pañuelito azul, privilegio que el vulgo suponía era señal de reconocimiento a su meritoria labor y a lo espe-
cializado y heroico de sus misiones, sólo los cuerpos de
elite, tanquistas, zapadores de montaña, disfrutaban
de algo parecido aunque la verdad era que la prenda
tenía misiones más bien prácticas, ocultarse o resguar-
darse del polvo o de la ventisca, antes que responder a
distinción alguna. El desfile se paralizó frente a los
cascos relucientes de los guardias, frente a los cascos
relinchantes de los caballos, se hizo entonces un silencio enorme, como de tarde de toros, hasta que un
grito salió de la cola de la manifestación, estaba siendo atacada por un grupo de extrema derecha. Hubo
gran alboroto de idas y venidas, empellones, desconcierto, los guardias realizaron su primera carga, en
medio ya de un ruido ensordecedor. Marta no tuvo
tiempo de emprender la huida. Acorralada por un par
de matasietes, echó a correr saltando el seto contiguo
a los arcenes de la carretera, tropezó y cayó cuan larga
era. Las botas de sus perseguidores se estrellaron contra su cuerpo mientras ella protegía con los brazos la
cabeza, no le fueran a clavar las tachuelas dejándole
marcado el rostro para siempre. Despertó llevada en
volandas por algunos compañeros camino del Clínico
y creyó distinguir, entre las voces de quienes la trans-
portaban, el timbre grave y un poco pretencioso de
Francisco Alvear. En el sanatorio no la ingresaron por
la puerta de urgencias, sino por otra sin acceso al público donde aguardaba un piquete de jóvenes médicos, organizados previamente para prestar ayuda a
quienes resultaran heridos o contusionados. Otra docena de personas, un par de ellas echadas sobre ca-
mastros de campaña y el resto agolpadas malamente

en unos bancos de espera, aguardaban la llegada de los facultativos. Mientras, en las inmediaciones del hospital, la batalla había comenzado, las cargas de las fuerzas del orden eran contestadas por las pedradas de los jóvenes que lanzaban con ira la munición encontrada en los jardines cercanos, los guardias disparaban botes de humo y balas de goma, los cañones de agua vomitaban un líquido coloreado contra las figuras difusas de los manifestantes, *la manga riega que aquí no llega,* el líquido estrellándose en los cuerpos, reduciendo a cenizas la pasión que los anima, *y si llegara no me mojara,* jugando y sufriendo otra vez al juego de la guerra, la resistencia activa, *no nos moverán,* les moveremos nosotros a ellos, *no-nos-mo-ve-rán.* No recordaba experiencia semejante ni había visto tumulto tan violento como aquél, tampoco había acudido nunca a una demostración con un arma de fuego. Enriqueta Zabalza palpó la pistola oculta en su carterilla de cuero, se ajustó el pañuelo cubriéndose el rostro, no iba a ser ella menos que los antidisturbios, y se sintió más segura, desafiante, retadora, cuando a empellones fue catapultada hacia un grupo de policías de paisano, entre los que uno se dedicaba a hacer fotografías de los hechos para identificar más tarde a los revoltosos. El Cachorro notó cómo se les venía encima, a él y a sus colegas, una verdadera avalancha humana, sintió miedo y sacó su arma reglamentaria, tratando de intimidar inútilmente a quienes se abalanzaban sobre él. No lo hacían de forma deliberada, sino obligados por la presión de la multitud que corría despavorida en todas direcciones. Disparó al aire y ella blandió el revólver, se encontraron frente a frente, como los pistoleros de una película del oeste, se miraron a los ojos y pensaron que ya se habían visto antes pero sólo la chica sabía por qué. Reconoció al asqueroso policía que le había interrogado en su primera detención, aquel que se regocijaba amenazando, te vamos a violar, se mofaba mascullando comentarios sobre lo diminuto de sus tetas, la parvedad de su vello púbico, pareces una virgen aunque yo sé que eres puta, sin duda era el mismo aunque el peso de los años le había engordado, haciéndole perder esos aires de pavoneo que antaño exhibiera, se le veía asustado, incapaz de controlar la situación. La compañera Cristina leyó el terror en el rostro del otro y sintió que sus ojos azules se llenaban de inquina pero, lejos de perder su transparencia, las pupilas eran ahora dos focos de luz, dos faros guiadores en el huracán, apretar el gatillo no sería difícil, lo único importante era hacerlo primero. En ese preciso instante, segundos antes de que sonara el estampido del disparo del inspector, la avalancha humana se precipitó sobre el grupo. Entre los cuerpos que acechaban se abrió un hueco insospechado, como si los brazos y las piernas se volvieran porosos hasta el punto de poder atravesarlos. Enriqueta tiró al bulto, mirando de frente al policía, mientras a su lado surgía, de entre la compacta masa humana que les rodeaba, algo parecido a una adarga. El Cachorro cayó de espaldas profiriendo un alarido, se derrumbó sobre el fotógrafo aplastándole la máquina y dislocándole una muñeca, y ella aprovechó la confusión para salir a escape, mientras Trigo se deshacía en lamentos, atendido por algunos compañeros, sin percatarse de que, a dos metros escasos, un colega suyo yacía inerte, sujetándose todavía las tripas con las manos: el palo de una escoba, atado con cuerdas a un cuchillo de cocina, había terminado con su vida al clavársele en el tercer espacio intercostal.

Cuando avisaron a Carlitos Miranda de que un agente había ingresado en el hospital cadáver y otro herido de bala, andaba prestando sus cuidados a Marta, «caramba, chica, siempre nos tenemos que ver en circunstancias como ésta», y ella que sí, que se acordaba de él, cuando lo de la falsa alarma del parto, y qué alegría verlo por allí, pero mejor que no le dijera nada a Alberto, «está en París y no tiene ni idea de esto». Carlos Miranda se encontraba de guardia aquel día no por casualidad, sino porque así lo había solicitado para poder auxiliar, junto con otros médicos y ayudantes sanitarios, a las previsibles víctimas de la manifestación, sin tener que firmar los ingresos ni dar parte a nadie de su identidad.

—Bueno, me tengo que ir. Te pondrás bien en un par de días. Las radiografías no dicen nada malo, aunque conviene esperar.

En el quirófano de urgencias, el Cachorro se desangraba entre quejidos cada vez más débiles. Hubo que someterle a una ligera intervención y pasó después a la unidad de vigilancia intensiva, la UVI, aunque los facultativos no lo creían necesario. El parte médico que llegó a las redacciones decía que estaba fuera de peligro, dentro de la gravedad.

—¡Chico, ha sido la hostia! —dijo Liborio a Eduardo Cienfuegos nada más llegar al periódico—. Esta vez a la poli la han cogido desprevenida. Hay unas fotos de abuten. Y muertos, y qué sé yo.

Aunque se conocía que las bajas entre los manifestantes habían sido cuantiosas, los partes oficiales apenas las reflejaban; por el contrario daban cuenta de la desgraciada muerte de un inspector de la brigada político social, amén de una veintena de policías heridos de diversa consideración, uno de ellos por arma de fuego.

—Esto de la diversa consideración es una chorrada —bramó Eduardo—, es como no decir nada. ¡Estoy hasta los cojones de las frases hechas!, lo peor de este régimen son las frases hechas.

—¡Vaya con el intelectual! —protestó Liborio—. Lo peor de este régimen es lo que yo he visto esta mañana, porrazos por todas partes contra quienes no piensan como ellos y la ira en el corazón de las gentes.

—Eso quiero decir: frases hechas, lugares comunes. La gente no piensa, Liborio, no es original, no tiene creatividad, y no imagina mejor respuesta que la de emprenderla a golpes.

—Pues a ti, con esto de dejar de beber se te ha ablandado el cerebro. No te conozco, Eduardo, antes parecías más combativo.

—¿Antes de qué?

—Antes de todo, no seas coñazo, antes de que te hicieran jefe, de que te afeitaras a diario y de que hubieras decidido volver con la familia.

Pero Eduardo Cienfuegos no le oyó, ya estaba en el otro extremo de la sala reclamando con aires de impaciencia la nota sobre el muertín de la manifestación, que es para hoy y tenemos que cerrar, aunque sea a patadas.

Treinta y tres

—Este nombramiento es fruto del miedo.

—Se equivoca, Gerardo —don Epifanio sacudió la ceniza del puro que le chorreaba la pechera—, este nombramiento es fruto de la reflexión. El Caudillo quiere dejarlo todo atado y bien atado, ya lo ha dicho un sinfín de veces. ¿Quién mejor para sustituirle al frente del gobierno que el almirante Carrero? Es su valido, su hombre de confianza, aquí no se mueve una hoja sin que él lo diga.

—Y está bien claro que no lo dice, porque ni una hoja ni nada, no se mueve absolutamente nada —atacó Anguita.

—Hay dos cosas que le tienen muy apesadumbrado a Franco: la ley de Prensa y lo de Matesa, por eso no hay manera de avanzar en todo lo demás. Piensa que fue un error tratar de liberalizar el régimen y aflojar la mano en la censura, que Fraga se llevó con eso por delante todas las defensas del sistema y que incluso lo del fraude en los telares se hubiera podido arreglar de otra forma si él no hubiera achuchado a los periódicos, esa pelea contra los del Opus resultó suicida para todos. En el extranjero piensan que somos un régimen ciclópeo, absolutamente unido, nosotros sabemos que no es verdad, hay demasiadas familias en el franquismo, demasiadas disensiones, de ahí los recelos a avivarlas con la apertura que no acaba de llegar.

—Entonces..., ¿nuestro trabajo? ¿Perdido para siempre?

—Nuestro trabajo es mi trabajo, amigo mío, recuérdelo. Usted no creía en nada de lo que hacíamos.

—Llegué a suponer que podíamos influir.

—¡A veces me pregunto por qué ha ido usted de marxista por la vida si es un auténtico cristiano! —no había desprecio en su mofa, a la que quiso imprimir un tono de cariño—. Los marxistas no quieren influir, sino subvertir. Por lo demás, nada ha sido inútil, sólo el hecho de esta conversación merece la pena.

—Se puede ser marxista y cristiano a la vez. Se puede ser revolucionario y posibilista. En una palabra: se puede querer cambiar las cosas, transformar la realidad, y abominar del recurso a la fuerza.

—¿De la dictadura del proletariado también?

—Eso son eslóganes. Lo importante es el fin.

—En política todo son eslóganes, amigo mío. Por cierto, veo que, aparte de nuestra afición a los buenos habanos, nos vamos pareciendo en algo más. Yo también pienso que lo importante es el fin, cuando ustedes, los demócratas de oficio, nos machacan a los demás con los métodos. Lo dicho, no se preocupe, su trabajo no se perderá, ni su empleo tampoco, si usted no quiere. Fernández Miranda es el nuevo vicepresidente. Ya sabe: un falangista descafeinado que reniega de la camisa azul, un posibilista como usted, como yo, profesor del Príncipe, intelectual, estudioso, la mente oculta detrás de la fuerza visible de Carrero... Ya digo que no es el miedo lo que les mueve, sino la previsión. Y tampoco es un estómago agradecido el que le habla, a mí ya me han apartado del todo, será porque los rumores decían que iba para arriba. No les gusta la competencia.

Corría el verano de 1973 y pocos días antes don Luis Carrero Blanco, almirante de secano como se empeñaban en recordar sus compañeros de armas, había sido nombrado Presidente del gobierno. Por primera vez en su historia, que en amplia medida marcaba la de la gran mayoría de los españoles, Franco había decidido dividir los poderes omnímodos de los que disfrutaba y compartir las decisiones con su más fiel colaborador. Algunos creían que el paso acordado era meramente simbólico, habida cuenta de que el Caudillo se mantenía como Jefe del Estado y acumulaba en su persona toda última capacidad de arbitraje, pero don Epifanio no compartía el análisis.

—La gente no se da cuenta del poder que tienen los ministros. Son extraordinariamente autónomos —le explicaba ahora a Gerardo Anguita—, y en su parcela pueden hacer casi cualquier cosa sin consultar al Caudillo. Eso vale para todos menos, claro está, para el de Gobernación o el de Exteriores, pero le aseguro que en Agricultura o en Industria no se mete demasiado, y es donde está el dinero.

Hizo una pausa, miró a su acompañante con benevolencia y añadió:

—¡Vamos, que son como franquitos!

—Como franquitos somos todos un poco en este país, ¿no le parece?

Y don Epifanio que le tutee, que él también le tuteará, que después de tanto tiempo de conocerse, de hablarse, ahora que Gerardo se ha decidido a ir

a su despacho el día de la despedida, sin que a ninguno le importe lo que digan en cualquiera de los bandos, ¿lo ves como siguen los bandos, las Españas, los
vencedores y los vencidos?, pues lo normal es tutearse,
tutearse es muy de la época, lo hacen lo mismo los comunistas que los falangistas, todos se llaman camaradas, compañeros o como sea, todos se inspiran en la
misma concepción de la amistad, unidos por un vínculo superior a ellos mismos, por una idea, por una
pasión. ¿Pero qué pasión puede haber en los planes de
desarrollo que hacen los tecnócratas? A lo que íbamos,
naturalmente que todos somos un poco Franco, porque han sido tantos años, décadas ya, de mamar la
misma leche, de aprender las mismas cosas, de mirar-
nos todos en el mismo espejo, para bien o para mal, que
era imposible que no se nos notara. Naturalmente
que somos todos autoritarios, machistas, reaccionarios, paternalistas, melifluos, mentirosos, incultos y
hasta bajitos y regordetes como él. Franco encarna
bastante bien las virtudes y los defectos del español
medio, nos conoce, sabe que estamos hechos para el
palo y la sumisión, que somos como quintos, reclutas
acobardados ante la autoridad, que nos interesa más
el chusco que los derechos y nos reímos de la religión
tanto como la respetamos. ¿No te das cuenta, Gerardo, de lo que pasó en la guerra civil? España es un exceso permanente. Por un lado nos comemos las hostias y por otro las escupimos. No tenemos ateos sino
antiteos, y así nos va la historia a todos, un día con-
sagrando el país al Sagrado Corazón y otro día fu-
silándolo en el cerro de los Ángeles, como si disparar
a unas piedras tuviera algún peligro, alguna consecuencia, algún sentido. Pues a pesar del tiempo

transcurrido no hemos cambiado nada, las suecas se desnudan en Ibiza y fornican a tutiplén con los camareros de los hoteles, pero aquí divorciarse no se divorcia nadie porque lo tiene ordenado la santa madre Iglesia, y bien sabe Dios que yo soy creyente, mi mujer ni te digo, pero una cosa es ser creyente y otra estar ciego para no ver lo que está pasando, Franco nos conoce bien, sabe tratarnos, sin embargo, cada vez se distancia más de la realidad. Y eso que él ha logrado desarrollar este país, ha logrado que comamos, que no haya hambre, ¿tú sabes lo que significa eso? ¡España sin hambre!

—Y sin honra —le azuzó Anguita, que ya se sabía lo del hambre de memoria y que él mismo se había encargado de difundirlo a su manera.

—La honra les importa tanto a los de izquierdas como a los de derechas. Nosotros queríamos sobre todo que la gente comiera. Los de la oposición no ganaréis nunca porque os negáis a ver las cosas como son y en esto, ¡qué curioso!, también os habéis convertido un poco en franquitos, aferrados a vuestras ideas y a vuestra manera de ver el mundo por encima de cualquier reconocimiento de la realidad. Desde que abrió sus fronteras, este país está cambiando, Anguita, tú mismo me lo has dicho muchas veces. Los emigrantes a Europa, los turistas, están logrando incorporar nuevas formas de cultura y de vida. No os dais cuenta de que eso hace evolucionar también al régimen, os empeñáis en derribar un monstruo que no existe, por lo menos no tal y como lo imagináis, no hay sólo un franquismo, sino muchos, la dictadura es como una hidra de no sé cuántas cabezas y sabe acomodarse a los tiempos con tal de sobrevivir.

Porque lo que es durar..., no me podrás negar que esto está durando cantidad.

—¿Para eso ponen ahí a Carrero Blanco?

—Precisamente, porque por muy tonto o muy altivo que se haya vuelto el Caudillo, él sabe que es un hombre enfermo y anciano. ¿No entiendes lo que nos pasa a los viejos? Siempre hablando de que nos vamos a morir pero, al mismo tiempo, haciendo planes para los próximos diez, veinte años, con toda naturalidad, aun conociendo que es improbable que podamos vivir tanto. Tenemos un afán de eternidad, andamos obsesionados con prolongarnos, con que nuestra obra perdure, no te digo nada si has hecho lo que el Generalísimo ha logrado edificar. Él quiere garantizar, como sea, que el Príncipe reinará y que mantendrá vigorosas las bases del régimen que ha creado: unidad, lo primero, está horrorizado con la división territorial de España, por eso no hay verano que deje de ir a San Sebastián, pese a que lo de ETA está cada vez peor, con tantos secuestros de empresarios y enfrentamientos a tiros en los controles de carretera, lo de Cataluña lo entiende menos, pero sabe que la burguesía no le va a traicionar, allí manda la pela, no la lengua como creen los nacionalistas. Unidad es lo primero que le importa, ¿y lo segundo?: unidad. Mientras él y el almirante vivan no habrá partidos políticos, te lo aseguro, les tienen un horror absoluto, cósmico, y les culpan de la decadencia y la división entre los españoles, quizá Fernández Miranda pueda hacer bueno eso del contraste de pareceres, pero los partidos son incompatibles con el franquismo y con quien le suceda. Tampoco va a permitir que se organicen patronos por un lado y obreros por el otro, sería como entronizar la lucha de clases.

—Eso lo tiene más crudo, son muchas las empresas que ya negocian abiertamente con Comisiones Obreras.

—Por lo mismo la ley Sindical tiene más futuro que la de Asociaciones, pero no conviene engañarse, tampoco funcionará. Ya has visto cómo los líderes de Comisiones se han llevado por delante unos cuantos buenos años de cárcel, y los que te rondaré, morena. Desde que hace meses detuvieron a toda la cúpula andan sin saber adónde mirar y cuando les juzguen, a finales de año o así, les darán un golpe mortal.

Epifanio Ruiz de Avellaneda se revolvía nervioso tras su mesa de despacho. Fijó por un momento la vista en la ventana, desde la que se vislumbraban los aledaños del Ministerio del Ejército. Lamentó perder la proximidad de aquel paisaje urbano, la confluencia entre Gran Vía y Alcalá, coronada por la estatuilla de la Unión y el Fénix. La historia de la España contemporánea se había hecho en gran parte en torno a la imperturbable efigie de la diosa Cibeles, que presidía la plaza contigua. A Prim lo mataron *(en la calle del Turco, sentadito en su coche con la guardia civil)* a espaldas del palacio de Buenavista y todavía se guardaba en la antesala del ministro el banco de madera en el que le tendieron para que agonizara. Por allí subieron las masas, enardecidas e ilusionadas, hacia la Puerta del Sol el día que el gobierno provisional proclamara la República. Azaña contempló desde el balcón del mismo edificio el asedio de los rebeldes comandados por el general Sanjurjo en agosto de 1932. Murieron más de los que nunca se dijo y tuvieron que contentarse con una callecita contigua como todo reconocimiento a su valor. Franco no quería más héroes ni más fechas históricas para España que las suyas y las de los Reyes Católicos. Ya bastante tenía que aguantar con el culto irremediable a José Antonio.

Le agradecía mucho a Gerardo su visita, mucho más de lo que el otro imaginaba, mayormente aún por llevarla a cabo en un día como aquél. Echó mano al bolsillo y arrugó, crispadamente, el sobre con la orden de su cese. En la carta, el ministro le reconocía los servicios prestados y le comunicaba la concesión de la Gran Cruz de la Orden de Cisneros. El nuevo gobierno había reanudado el *aggiornamento,* ofensiva institucional lo llamaban ahora, nunca más sería un mensajero subido en una Harley Davidson el que llevara sus ceses a los ministros, en sobre lacrado, sin otra explicación para los destituidos que una escueta misiva firmada por Francisco Franco. La llegada del motorista había adquirido caracteres míticos en la España de entonces, era la manera cruel e impersonal que tenía el dictador de prescindir de sus colaboradores, pero Ruiz de Avellaneda sabía que el motivo real de sistema tan expeditivo se debía a que el Caudillo, que había sido laureado por su valentía en mil guerras y había recibido un tiro en la barriga sin amedrentarse, se mostraba incapaz de mantener la mirada frente a frente con los ministros a los que despedía, no tenía agallas para dar la cara.

—Eso es exagerar —había objetado Ansorena—. Seguro que anda con ellos muy bien puestos. Ahí está cómo se las tuvo tiesas con Hitler.

—Ni tiesas ni nada, amigo Primitivo. Por testigos presenciales sabemos que estaba muy preocupado por llegar tarde a la cita en Hendaya, y de que el único motivo por el que se produjo el retraso fue que el tren era un vejestorio y no andaba más rápido. Luego se tejió la leyenda de que el Generalísimo hizo esperar al Führer.

En medio de los numerosos relevos y cambios administrativos de aquellos días, al coronel Esteban Dorado le apartaron de las tareas de la inteligencia militar y le comunicaron su nuevo destino en un acuartelamiento de Ceuta. Esa misma mañana había llamado para despedirse. «Ya ves, Epifanio —le dijo—, estamos mayores para los tiempos que corren». Pero Ruiz de Avellaneda sabía que eran casos distintos. Su patrocinado, Alberto Llorés, a quien tantas veces había tenido que defender ante el gobierno, había merecido un nuevo ascenso y la confianza del vicepresidente para integrarse en su gabinete técnico, mientras que el hijo de Esteban, Manuel, purgaba merecidamente en un batallón de castigo en las Canarias sus veleidades de joven rebelde, su presencia en manifestaciones prohibidas, su insistencia en las amistades peligrosas. A él, por último, no le parecía mal su nueva situación personal: jubilado de lujo, y todavía seguía de procurador en Cortes. No era el despecho, pues, lo que le llevaba a pronunciarse con tanto desparpajo, incluso con palabras que nunca hubiera creído llegar a utilizar. Los años le permitían expresarse con una independencia que hasta entonces no había experimentado, los viejos dicen todo cuanto se les ocurre porque suponen que ya no tienen mucho que perder, y él conocía demasiado bien a los protagonistas de los hechos como para no desconfiar de que el sistema que entre todos habían levantado llegara verdaderamente a funcionar algún día. «Después de Franco, las Instituciones.» Lo había creído a pies juntillas. ¿Pero qué instituciones, caramba? Todos los intentos de los últimos tiempos por edificar un aparato jurídico coherente parecían condenados al fracaso y las promesas del nuevo gabinete sonaban patéticas. La liberalización de la dictadura, la democratización, era posible con la única condición de que se pusieran de acuerdo los diferentes linajes del régimen en unas cuantas cosas. Primero, había que desterrar la idea de seguir jugando al ratón y al gato con la legitimidad dinástica. Los azules, el clan falangista que rodeaba al Caudillo, se empeñaban en presentar a don Alfonso de Borbón como alternativa posible para el trono. Su boda con la nieta del dictador había llenado miles de páginas de las revistas del corazón, había sido otro de esos matrimonios del siglo, otra historia a lo Sissi, que permitiera derramar lágrimas sin cuento a las adolescentes fáciles y a las porteras de turno. La visita a Madrid del padre del novio había revolucionado los cotarros monárquicos, y aunque era evidente que Franco y su privado estaban decididos a seguir adelante con la llamada «Operación Príncipe» —la entrega del trono a don Juan Carlos—, las conspiraciones palaciegas crecían de tono. Carmencita Polo, esposa del dictador, Carmen la Collares como la apodaba el vulgo, dada su exagerada afición a los engarces de perlas que —según la leyenda— solicitaba de oficio a las joyerías y no pagaba, no se iba a resignar tan fácilmente a perder la oportunidad de ser abuela de una reina de España. Los sectores duros del falangismo oficial veían en don Alfonso, al que injustamente habían comenzado a llamar príncipe, un mejor valedor de sus ideas que su primo. Desconfiaban de la figura del padre de éste, el rey reclamado por los monárquicos que, desde siempre, desde que en los años cuarenta propiciara un manifiesto de militares en su favor, había andado coqueteando con la oposición, incorporando a su consejo privado y a su círculo de confianza a resentidos, traidores, marxistas de cámara e incluso aventureros de diverso porte. Pero no sólo era la cuestión sucesoria la que a estas alturas se quería poner ridículamente entre interrogantes. Seguían con esa estúpida manía de suponer que España podía incorporarse a Europa, al concierto occidental de las naciones, sin que el régimen reuniera los requisitos mínimos, sin organizar de alguna manera los partidos políticos. Quizá pudiera lograrse prohibir a los comunistas —¿no habían estado vetados formalmente en Alemania?—, aunque también iban a pedir entonces la proscripción del fascismo, y eso era más complejo en este caso. Parecía imposible que una democracia baja en calorías fuera a ser aceptada por las potencias occidentales mientras viviera Franco, mientras la figura del antiguo aliado de Hitler y Mussolini continuara rigiendo los destinos de los españoles. Por eso quién sabía si el nombramiento del almirante Carrero para la jefatura del gobierno, que tan malas consecuencias había traído para el propio don Epifanio, no podía comenzar a poner las cosas en el camino adecuado, en el de la prolongación del franquismo, de todo lo que era esencial al mismo, sin adherencias, renuncias ni debilidades, el mantenimiento de la paz y el orden entre los españoles y la garantía de la unidad entre ellos, bajo una fórmula novedosa y provocadora que demostrara que no todas las dictaduras eran necesariamente malas.

Todo dependía de su legado para el futuro porque, al fin y al cabo, él también creía como los comunistas, como Anguita, como el destituido coronel Dorado, como tantos otros sobre la faz de la tierra, que el fin justifica los medios.

Treinta y cuatro

A Aniceto Llorés le estalló la cabeza a principios del verano, sin duda porque se había recalentado el metal del yelmo interior que le protegía los sesos. El entierro fue una ceremonia sencilla, a la que asistieron sólo familiares y amigos. Su sobrino Ramón acababa de regresar de Nevada con un título en *business administration* entre las manos. No sé lo que es, pero desde luego es mucho, se pavoneaba su madre, tía Carmina, mientras se enjugaba una lágrima discreta y pegaba un mordisco a un canapé de huevas de mújol, en medio del pequeño banquete que se había preparado para las visitas del duelo. Ramón acudió al cementerio como tantos otros, como Gerardo, como don Epifanio Ruiz de Avellaneda, que sollozaba igual que una pecadora arrepentida, o como Carlos Miranda, que desde el día de la manifestación había fraguado una amistad estrecha con Marta, cuya secreta escapada hacia el tumulto supo proteger durante semanas hasta que un día se lo contaron los dos a Alberto, ya en su nuevo cargo, y rieron a coro, menos mal que les dio por reír, pensando en la cara que pondría el señor vicepresidente del gobierno si se enteraba de que un miembro de su gabinete estaba casado con una roja de ese calibre, como si no lo supieran en realidad, cuando éstos lo saben todo, lo controlan todo, lo vigilan todo.

—Aunque a mí me han elegido porque necesitan promover un aire de apertura y saben que no soy de los suyos —aclaró enseguida Alberto.

—Te equivocas, *caro* —volvió a martirizarle con sus chanzas—, te han elegido porque saben que no eres de los nuestros.

Rieron otra vez, rieron sin cesar aquella noche de las confidencias, la misma en la que Carlos Miranda les inició en el protocolo ritual del porro, hay médicos que se drogan con cosas más fuertes, pero el jachís ni es droga ni nada, no hace mal a nadie, les dijo mientras machacaba parsimonioso la piedra marrón y mezclaba el polvillo con el tabaco de un Fortuna desliado, y les dio por reír como tontos, y por desnudarse, hasta que se dieron cuenta de lo ridículos que estaban, el matrimonio en pelotas delante de un amigo médico que ya los había visto encuerados en unas cuantas ocasiones, pero por motivos de salud. La única novedad era el culito estrecho y la verga del doctor, encogida ahora por la emoción de que Marta la viera en presencia del otro, se comería a Marta si Alberto no estuviera allí, la estrujaría esas tetas perfectas, duras, arrogantes, se derramaría entero sobre su vientre, apenas maculado por el parto, pero el porro les obligaba a reír de continuo, a reírse a carcajadas, a desternillarse de risa, incluso cuando a Alberto, perdido el control, se le escapó un pedo demasiado sonoro, demasiado evidente e inoportuno, aunque inodoro, incoloro e insípido.

Todo eso sucedía pocas semanas antes de que el fuego se apoderara del cerebro de su padre y encendiera la mecha de la explosión arterial que le llevó a la muerte. Hacía meses que no hablaba Aniceto Llorés y se relacionaba con los demás únicamente a base de gestos difíciles y extraños, pues tenía también afectadas sus capacidades motoras. Murió en la soledad perpetua en que había vivido, apenas confortado por el cariño de una esposa gazmoña y distante que durante lustros mantuvo lejos de él a su propio hijo, ella decía que por proteger al chico de la tristeza y la amargura de su progenitor. Alberto había crecido entre silencios, ausencias, sobreentendidos, no recordaba haber tenido una conversación larga con su padre sobre casi nada. De hecho, desde que él era muy pequeño, a Aniceto se le agudizaron los dolores de cabeza y las dificultades de dicción. Logró la baja definitiva por incapacidad absoluta y se dispuso a esperar la muerte sentado ante una mesa camilla. A papá no se le podía molestar porque estaba enfermo y papá no tenía tiempo ni ganas de hablar con Alberto porque necesitaba concentrarse, ensayar su gimnasia de cuello, para fortalecerlo y que no le pesara tanto la placa de platino, que no le oprimiera el cerebelo como lo hacía, que le dejara respirar y meditar a gusto, que le permitiera reír si estaba contento o llorar si triste, que no le condenara a la tortura interminable que sufre aquel que sabe que el origen de sus males es el mismo que el de su existencia, y que la única manera de acabar con el padecimiento es terminar también, y de una vez por todas, con la vida. El muchacho creció como pudo, entre los agobios de mamá Flora, la solicitud displicente de Ruiz de Avellaneda, los mimos fingidos por doña Rosa durante los veranos, ausente siempre la idea de un hogar, de una familia, halagado y reprimido a un tiempo, ignorado por su propia ascendencia. Ahora que arrojaba sobre el ataúd de su padre la primera paletada de tierra, tenía bien claro que siempre se habían querido pero que nunca se lo habían dicho el uno al otro, sintió horror ante la sensación de odio, de rencor, de desprecio hacia su madre, que percibió en ese mismo momento. Ella era la responsable de aquel vacío interior que le abismaba. No estaba bien visto que las mujeres acudiesen a los enterramientos y doña Flora no lo hizo tampoco, quedándose acompañada por otras plañideras en la casa, como si de un ceremonial antiguo se tratara, pero Marta quiso acompañar a su marido y allí estaba, junto a él, compartiendo el dolor y la rabia de perder a alguien que se marchó para siempre sin haber podido saber más de él, sin haber sabido acercarse a sus decepciones y sus logros, a sus sueños ocultos bajo la faz desconcertada de un hombre sin casi ninguna facultad de relacionarse. Alberto se sintió culpable de lo que no tenía remedio, de haber dado la espalda a su propia sangre, de haber supuesto que las familias no se escogen, vienen dadas, y que por lo tanto tenía simplemente que aceptar o aguantar su lotería vital, cuando es cierto que debemos aprender a elegir a nuestros mayores, a descubrirlos, a interrogarlos, a vaciar su experiencia sobre nuestra inocente pudibundez, a decir eres mi padre porque quiero que lo seas, porque quiero que seas así, incluso inmóvil y afásico como estaba Aniceto, eres mi madre no porque yo me parezco a ti sino porque tú acabarás siendo como yo soy, porque quiero moldearos con los vicios y las virtudes que convienen a mi propia personalidad y convertirme en una prolongación vuestra, en lo que vosotros hubierais querido ser, incluso si no lo sabíais, formar parte de vuestra inmortalidad, de vuestra interminable herencia existencial, engendrada en los siglos de los siglos. Pero no quiero, en cambio, que mi madre se inspire en mí, se parezca a mí, no quiero que mi ser sea devorado por su ser, sino poder diseñarlo yo, vislumbrar sus perfiles y acotarlos. Ahora la arena caía a golpes sobre el ataúd, entonando un redoble maldito de olvidos y de ausencias, en un ceremonial no por esperado menos doloroso. El padre Mario, llevado al camposanto a sugerencia y por las buenas gestiones de Gerardo Anguita, rezó un responso y pronunció un sermoncito inútilmente arriesgado, ¡alegraos, hermanos, porque se ha muerto uno de vosotros, porque a vuestro padre, a vuestro primo, a vuestro suegro, al padre de vuestro amigo, le ha dado un jamacuco —no usó la palabra, claro, faltaba más— y se ha quedado en el sitio!, ¡alegraos, hermanos, porque Aniceto no sufrirá más en esta tierra y disfrutará eternamente en el cielo! No había sido sólo sacrificio y renuncia la vida de Aniceto. Durante mucho tiempo, sentado en su mesa camilla, se había sentido feliz deshojando las horas a base de oír Radio Madrid, la Cabalgata Fin de Semana de Bobby Deglané, o el programa de aquel argentino, Pepe Iglesias el Zorro, *yo soy el zorro, zorro, zorrito, para mayores y pequeñitos,* un humorista que arrasaba y convertía sus chistes en patrimonio cultural de los españoles, *yo soy el zorro, señoras, señores, de mil amores voy a empezar,* hasta que llegó la televisión, con sus series sobre abogados a lo Perry Mason, se podía triunfar subido a una silla de ruedas, y Broderick Crawford al frente de los patrulleros de la carretera, no es el coche el que mata, es el chofer, pronunciando el vocablo como se debía atendiendo a sus orígenes franceses, con acento en la e. La televisión, junto al turismo y los emigrantes, había cambiado la faz de España, aunque se viera en blanco y negro y sólo una cadena oficial cubriera la totalidad del país. Se nutría de series americanas dobladas en Puerto Rico que utilizaban como vehículo idiomático el español neutro, un castellano mezcla de todos los acentos posibles y réplica de ninguno de los existentes, un castellano en el que no se podía decir culo, para que no se irritaran los mexicanos, coger, para que además de éstos no se doblaran de la risa los argentinos, o joda y boludo, para que los españoles bienpensantes no se escandalizaran, un español que, a base de querer ser de todos, acabó siendo de nadie pero que popularizó frases todavía muy en boga a esas alturas, como «¡qué bueno que viniste!» o «¿qué tan linda me veo?», y que contribuyó a deformar/formar el idioma de la generación de la protesta. La televisión era el único vínculo con la vida real que al final de sus días le quedaba a Aniceto, cuando ya las manos le fallaban y no podía ensayar sus ejercicios de papiroflexia, que había aprendido leyendo a Unamuno, y no tenía fuerzas ni para continuar la gimnasia de cuello por lo que la cabeza se le ladeaba pronunciadamente bajo el peso del metal, y quién sabe de qué preocupaciones recónditas. Pero él disfrutaba así, hipnotizándose con la caja idiota, ignorante de que en los estudios de Televisión Española, desde los tiempos inmemoriales de su invención en España, siempre había a mano un chal, una rebequita, un poncho, algo con que tapar los escotes demasiados generosos, no se les fueran a arremolinar las ingles a los españoles si a la costurera de Lola Flores se le había ido la mano en la ventana del pecho. Aniceto era feliz con su pasmo televisivo y no había por qué satisfacerse con su muerte, ni entonar cantos de gloria por su recibimiento en un cielo que desconocemos, que intuimos sólo a medias, y que tantas veces nos inventamos para nuestro único beneficio.

La liturgia fue breve, como correspondía, y Alberto agradeció que no se formara esa fila de condolencias habituales en los sepelios. Mientras se despedía de los asistentes, contempló con desparpajo la variedad visible incluso en un conglomerado humano tan pequeño como aquél. Junto a sus compañeros de trabajo, altos cargos de la vicepresidencia y notorios mandamases de la situación, se arremolinaban los componentes, ahora desperdigados, de lo que fue una célula comunista y los restos del antiguo poder que su tutor representaba. Hablaban entre ellos sin desconfianza, sin rubor, sabiendo cada cual su posición, no sólo les unía la muerte de alguien querido o próximo sino, en gran medida, la edad, las experiencias, las preocupaciones, las interrogantes. Todos sabían dónde estaba cada uno, no se avergonzaban de ello ni echaban en cara nada a los demás. ¿Todos? Él no. ¿Dónde se encontraba él, Alberto Llorés, a sus veintiséis años de vida? Se había convertido en un ser respetable, importante en cierta medida, casado, con un hijo varón, dueño de una casa recién estrenada en el barrio de Salamanca, la sede del poder visible, alto funcionario de un régimen corrupto y decrépito en el que nunca había creído, un régimen que luchaba desesperadamente por su supervivencia, su prolongación, por culpa de que sus hijos, sus herederos, sus mentores, desconfiaban de él, se negaban a constituirse en su legado, a elegirlo como origen de su propia condición política. Un régimen repudiado por sus crías, surgido de la división de las familias y que constantemente volvía a enfrentar, a separar a los españoles, a confundirlos, a segregarlos. ¿Dónde estaba él, Alberto Llorés, sospechoso hasta para su mujer de colaboracionismo —¡vaya palabreja más pretenciosa!—, sospechoso para todos, para sus jefes, para sus compañeros, de ser, o haber sido, o poder ser compañero de viaje de la subversión? ¿A qué jugaba dejándose engatusar por las promesas de apertura? El vicepresidente te necesita en su equipo, le habían dicho, como prueba de que esto va en serio, de que vamos a democratizar, a liberalizar, a progresar, a cambiar, a emprender la ofensiva institucional. ¿Y quién cambiaba el cerebro agostado del Caudillo, la mirada impenetrable y oscura de Carrero Blanco, la inopia aparente en la que se desenvolvía el flamante Príncipe de España? «El que a los veinte años no es comunista es que no tiene corazón...» La frase resonaba machacona en su memoria, pese a que él nunca había sido socialista, ni nada parecido, socialdemócrata si acaso, como tantos otros decían en un alarde de cinismo o en una calculada apuesta por la seguridad. Declararse socialdemócrata era pretender distanciarse del gobierno, que no lo confundieran a uno, sin necesidad de alinearse con la subversión, era definirse como un posibilista. Lo más importante de su currículo de revolucionario residía en el hecho de haber firmado un manifiesto contra la tortura que encabezaban Joan Miró y el cantautor Serrat, amén de la circunstancia, nada despreciable, de haberse casado con una extranjera de filiación izquierdista. Lo más relevante de su historial de colaboracionista era haber entrado al servicio de la administración pública gracias a su padrino, viejo preboste del sistema, dedicarse a realizar equilibrios intelectuales que demostraran que este último podía abrirse al exterior, normalizarse, y pedir para ello la contribución desinteresada de un profesor paleomarxista y paleocristiano, más interesado por la sonrisa de un efebo que por el materialismo dialéctico. ¿Dónde se encontraba él, a sus veintiséis años, con la existencia tan organizada, tan establecida, tan ordenada a un fin, tan ausente del ajetreo de los jóvenes, de la parálisis de los ancianos, de la autosatisfacción de los adultos? ¿Se puede tener la vida hecha a tan temprana edad? «... Y el que a los cuarenta años sigue siéndolo es que no tiene cabeza.» Le quedaba mucho tiempo para asumir la madurez, pero contemplaba la juventud distante, periclitada. Las paladas de tierra sobre la caja de roble que contenía el cadáver de aquel hombre sin cerebro habían sellado también, bajo una tumba espesa de piedras y de lodo, los años mozos de los que nunca supo disfrutar. Él estaba donde siempre se había visto a sí mismo: en un limbo asediado de palabras posibles y de pasos concretos; un universo hecho de reflexión, sin lugar para las utopías y en el que los sueños acababan siempre siendo realidad; un firmamento de equilibrios, basado en dudas discretas, que no dieran pábulo a la inseguridad e impidieran que el miedo, consejero principal de nuestros actos, nos tornara prudentes y hasta sabios; un mundo en el que ser felices resultaba todavía un proyecto verosímil: el mundo en que los hijos escogen a sus padres.

II

*Entonces hubo una batalla en el cielo:
Miguel y sus ángeles lucharon contra
el dragón.*
(San Juan. Apocalipsis, XII, 7)

Uno

Artemio Henares aceptó de mala gana la sustitución que le encargaron. Había pensado adelantar sus vacaciones de Navidad y un viaje inesperado de su jefe le obligó a cambiar de planes.

—Te tomarás tu revancha, lo prometo —le intentó consolar el superior—, pero no puedo decir que no a esa invitación.

El presidente panameño, general Omar Torrijos, estaba preocupado por el cerco internacional que en torno a su imagen habían ido tejiendo los servicios de información extranjeros. No le quedaban aliados de peso al dictador, obligado a gobernar su país bajo la vigilancia intensiva de los militares norteamericanos y condicionado por la administración del canal, cuya devolución a la soberanía patria le parecía irrenunciable. Pero todavía existía en el viejo continente un país comprensivo con la teoría y la práctica del caudillaje, aunque ese Franco fuera más de derechas que el diablo y no comprendiera la idiosincrasia del problema centroamericano. Torrijos no necesitaba, en cualquier caso, ningún pedigrí izquierdista, sus relaciones con Fidel eran buenas, y estaba a cubierto de cualquier aventura guerrillera fraguada en la utopía del foquismo: «Hagamos cien Vietnam en América Latina». Lo que necesitaba era transmitir su mensaje de cualquier modo, antes de que los gringos le montaran lo que en Chile, donde el régimen de Allende había sucumbido a un golpe cruento y humillante, financiado y propiciado por Washington y las grandes multinacionales estadounidenses. O sea que no le pareció mal la sugerencia, la hiciera quien la hiciese, de convidar a los directores de diarios y agencias de Madrid y Barcelona, romper así el cerco establecido por el imperio y hacerse oír en Europa, aunque cupiesen dudas razonables respecto a que España fuera de veras un país europeo. Pero al fin y al cabo, pensó, la geografía manda, como aquí, en Panamá.

De modo que el ogro Artemio, como le llamaban muchos de sus subordinados y, más que nada, subordinadas, en alusión a las malas pulgas y el desagradable genio de su carácter, asumió la dirección en funciones del diario. La prensa de Madrid estaba descabezada aquel 20 de diciembre de 1973, con todos sus máximos responsables perdidos en la selva, disfrutando y sorprendiéndose con las ocurrencias de Omar, el Presidente general, mientras a la capital de España había llegado un día antes el secretario de Estado norteamericano, Henry Kissinger, para explicar la situación en el Oriente Cercano y el desarrollo de los acontecimientos en Chile, donde el avance del marxismo, los coqueteos con Castro, la irritación de la clase media por los problemas de abastecimiento, la escalada de la subversión, habían hecho imprescindible la intervención del Ejército, Allende era un pelele, Allende era un Kerenski, Allende era un iluso, un primer paso en la destrucción de la civilización cristiana y occidental del país, un tonto útil, ambrosía para los oídos del almirante Carrero que, no obstante, insiste en explicarle al señor secretario su teoría de que para la guerra nuclear, y para la convencional, Occidente está preparado, saldrá victorioso, pero no así en la guerra subversiva, donde la coordinación es mala, los servicios de inteligencia no funcionan, hay muy poca coherencia entre ellos, tanto lo creía así que incluso se lo había dicho en su día al mismísimo Clodomiro Almeida, ministro de Exteriores del malogrado Salvador Allende y uno de los máximos dirigentes del Partido Comunista de su país, cuando se despidió de él con una frase que dejó a su interlocutor completamente boquiabierto:

—Desengáñese, señor ministro, el enemigo común contra el que tenemos que luchar es el marxismo.

—¡Pues bien desengañado que estará ahora el pobre don Clodo!, aunque con ese nombre tan raro nadie puede triunfar en política —comentaba jocoso Artemio.

Para ese mismo 20 de diciembre se había citado a juicio a nueve líderes del clandestino sindicato Comisiones Obreras, un cura entre ellos, a éste le aplican el palo y no la vela, pensaba Mirandita. El fiscal solicitaba penas de más de veinte años para cada uno por asociación ilegal y la vista iba a ser la oportunidad aprovechada por los comunistas para llevar a cabo una gigantesca movilización de masas. Frente al palacio de Justicia, en la plaza de las Salesas, se había ido formando desde primeras horas de la madrugada una larguísima cola de gente que pretendía entrar en la sala, mientras en decenas de fábricas del extrarradio de la capital la jornada comenzó con una huelga de brazos caídos. La policía se encontraba apostada en las inmediaciones de los tribunales con gran despliegue de tanquetas, mangueras y material disuasivo, balas de goma, botes de humo y porras de cuero, que los oficiales llamaban piadosamente defensas aunque servían mayormente para doblar el espinazo de los revoltosos, o de cualquier ciudadano que tuviera la desgracia de pasar por allí en el momento de una escaramuza. Todo indicaba que aquel proceso iba a superar en expectación y consecuencias al mismísimo juicio de Burgos, todavía reciente en la memoria de los españoles, porque se había terminado planteando como una confrontación abierta con la oposición. El gobierno quería más apoyo del extranjero en aquella contienda anticomunista *urbi et orbi* en la que andaba empeñado y de la que dependía su estrategia de continuidad, el franquismo sin Franco, el juancarlismo orgánico que, en opinión de Primitivo Ansorena, sólo podía traducirse como que ponemos a este Rey porque nos sale de los mismísimos órganos, de los genitales, vaya.

El día había amanecido gris, lloviznoso, y Artemio Henares decidió que no iría a trabajar hasta la tarde, se quedaría en casa leyendo papeles atrasados, vagueando un poco, y le pediría a Cienfuegos que hiciera las veces de redactor jefe, cada día funciona mejor este muchacho, tiene coraje, ambición y ganas, parece que ha vuelto con la familia y ha dejado el alcohol definitivamente, aunque eso no se deja nunca del todo. Estoy seguro de que llegará muy alto.

—Te sientas en mi mesa —le dijo—, para que todos vean que tienes autoridad, mejor dicho, que tienes poder, un redactor jefe es alguien con poder, qué cojones.

A las nueve de la mañana, Eduardo aposentó sus reales en el sillón de madera y cuero que acostumbraba a soportar la gruesa humanidad de Artemio. Contempló con curiosidad el descomunal mueble, acorde con el tamaño de su dueño, que se extendía ante él. Era una mesa de caoba que a comienzos del siglo había prestado servicios en la redacción de *La Correspondencia de España,* dando albergue a cuatro periodistas en el mismo espacio destinado ahora exclusivamente para disfrute de la corpulencia del redactor jefe. Tenía un tapete de piel verde de reciente incorporación, a juzgar por el brillo de sus orlas doradas, en forma de pequeñas flores de lis, y estaba protegida por un cristal que ejercía de escudo frente a los cafés derramados, el deambular de la ceniza y los círculos viscosos que los vasos de licor solían depositar como recuerdo. La carpeta de hule que hacía las veces de escritorio olía a tabaco, a humanidad grasienta. Bajo el tablero, Eduardo descubrió un extraño artilugio, una especie de soporte rectangular, abierto por sus extremidades, cuya utilidad no lograba comprender. Tampoco le prestó mucha atención, dedicándose en cambio a disfrutar con la vaharada de periodismo que subía de aquellos montones de papeles apilados ante sí, las bandejitas de plástico, «para hoy», «para mañana», los pinchos donde un botones displicente iba ensartando despachos del teletipo, los botes atestados de lapiceros, medio destruidos por los mordiscos que acostumbraba a propinarles su propietario, y de bolígrafos a los que Artemio, de origen argentino, llamaba birome porque, según explicaba, aquél era un invento de un húngaro exiliado al Río de la Plata que se llamaba Biro, o Büro, o Byro, o como leches se transcribiera al español.

—Los húngaros son muy importantes en la historia de España, de lo hispano en general. Bueno,

mejor dicho, los austrohúngaros —aseguraba con sorna mal entendida. Y el día en que un autobús de transporte urbano fabricado en Budapest se había llevado
por delante a un niño en una capital de provincia, Artemio Henares convocó a toda la redacción a palmadas
y les volvió a explicar hasta qué punto los destinos his-
panos estaban cruzados con los de los magiares.

—¡Qué destinos ni qué coños! —se atrevió
a corregirle con vehemencia Eduardo Cienfuegos—.
¡Habían hecho el suelo de la camioneta con cartón
piedra!

—Escríbelo si te atreves y, sobre todo, si es
verdad.

Claro que era verdad, no lo iba a saber él, que
los autobuses los había traído su padre y que había
tenido que soltar tela a troche y moche para que le
dieran la licencia de importación. Y claro que lo escri-
biría, aunque a saber qué podría publicarse y qué no,
porque eso era como lo de Matesa en chiquitito.

—Y con un chavalín que ha perdido un pie
—añadió desafiante.

No salió a la luz casi nada pero, en cambio,
germinó una amistad y una confianza mutuas entre
Eduardo y el jefe de redacción, me gusta que me lleven la contraria, que me discutan, decía éste, los que
sólo obedecen no valen para el oficio, por eso estaba
ahora Cienfuegos al frente del periódico, con el director defendiéndose de los mosquitos en la selva americana y el sustituto papando moscas en su casa, porque
había sabido protestar a tiempo, criticar, demostrar
que no se conformaba, no tragarse las cachondadas del
jefe, que disfruta haciendo sufrir a los becarios, sobre
todo a las becarias, es un machista Artemio, no me ex-

traña que le llamen el ogro, aunque sus razones tiene, las tías ya se sabe, son todas unas calienta braguetas y venden su alma al demonio por un buen polvo.

Estaba Eduardo sumido en sus meditaciones cuando, sobre las nueve y media de la mañana, una muchacha de aspecto tímido, el pelo cortado a lo *garçon* y con una minifalda que permitía imaginar lo poco que no descubría, asomó su cabecita por la puerta del despacho acristalado. Lourdes Escribano, alevín de periodista, está buena y es tonta, mejor dicho, inculta, pero ya aprenderá.

—Llama un vecino —dice ella—. Parece que ha habido una explosión de gas en Claudio Coello, cerca de Diego de León. Lo he comprobado con los bomberos.

—¡Pues vete para allá! Y llévate a Liborio. No, a Liborio, no, que está en lo del juicio. Ya te mando a otro cuando lo tenga.

La población andaba muy alarmada por aquellas fechas con los sucesos de ese género. El gobierno había impulsado la sustitución para uso doméstico del combustible fabricado industrialmente en las urbes, conocido popularmente como gas-ciudad, por otro mucho más barato y con mayor valor energético, el gas natural del norte de África. No había sido una decisión fácil porque obligaba a mantener relaciones privilegiadas con Argelia, en un momento en que las reivindicaciones marroquíes sobre el antiguo protectorado español en el Sáhara crecían de tono, lo que enfrentaba a las diplomacias de los países magrebíes. España, obligada a abandonar los territorios del Río de Oro, apoyaba taimadamente la independencia de su colonia, elevada al rango de provincia, frente a las aspiraciones anexionistas de Rabat. El contrato del gas con los argelinos alimentó la tensión ya existente, también acrecentada por las actividades de las mafias que controlaban las operaciones de los pescadores españoles en aguas de Marruecos, organizaciones criminales con las que se decía estaban vinculados algunos familiares del mismísimo rey Hassan. Pero las preocupaciones populares por el gas natural eran de signo muy distinto y para nada tenían que ver con tales cuitas políticas; las instalaciones de la red que hasta entonces distribuía el combustible, constituido mayormente por gases pobres manufacturados, se mostraban inservibles para contener la presión del nuevo fluido que llegaba de África, las cañerías estaban llenas de fugas que generaban bolsas repletas de metano, auténticas minas subterráneas que durante meses fueron acumulando su poder destructivo en el subsuelo de algunas urbes, cuando no reventaban explosionando aquí y allá, sembrando el pánico. Hacía poco más de un año que, en Barcelona, una casa de vecinos se había venido abajo estrepitosamente a consecuencia de uno de esos estallidos, sepultando entre los escombros a dieciocho víctimas inocentes de la modernización industrial del país, aunque no faltó quien pusiera en duda semejante explicación, aludiendo a la existencia de secretos depósitos de armas allí alojados, una especie de polvorín terrorista de la extrema derecha, hipótesis alimentada por la misteriosa desaparición del sumario judicial sobre los hechos, robado o destruido en las dependencias oficiales. Sucesivos derrumbamientos en otros dos inmuebles, con parecidas o incluso peores consecuencias en cuanto a pérdida de vidas humanas y daños de esos que los periódicos llaman materiales, como si la muerte de las personas fuera únicamente un hecho espiritual y no tan físico y palpable como la reducción a astillas de un salón-comedor, terminaron por convencer a la opinión pública de la veracidad de la noticia: el culpable era aquel gas maligno, letal, que llegaba de la otra orilla del Mediterráneo, a cuyo siniestro récord de accidentes se sumaban otros que hacían referencia a muertes por explosiones de butano, cuyo uso se había extendido no sólo a las cocinas sino también a los braseros individuales y a los taxis, hasta que en pleno centro de Madrid un viejo coche de transporte público ardió por completo, carbonizados sus pasajeros por la impericia del conductor al manipular las válvulas de las bombonas, lo que provocó que, durante meses, hubiera gente presa de un exagerado temor a encender un cigarrillo en un vehículo de ésos, no se fuera todo a la mierda en un santiamén. La relación con el gas por parte de los españoles andaba, por entonces, teñida de una angustia difícilmente descriptible. Había amas de casa que se santiguaban al encender la lumbre, despidiéndose de la vida para siempre tras decidirse a asumir el riesgo de freír una tortilla, y jubilados que comprobaban por dos o tres veces, cada noche, que habían cerrado las llaves de paso. Tanto lo hacían que, a menudo, perdían el norte y las dejaban abiertas en vez de ocluidas, con lo que sus esperanzas de supervivencia disminuían a ojos vista. Eran normales los sucesos de ancianitos noqueados para siempre por el estallido de una bombona, de frágiles pisos destruidos por la onda expansiva y de chalecitos modestos reducidos a escombros en parecidas circunstancias. De manera que el suceso de la calle Claudio Coello podía tener su importancia, aunque la atención de Eduardo Cienfuegos, pasado el primer arrebato emocional que le produjo sentarse en el puente de mando del periódico, estaba centrada en la sala de justicia donde iba a celebrarse la vista del proceso 1.001, vaya numeración jodida, como para que alguien se olvide del caso, debe de haberla puesto un infiltrado o un cretino. El reportero desplazado al lugar de los hechos acababa de llamar comunicando que los guardias habían comenzado a repartir leña en la cola, aunque todavía faltaban más de treinta minutos para que la vista comenzara. En los encontronazos que se produjeron, habían dado un palo a Liborio, escacharrándole la cámara, pues que se fuera para el periódico a por otra, eso había hecho ya y en cinco minutos llegaba, la policía había detenido a un par de personas y seguían los enfrentamientos, aunque a pequeña escala.

No tenía sentido aquel juicio, al menos si alguien quería creerse las promesas aperturistas, europeístas, democratizadoras, la ofensiva institucional del gobierno, que esa misma mañana se iba a reunir para analizar los documentos y propuestas a este respecto del vicepresidente Fernández Miranda. Los acusados, aprehendidos meses antes cuando se hallaban en los locales de un convento de padres oblatos, pertenecían al único sindicato potente y organizado que existía, por clandestino que fuera, y ni siquiera esto último, pues una gran cantidad de empresarios, todos los grandes desde luego, habían decidido desde hacía tiempo negociar con Comisiones Obreras, pactar con sus representantes los convenios colectivos, era lo único que les garantizaba una cierta paz laboral, una seguridad en el crecimiento, aunque cuando habían necesitado la ayuda del poder, en Michelin, en Seat, en el ramo del metal, bien que habían acudido a los guardias. El sindicato tenía, además, el apoyo de amplios sectores de la Iglesia, no sólo por los curillas que dieron refugio a su cónclave, descubierto sin duda mediante la traidora confidencia de algún chivato nunca desenmascarado, sino sobre todo porque el cardenal Tarancón, arzobispo de Madrid y presidente de la Conferencia Episcopal, abogaba con brío por una libertad sindical impulsada desde antaño por organizaciones como las Juventudes Obreras Cristianas o las Hermandades Obreras Católicas. Varios sacerdotes, como el padre Llanos, antiguo mentor intelectual de la Falange, preceptor y modelo de los flechas y pelayos que juraban brazo en alto fidelidad a los principios del glorioso Movimiento Nacional, inmutables, inamovibles y pétreos como las tablas de la ley de Dios, militaban ahora abiertamente en las filas de los sindicatos de clase y denunciaban, desde su destierro voluntario en las chabolas del extrarradio madrileño, las condiciones opresivas de las relaciones laborales. Los curas obreros se habían extendido por toda España durante la década de los sesenta, en una imitación recurrente de las modas y experiencias francesas, que siempre han admirado a nuestros compatriotas. Combinaban su ministerio con el trabajo en las minas, en los puertos, en la construcción, en las fábricas, practicaban el diálogo con el marxismo que había propiciado el papa Juan XXIII, hasta el punto de ingresar abiertamente en sus filas. Algunos, quizá muchos, colgaban la sotana tras amancebarse, antes de formar familias que en su gran parte pretendían seguir la regla cristiana del matrimonio, sacramento que preferían al del sacerdocio. Los había que elegían marcharse a América Latina, atraídos por el aura de los frailes guerrilleros, porque la ira de Cristo Rey servía para cualquier ideología, echemos a latigazos a los mercaderes que habitan el templo, a latigazos o a tiro limpio, ¿qué más daba como estaban las cosas?, otros progresaban en el aparato del Partido Comunista y del sindicato controlado por éste, devenían en líderes, escogían la carrera del poder, y el juicio de hoy iba a ser el escarmiento de todos ellos, de todos los que subvertían la paz de España mancillando el nombre del Señor, blasfemando contra él, utilizándolo. El almirante Carrero estaba dispuesto a mostrarse inflexible en su política de represión del comunismo, el enemigo común junto a la masonería. No llegaba a comprender cómo gentes de religión podían terminar atrapados en las garras del materialismo y en el odio de la lucha entre clases, pedía por ellos a diario en la misa a la que asistía, puntualmente, a las nueve de la mañana en la iglesia de los Jesuitas de la calle Serrano, pedía por ellos, rezaba por sus enemigos, por los enemigos de todos, los perdonaba de corazón, pero nada de eso le haría renunciar a su deber, a sus sagradas obligaciones, que había jurado sobre la Biblia y ante el Crucifijo el día que asumió el cargo, las mismas, idénticas a las que contrajo cuando besó la bandera, después de obtener su diploma de oficial, y su deber era perseguirlos, detenerlos, juzgarlos, encarcelarlos, su deber era mantener la unidad de la patria y de los españoles, garantizar la tranquilidad de la que disfrutaban gracias al Caudillo, prever la sucesión, preparar al Príncipe para la ardua tarea que le esperaba como monarca, aniquilar el mal, odiar el delito y compadecer al delincuente. Aquella mañana, después de comulgar como todos los días, postrado en su banco durante la acción de gracias, elevó una oración para que los jueces estuvieran acertados en el fallo que el ministro de Justicia ya se habría encargado de orientar, rezó por los suyos y aún tuvo un minuto para experimentar el desagrado que nuevamente le había producido toparse con la cara hirsuta y acomplejada de Gregorio López Bravo, el antiguo ministro de Exteriores al que había destituido cuando le nombraron Presidente. Se dejaba ver cada mañana por el templo, como antes otros hacían en el restaurante de Mayte, sólo para que él supiera que estaba allí, que se encontraba disponible, que era católico de los de verdad y que se podía contar con él, cuando usted quiera, donde usted quiera, para lo que usted quiera, mi almirante, mi presidente, mi señor, mi jefe. No le gustaba López Bravo, era un liberal dudoso, demasiado flexible en todo, demasiado altivo tras el éxito del reconocimiento diplomático a la China de Pekín, demasiado de pacotilla, un hombre blando, quizá propenso a una venalidad que escondía bajo la máscara de su sonrisa profidén, no le gustaba que no fuera auténtico, real, veraz, sincero, recio, cabal, como deben ser los españoles, de una pieza hasta para morir, de una pieza hasta para matar, y ninguna de ambas cosas parecían atraer demasiado a ese individuo.

Lo del juicio se iba a poner caliente, ya había comenzado la jarana y todavía no daban las diez. Eduardo Cienfuegos, alias *Andrés* en las fichas de la policía franquista, se estiró sin remilgos, desperezando el músculo y prometiéndose una jornada de emociones. Le gustaba el periodismo, había nacido para él, se sentía como pez en el agua, era un mundo de independencia, de compromiso con todos y con nadie a la vez, un mundo que te permitía crear y destruir, donde se entremezclaban toda clase de vanidades y de vergüenzas, en el que todavía los más viejos te pedían las invitaciones para los actos de la tarde si había cóctel donde cenar gratis y los más jóvenes se creían que bastaba con cepillarse a una actriz de fama, vieja y arrugada, o hacerle cucamonas a cualquier escultor gallego pariente postizo de Salvador Dalí, para lograr la inmortalidad y la fama. Era un mundo de gandules con aires de Academia, de gente sincera, sencilla y amodorrada que no creía más que lo que tenía delante de las narices, como santo Tomás, si no lo veo no lo creo, si no lo toco no lo manduco, que se había ganado a pulso ser patrón de los periodistas en opinión de Artemio, y no sabía por qué diablos no le habían concedido semejante indulgencia. La voz de Alejandra, la telefonista, le devolvió a la realidad inmediata.

—Buenos días, guapo, te llama Lourdes.

No le gustaban esas familiaridades ahora que era jefe, ¿quién era Lourdes?, la becaria, ¡ah!, la niñita de los muslos, me comería ese culito, llamaba desde donde la explosión.

—¿Eduardo? Oye... *(toses)*... aquí huele a gas cantidad y andan los bomberos achicando agua porque se ha roto una tubería.

—¿Hay víctimas?

—Sí, parece que sí... *(silencio)*... ¿sabes?, yo no me lo creo, pero... dicen que la explosión ha podido enganchar al Presidente del gobierno. Voy a enterarme y te llamo luego.

No tuvo tiempo de reaccionar porque la otra colgó sin más protocolo, pero le hubiera gustado decirle «no te tragues esa trola tú solita, que alguien se está quedando contigo». Hubiera sido una forma de comenzar a tirarle los tejos.

Dos

Había estado casi toda la noche en vela, bus-
cándola inútilmente. Nadie le daba razón de la negra,
pero si usted quiere yo le hago el mismo servicio, se
había ofrecido una compañera de la Caoba, de tez
aceitunada y oliendo a mugre. ¿El mismo servicio?
¡Qué coño sabía ella! Pues sí sabía, mire por dónde,
porque con Delfina eran como hermanas, se lo contaban todo y estaba al tanto de las guarrerías que le
gustaba que le hicieran, era fácil, no fuera a creer, bastaba con beber un poco más de agua y concentrarse
luego hasta que saliera el líquido, lluvia dorada le llaman los cursis a eso de mearles encima, será que vienen de Francia o que son más educados que usted y
que yo, don Lorenzo, ¿te puedo tutear?, te tuteo si
quieres porque en realidad te conozco de casi toda la
vida, te conozco como ni tú mismo te puedes imaginar, sé cómo es tu casa, cómo es tu palangana, cómo
es tu cama y hasta cómo es tu pilila, ja, ja, ja, ja, perdona, no pongas esa cara que sólo trataba de ser simpática, yo lo sé todo de ti y sé todo de la negra, sé que
se ha largado con un señor bien, profesor o algo así,
mayorcito, y sé cuándo y por qué (es que le ha puesto
un piso), pero en cambio no me ha dicho dónde, es
muy puta Delfina, más que todas nosotras, dice que
quiere empezar una nueva vida, olvidarse de todo esto, aunque de ti no se olvidará, te aprecia, siempre la

respetaste, ¿quieres que te orine un poco?, puedo hacerte un descuento.

Anduvo merodeando por los otros bares de la zona, preguntando azorado, defendiéndose de las busconas y de los chulos, pero todo fue inútil, Caobita se había esfumado, nadie sabía dar razón de ella. Era ya muy tarde cuando volvió a aquella casa desangelada y fría, esa casa como un almacén de libros, como de estar de paso, que a él le pareció, no obstante, acogedora porque era su hogar, su refugio, su castillo. Buscó distraídamente un disco, la banda del sargento Pepper sonó enseguida en el reproductor y pasó un rato escuchándola, *Lucy in the sky with diamonds,* Lucy en el cielo con diamantes, Delfina en el infierno con no se sabe quién, le gustaría saber más inglés que el de las carátulas de los discos, le gustaría saber más de todo, vengarse de su ignorancia y de la ignorancia ajena, comprender mejor lo que leía, asumir de otro modo las lecciones, le gustaría ser más útil a la causa y se avergonzaba de no esforzarse suficientemente en ello. Él estaba en esto por convicción, porque había vivido la angustia del vencido, las horas interminables de espera en la cárcel para ver a su madre en un locutorio mugriento y oliendo a cuadra, aquellas caras entumecidas y oblicuas de las comunes, sus miradas lascivas y hambrientas, su callado grito de dolor ante el abandono, la desesperación y el aburrimiento. Él no aceptaba tratos, ni componendas, ni mucho menos traiciones. ¿Que los rusos querían información? ¿Qué clase de información? ¿Querían saber cómo se utilizaba su dinero, las cuatro perras con que ayudaban, el oro de Moscú? ¿Querían que trabajara para la causa obrera o para la Unión Soviética? Son la misma cosa, le habían dicho. La misma cosa, no, aquello es una superpotencia como la de los zares, mayor que la de los zares. No, no colaboraría con el KGB, no espiaría a sus compañeros, no los denunciaría, no creía en las purgas. Imposible decir que no si te han elegido, le advirtieron, no admiten negativas. ¿Quiénes son ellos para pretender constituirse en dueños de mis decisiones? Yo estoy aquí porque quiero, porque vi a mi madre consumirse en la hoguera del miedo y pudrirse en el olvido, porque soy fiel a su memoria y a la de ese padre héroe que nunca conocí. ¡Que no me jodan!

El reloj pasaba de las tres cuando se fue a la cama, a las siete había quedado con Ramón en las Salesas. Buen chico, Ramón: no se había olvidado de los amigos. Naturalmente estaba distinto, como envejecido, pero seguía siendo fiel a su pasado. Le habían acreditado para el juicio en representación de un periódico americano, un trabajo ocasional, porque él ya había dicho que pensaba dedicarse a los negocios del padre y además no estaba de acuerdo con los usos de la prensa mercantilista. Tú vienes conmigo y te cuelo, le dijo, de otro modo va a ser difícil que entres. A las siete, entonces, en las Salesas. Poco iba a dormir esa noche, poco había dormido, ¿cómo estás, Ramón?, ¿cómo estás, Cipriano?, ya no se llamaban por el nombre de guerra sino por el de cristianar, otra vez juntos en la brega, otra vez, sí pero tú, Ramón, vienes de señorito, y tú de obrero como siempre, se chancearon, había mucha gente alrededor, hombres maduros, de aspecto severo y ceño fruncido, trabajadores, estudiantes, chicas con abrigos de imitación piel, mujeres arrebujadas en sus bufandas de lana barata, apelmazada de tantos lavados, periodistas, curiosos, un par de marginales. Los policías miraban con atención al grupo que iba creciendo, extendiéndose como una mancha de aceite, ¡guarden la fila, señores, y no hagan corros!, ¡libertad sindical!, cállense o mandamos intervenir, pero con el rabillo del ojo espiaban las pequeñas aglomeraciones de jóvenes que se apuntaban en las esquinas cercanas, cejijuntos de la ultraderecha, pisaverdes a la brillantina entreverados de macarras, guerrilleros de la otra guerra de Cristo. La fila es un hervidero de comentarios, de protestas airadas, de promesas, la fila es, otra vez, una serpiente emplumada a los ojos de Enriqueta, ¿no me conocéis?, soy Cristina, con el pelo teñido y esa vestimenta formal no te conoce ni la madre que te parió, masculla el compañero Lorenzo, esta chica no se pierde una, ¿no andabas huida desde lo de la universitaria?, ¿no te pisaba los pies la pasma?, sí, no habléis tan alto, por eso se quitó de en medio, estuvo en el norte unos meses y luego de clandestina total, ¿por qué te metes en la boca del lobo?, vengo a lo mío, vaya emoción, tiempo sin vernos camaradas, ella está levantisca, como siempre, plana por delante y por detrás, como siempre, *quam tabulam rasam*, ¿pero qué tendrá esta chica para que me apetezca tirármela?, será el *coté* intelectual se barrunta Ramón Llorés, hola Enriqueta, compañera Cristina, ¿cómo estás?, salud compañeros, me alegra que nos encontremos aquí, vamos a dar a los fascistas la respuesta que se merecen, ¿tenéis noticias de Villaverde, de Carabanchel, de Bilbao, de Valladolid?, el paro es general, la huelga revolucionaria comienza hoy, a Lorenzo en cambio le entristece, este juicio es el signo de los tiempos, la prueba del nueve de que nada tiene solución, vamos a peor con el almirante, ¿no os lo decía?, los oficiales de la mar son mala gente, muy clasistas, en el 36 tuvieron que tirar a todos por la borda pero no bastó, no escarmentaron. Nueva llamada al orden de la policía, que ha comenzado a repartir estopa en la parte de atrás de la cola, no atendáis a provocaciones, insiste Cipriano, que lo que éstos quieren es un pretexto para no dejarnos entrar, para evitar el pronunciamiento de las masas, aprendieron en el juicio de Burgos y no están dispuestos a que el espectáculo se repita, se sienten poderosos, fuertes.

—Después de lo de Chile no es para menos —se lamenta Enriqueta Zabalza—. Lo de Pinochet es aún peor que lo de Franco. Es genocidio.

¿Peor que Franco? Peor que Franco no hay nada, criatura, vuelve Lorenzo a la carga, tú has venido muy tarde a este mundo y no sabes de la misa la media, no has pasado hambre, ni privaciones, ni frío, aunque frío lo pasamos todos hoy, esta mañana de diciembre en Madrid, un frío húmedo, pastoso, que te cala los huesos sin apenas darte cuenta y, cuando quieres enterarte, ya no hay forma de sacarlo del cuerpo, el sol pugna inútilmente por filtrarse entre la neblina gris, ya escampará entrando el día. Los ojos de Enriqueta Zabalza, ocultos bajo unos vidrios ahumados, buscan por un momento la mirada de Ramón Llorés, el compañero Tomás, hay reproche y admiración en su gesto, como un felino desconfiado a la vez que sumiso; por una esquina aparece Liborio, el periodista, ¿Liborio qué?, Liborio a secas, foto Liborio dice el diario, todo el mundo lo conoce así y basta, viene doliéndose del espinazo porque le han descargado un mandoble a traición, y con la cámara abierta entre las manos.

—¡Se ha quedado hecha unos zorros! Ha sido Fernández Trigo el que dio la orden —comenta—. Lo he visto por aquí cerca, en una bocacalle, no sabe más que pegar coces. ¿Conocéis a Fernández Trigo?

Cristina lo conoce, vaya que sí, y no quisiera volverlo a ver en su vida. Todo el mundo parece conocerse aquí, piensa Cipriano, todo el mundo presume de saber, me molestan las confidencias de Delfina con las otras putas, eso que me juraba que nunca contaría a nadie de mí, ¿qué les importará a ellas cómo tengo el culo?, de momento lo tengo molido a empellones porque las puertas se han abierto y la masa apretuja, a medias porque quiere entrar en la sala, a medias porque quiere huir de los trallazos de la pasma. ¿Qué es lo que dicen esos chalados de ahí atrás? ¿Que ha habido una explosión de gas en casa de Carrero Blanco? Será la Providencia la que ha encendido la mecha.

—¿Mecha? No hay mecha, no hablemos de bombas. De momento no podemos confirmar ni desmentir nada. Aunque, en efecto, parece que en el suceso de Claudio Coello se ha visto afectada la persona del Presidente del gobierno.

El subdirector general de prensa parece gallego, como su superior inmediato, los gallegos mandan cada vez más en este régimen, será que los ponen para no comprometerse. Yo no te digo ni que sí ni que no, suele contestar a cualquier interrogante un antiguo corresponsal del diario de los sindicatos oficiales y ahora máximo jefe de la censura oculta de la dictablanda, la apertura controlada que promete el régimen, yo sólo te digo que si quieres que te cuente el cuento de la buena pipa, acostumbra a terminar la frase el ogro Artemio antes de colgar el teléfono con cajas destempladas, que no hay gallego que se la pele a un porteño, pero a las diez de la mañana del día 20 de diciembre el señor director general no se encuentra todavía en su despacho, por lo que es su segundo el que se dedica a atender las llamadas de los periodistas en solicitud de información sobre el estallido del barrio de Salamanca.

—Sobre todo, mucho cuidado, ¿eh?, no se os ocurra dar noticias sin comprobar —aconseja paternalmente.

Enseguida llama Lourdes:

—Oye, que sí, que parece que Carrero está herido y hay quien dice que gravemente. Se lo han llevado al hospital. Por aquí no se ve nada, sólo hay un olor a gas terrible y un gran boquete lleno de agua, policías, militares, bomberos, gran confusión.

—Pues no te muevas, ya llegan los fotógrafos.

Y luego, a voz en grito:

—¿Quién coño está disponible y se va para allá?

Mientras lo discuten suena otra vez el teléfono, la voz melosa de la secretaria le anuncia que Carlos Miranda está al aparato.

—¿Hola, eres Eduardo? No me conoces pero yo a ti sí. De mi padre, es amigo del tuyo, hicieron un negocio.

¿Qué será esta moda novedosa de que todos nos conozcamos a todos, cuando tanto hemos querido pasar desapercibidos?, se preocupa Cipriano Sansegundo, el compañero Lorenzo, mientras trata de hacerse un hueco en la bancada, dispuesto a seguir con atención los pormenores de la vista. Enriqueta se ha quedado fuera con la oleada humana, perdida entre las mangas de los abrigos que huelen a sudorina, a pan rancio y a perfumes baratos, son las mujeres del pueblo, las hembras de verdad y no de caucho, las auténticas mujeres objeto. Ella ha preferido irse, qué locura dejarse ver tan cerca de la pasma. Jugamos a la clandestinidad, se atormenta Cipriano, a pasar desapercibidos, y nos convertimos, casi, casi, en populares. ¡Puta política!

—Escucha, chico —le dice Miranda a Cienfuegos—, yo lo he visto, no te doy testimonio de otros, y es Carrero Blanco. Lo tienen tendido sobre una mesa de operaciones, bajo una sábana de la que sobresale la cabeza, inmóvil. No me he podido acercar mucho pero juraría que está muerto.

A Eduardo le viene un golpe de sangre a la cara, el marrón se lo va a tener que comer ahora él, sin Artemio, sin el jefe, ¿pero qué hace Miranda en la clínica? Le habían trasladado semanas antes y salía de guardia, por la radio se enteró de lo del gas y luego vio un gran tropel de uniformes, coches de policía, gente entrando y saliendo en completo desorden, despejando los pasillos, las salas de espera. Se puso una bata de médico y atravesó con naturalidad los cordones de vigilancia, nadie le impidió el paso, los familiares del conductor y del escolta de Carrero se mezclaban con algunos miembros del gabinete, el ministro de la Gobernación, generales de todas las armas, galenos, enfermeras, todos muy nerviosos, dando carreras de un lado para otro, buscando teléfonos, escupiendo órdenes, algunos llorosos, otros indignados con la compañía del gas y amenazando en voz alta a los catalanes, culpables del acuerdo con Argelia. Carlos Miranda pudo llegar así hasta un quirófano. Entre los uniformes de los militares y las clámides de sus colegas percibió la imagen nítida del Presidente del gobierno, tendido cuan largo era, cubierto por un sudario, esperando la llegada de los embalsamadores, sin más herida aparente que una pequeña contusión en la comisura de los labios. En una estancia contigua el ministro de la Gobernación, Carlos Arias Navarro, responsable de la seguridad del Estado, telefoneaba a la Presidencia para comunicar a sus colegas allí reunidos que el almirante había fallecido, pero no les dijo lo que su ayudante le había susurrado al oído, en un aparte para que nadie más lo oyera: es un atentado, un atentado perfecto.

Artemio acababa de salir de la ducha cuando recibió la llamada de Eduardo.

—¿Que Carrero ha muerto en una explosión de gas? Mira, chico, los presidentes no mueren nunca de forma accidental. Si su avión se desploma o su coche se estrella es siempre por un atentado. Llama al director a Panamá, no te muevas de mi mesa, en menos de veinte minutos me tienes ahí.

Mientras Artemio se dirigía veloz hacia la redacción del periódico el vicepresidente Fernández Miranda encaminaba sus pasos al palacio de El Pardo, residencia oficial del Jefe del Estado, con la confirmación del deceso del valido, al tiempo que el resto de los ministros, convocados aquella misma mañana para un consejo de gobierno, se congregaba en los salones de la Presidencia. Las comunicaciones con la selva funcionaban mal, las voces iban y venían perdiéndose en el éter, pero el director pudo enterarse finalmente de la sensacional noticia. ¡Y él allí perdido con los guacamayos! «Pues nada, muchachos, hacedlo lo me-

jor que sepáis.» En el palacio de Justicia la vista del
1.001 no acababa de comenzar porque el rumor se extendió como un reguero por la sala. Joaquín Ruiz Jiménez, antiguo ministro de Franco y ahora abogado
defensor de los acusados, pidió la venia para dirigirse
al tribunal. A Ruiz Jiménez le apodaban los falangistas Sor Intrépida, por lo beatón y lo melindroso de su
figura, la más importante del santoral de los franquistas conversos. Hijo de un alcalde monárquico de
la capital, don Joaquín encabezaba la fracción más
visible y combativa de la Democracia Cristiana opuesta al franquismo, y en su día causó gran escándalo
cuando, siendo presidente de una factoría de motores industriales, se opuso al despido de su defendido
de hoy, Marcelino Camacho, acusado por el gerente de
agitar a la plantilla de la fábrica con ideas y propuestas perturbadoras para el normal desarrollo de la producción. Él había trabajado por la apertura del régimen bajo el lema de la reconciliación entre españoles,
y se dolía al comprobar que sus esfuerzos no lograban
otro resultado que su progresivo alejamiento de un
sistema en el que pudo aspirar a ser casi todo. Ahora,
ante los ecos preocupantes que llegaban de la calle,
según los cuales el Presidente del gobierno había
podido fallecer en un penoso y fortuito incidente,
respetuosamente solicitaba de los magistrados que se
aplazara la vista del proceso, ya que los confusos hechos de los que, con dificultad y de forma indirecta,
venían enterándose desde minutos antes podrían
alterar la serenidad de ánimo tanto de fiscales y defensores como de los propios jueces. Éstos, sin un teléfono al que acudir para recabar las órdenes opor-
tunas, temerosos de tomar una decisión que luego se

les volviera en contra, optaron por una suspensión momentánea de la vista, que se reanudaría esa misma tarde. «Es mejor esperar y ver», dijo uno de los magistrados, «y no precipitarse».

Exactamente eso es lo que solicitaban, imprecaban, ordenaban, conminaban, susurraban, imploraban, rogaban, dictaminaban, desde la dirección general de prensa: no precipitarse. Sí, ya podía ser confirmado el fallecimiento del Presidente. ¿Gas, atentado? Imposible añadir nada por el momento, prohibido hacer especulaciones, de ninguna manera podía hablarse de bombas, explosivos, conspiraciones o motivos políticos, bastaba con comunicar el deceso, eso era lo único seguro hasta el momento. El periodismo serio exigía rigor, comprobación, certeza, cualquier desviación de esta norma sería perseguida, cualquier artículo, comentario editorial o de opinión, incluso elogioso para la figura del almirante, estaba de más hasta que no se supiera ante lo que nos encontrábamos, ninguna crítica, ningún pésame, ningún análisis, sólo los hechos comprobados, que pasó a mejor vida y que descansa en paz, de modo que cuando Artemio y Eduardo se echaron a la cara la primera edición especial que, con arrojo y prontitud, fueron capaces de poner en la calle casi lloraban de rabia. «Ha fallecido el Presidente del gobierno», decía en grandes titulares. ¡Como si hubiese muerto de un derrame cerebral!

—¿Lo ves, chico? —gruñó el ogro—, el periodismo es como el puterío: la mejor profesión del mundo con tal de que se abandone a tiempo.

Tres

Aseguraban que Julio Rodríguez había sido elevado a la condición de ministro por error. Según la leyenda, al recién nombrado Presidente le habían hablado muy bien de un cierto catedrático de similar o parecido nombre, cargo importante en alguna universidad del sur, y alguien lo confundió con este profesor de cristalografía, rector de la Autónoma de Madrid, espigado como un lirio y casado con una mujer aparatosa y bella. El almirante había pretendido ser especialmente riguroso en la selección del candidato a ocupar la cartera de Educación, «no quiero que se me vuelva loco», decía, acordándose de lo que él consideraba las excentricidades del ministro Villar, autor de una gran reforma educativa y cuyo único pecado visible había sido sacarse el título de cinturón negro de judo y haberse dejado un bigote espeso y grande, a la mexicana, en pleno ejercicio de su cargo. Pero quienes le conocían aseguraban, además, que el señor ministro padecía crisis de ansiedad, y las acostumbraba a combatir a base de juguetear con un par de bolas de rodamiento que amasaba pacientemente entre sus dedos, a la manera de Humphrey Bogart en *El motín del Caine*.

Fuera cierto o no lo de la equivocación, el nominado Rodríguez se llevó una sorpresa mayúscula cuando recibió la oferta de su nuevo empleo, aceptó enseguida, y mostró desde un principio una lealtad casi perruna a su nuevo jefe, al que había sido presentado por el responsable de los servicios de contraespionaje de la Presidencia. Por eso, todos sus compañeros comprendían ahora el grado de excitación, pesadumbre y dolor que exteriorizaba al conocer la muerte del Presidente, «yo, ministro», le diría más tarde al responsable de gobernación, «si es preciso alistarse a los grupos antiterroristas, cuente conmigo, no me faltan agallas», porque ya en ese momento el profesor en cristalografía había comprendido que el país se encontraba ante el todo o nada. Sobre la mesa del gobierno se barajaban las diversas posibilidades acerca del atentado. Artificieros del Ejército habían descubierto indicios ciertos de que se había colocado una especie de mina explosiva bajo el suelo de la calle, era patente que se encontraban ante la perpetración de un crimen, de un asesinato.

—No sólo un crimen, un magnicidio —aprovechó alguien para puntualizar, matización que fue muy elogiada, lo mismo que la propuesta del ministro de Exteriores de que era absolutamente necesario recabar una condena explícita del Vaticano.

El consejillo se celebraba en el palacete del paseo de la Castellana donde el finado había instalado su despacho de primer ministro. Era uno de los pocos edificios de su género que había sobrevivido a la vorágine desarrollista mientras villas, palacios y casonas que jalonaban la arteria central de Madrid, un remedo sucinto y coqueto de los Campos Elíseos parisinos, iban cayendo víctimas de la piqueta, abriendo espacio en la selva capitalina para erigir inmensas y horribles moles de hormigón y cristal ante la mirada complacida del alcalde Arias, el mismo que ahora ostentaba la responsabilidad de gobernación, el mismo que se lamentaba con sus colaboradores más estrechos, «me han volado al Presidente», pero si Rodríguez era un error del almirante, Arias Navarro era una imposición de El Pardo, un ucase de la familia del dictador, nunca demostró tener demasiado aprecio a su desaparecido jefe, que le correspondía con afecto similar. En aquel verdadero reducto contra la especulación urbanística en que se había convertido la sede de la Presidencia, la reunión tenía lugar en medio de una espesa atmósfera, presidida por la butaca vacía de Carrero. Sentado a la derecha del sillón vacante, el vicepresidente contemplaba las caras absortas y un punto asustadas de sus compañeros, se preguntaba si padecerían ellos la misma confusión, si experimentarían aquella increíble mezcolanza de sentimientos, la desazón, la angustia creada, el sincero dolor —¿por qué no?, también— ante la pérdida de una vida humana, de alguien tan próximo, y la incómoda percepción de que los sucesos le podían deparar ser elegido para el mismo oficio del que el almirante había sido desposeído tan brutalmente. Precisamente porque ése era un pensamiento que anidaba en muchos corazones de torva condición, y porque no se descartaba que alguien hubiera elegido esa forma sediciosa de adueñarse del poder, alguien incluso que podía hallarse sentado allí mismo, delante de todos, y porque en cualquiera de los casos la inevitable condición política de los reunidos y de otros muchos ausentes no dejaría de levantar intrigas y maniobras para la sucesión en el cargo, era por lo que, tanto o más que la naturaleza de los hechos, preocupaba al descabezado gabinete la comunicación de los mismos. Igual que sucedió cuando la epidemia de cólera o en ocasión del desgraciado accidente de caza que dejó inservible la mano del Caudillo, resultaba absolutamente indispensable no alarmar a la población, ya que no se sabía de dónde venía el golpe. La perfección del mismo permitía sospechar que se hallaban ante la intervención de algún servicio de espionaje extranjero. ¿Podía asesinarse a un Presidente del gobierno, veinticuatro horas después de recibir al secretario Kissinger, en plena calle y apenas a cien metros de la embajada americana, sin que la CIA hubiera tenido noticia alguna de la preparación del atentado? Por lo menos, parecía un poco raro. ¿Estaría el KGB detrás? De ninguna manera, ¿con qué objeto? ¿Y los marroquíes? No contaban con infraestructura y no tenían motivos. ¿Por qué no analizar la eventualidad de un golpe de Estado, de una rebelión militar, de una conspiración de palacio? Los ánimos del Ejército estaban exaltados desde hacía tiempo dada la crónica inestabilidad política, lo frecuente de las algaradas callejeras, los disturbios en la universidad, tomada desde hacía años por las fuerzas policiales, la acumulación de huelgas en un país en el que estaban oficialmente prohibidas... No podían descartar, desde luego, la hipótesis de un golpe, era preciso comentarlo con el Caudillo, pero el Caudillo no estaba para muchos diálogos, aquejado de gripe, había recibido al mensajero vicepresidencial envuelto en una bata a cuadritos, se había hundido al conocer la noticia, incapaz casi de articular palabra, «estas cosas ocurren, estas cosas ocurren» repetía ensimismado mientras daba pequeños paseos por la estancia arrastrando las zapatillas, era preciso avisar, también, al director general de prensa, los periódicos serían secuestrados, aniquilados, arrasados, cerrados, destruidos y sepultados si osaban mencionar siquiera la palabra atentado, que se enteraran bien, que se acordaran de lo que les pasó a otros por no andarse con tiento, era necesario comprobar los cientos de llamadas, rumores, confidencias, falsas noticias que desaguaban intrigas en los teléfonos oficiales, comunicando el asesinato del gobernador militar de Valladolid, anunciando el secuestro o muerte accidental de los prefectos de otras cinco provincias, notificando movimientos de tropas en determinadas regiones militares, era preciso tranquilizar a la ciudadanía, serenar los ánimos, recordar que todo está bajo control, todo lo rige la mirada atenta y el pulso firme del Generalísimo.

—¿Y no han pensado en la ETA? —preguntó Ruiz de Avellaneda cuando le llamó Alberto para comentar los hechos, por encargo del ministro. A don Epifanio le encantó aquella deferencia, pero comprendió que estaban más perdidos que un pulpo en un garaje, dando palos de ciego a diestro y siniestro, sin orden, sin concierto, sin vergüenza.

De la ETA ni mencionarla todavía, ¿cómo no iban a pensar en ella?, pero había sido todo muy profesional..., ¿usted cree que los terroristas vascos están tan sofisticados?, en cualquier caso algo había que decir, la noticia estaba en la calle, no se podía ocultar por más tiempo, tenían que fabricar una versión.

—Podríamos insinuar que ha muerto de un síncope, fruto de la impresión que le produjo la explosión del gas. Vamos, un infarto de miocardio.

Todas las miradas se centraron en el rostro impertérrito del ministro de Educación. El señor Rodríguez, cuya soledad por la muerte del jefe era superior a la de ningún otro pues no representaba a ninguna familia política, no pertenecía a ninguna secta, no estaba allí en nombre de nada ni de nadie, sino de sí mismo, y tampoco eso porque le habían puesto por equivocación, o sea que ni siquiera representaba su propia identidad, este ministro surgido de la nada y arrojado ahora al vacío por la fuerza de la bomba de la calle Claudio Coello, ¿sugería formalmente que se informara, sin rodeos, de que el Presidente había muerto de un susto?

—Hombre, de un susto parece demasiado —comentó irónico don Epifanio—. Han estado bien no haciendo caso.

—*Blast sindrom,* ha explotado por dentro, está hecho papilla —explicaba Carlos Miranda, en ese mismo instante, a Eduardo Cienfuegos—. Los huesos, las vísceras, los músculos, las venas, el corazón, los pulmones, el cerebro, toda su entraña está pulverizada, pero en el exterior ni se le nota, incluso tiene una cara bastante apacible. Lo están adecentando —añadió.

—¿Y qué hacen cuando los embalsaman, les meten borra por dentro, como a las aves disecadas? —se interesó Eduardo.

—Sí, algo así, pero no es el caso, en cuanto lo dejen arregladito lo envían a Castellana, para la capilla ardiente.

El cuerpo por fuera aparecía impoluto, pero su destrucción interna era total. El coche había saltado por los aires ganando una altura formidable, treinta, cuarenta, cincuenta metros, sorteando la fachada del edificio de la iglesia y cayendo a un patio interior. Los otros dos ocupantes del vehículo, chófer y guardaespaldas, habían muerto también. ¿Se acordaría alguien de ellos?

—Artemio, ¿no podemos hacer un editorial? Señalando que era un gran marino, jua, jua, un marino que no sabía ni pilotar una barca del Retiro, aunque por lo visto era submarinista, siempre le gustó mucho lo de andarse ocultando por el fondo, un gobernante honesto, y tal y tal..., nada del otro mundo. Sin editoriales los periódicos se quedan desangelados, no son creíbles, aunque luego nadie lea lo que dicen.

—Ya te he dicho que ni hablar. Los del gobierno están que se cagan. No quieren elogios, no vaya a ser que los que vengan ahora se dediquen a denigrarlo. ¡Piensan todavía que pueden salvar el culo!

Alejandra al teléfono, te llama Ramón Llorés, ¡guapo! Y él, qué guapo ni qué carajo, con la que está cayendo ahora. ¿Ramón Llorés? ¡Mira por donde aparece éste! Sí, Ramón, puedes venir cuando se te antoje, me encanta verte, claro que está muerto el perro, y muerto el perro se acabó la rabia, pero aquí no podremos abrir el champán, quizá esta noche, en casa, o en la tuya. Y Alejandra, llama Lourdes desde la calle, ¡guapo! Los artificieros han encontrado un túnel, desde donde estaba la mina hasta un sótano de la casa de enfrente. Lo tenían alquilado unos escultores. Ni escultores ni mierda, Lourdes, no jodas, a ver si van a ser también gallegos y parientes secretos de Dalí. Y el portero, ¡qué cosas!, era un policía retirado, pues a lo mejor no estaba retirado, a lo mejor, a lo peor, han sido ellos mismos, ¿te fijas?, todavía hay quien piensa que Carrero era un blando, un demócrata.

—Y tanto —dice Artemio—, mira el telegrama que acaba de poner el general Iniesta a todos los acuartelamientos de la Guardia Civil: instrucciones especiales para que se mantengan alerta contra cualquier elemento alterador del orden, y que no restrinjan ni en lo más mínimo el empleo de sus armas. Así, textual, con dos cojones. Si este Iniesta no es el que ha dado el golpe, ya le hubiera gustado, ya.

Alejandra, que llama el director de prensa, ¡guapísimo! Más coñas no, Alejandrita, que hoy estoy muy atareado. No son coñas, chaval, es que estás bueno. El funcionario anuncia: «A primera hora de la tarde habrá una reacción oficial. Poned la televisión, y limitaros a lo que se diga». Alejandra al teléfono, oye, Alejandra, ponme con mi casa, ¿Carmen, eres Carmen?, ¿has sacado a la niña de la guardería?, lo mejor es que os vayáis al campo, a la sierra, quitaros de en medio, no sabemos qué está pasando, no tengo ni idea de hasta qué hora estaré aquí, si puedo te llamo pero si no, ni preocuparte, te quiero, os quiero, tened cuidado. Alejandra al teléfono, llama el jefe desde Panamá, ¿te puedo decir guapo? Está bien, pásalo a Artemio y oye, Alejandra, ¿me harías un favor? ¡Deja ya de tocarme los huevos, que estamos en medio de un golpe de Estado!

Cuatro

Después del verano Alberto y Marta se mudaron a un pisito de Diego de León, cercano al cruce con Torrijos, aunque ya nadie llamaba así a esta avenida, rebautizada al terminar la guerra con el nombre de Conde de Peñalver, probablemente porque Torrijos había sido un liberal sedicioso, un militar anglófilo desterrado por los absolutistas y ajusticiado en nombre de la España eterna después de que se frustrara un desembarco con sus leales en Fuengirola, pero también porque el señor conde había sido despojado de su antigua avenida, la Gran Vía madrileña, que él construyó como alcalde. El franquismo se mostró obsesivo en eso de cambiar denominaciones de plazas y calles, tanto como en todo lo que ayudara a institucionalizar la faz del régimen; por ello había rediseñado también el escudo de la bandera, recuperando los trazos imperiales de los Reyes Católicos, el águila y el yugo con las flechas, adoptado por los falangistas como signo de su vocación histórica, igual que los italianos reclamaron para su simbología las fasces de los lictores y cónsules de la Roma de los césares. El 20 de diciembre de 1973, Marta se había levantado más temprano que de costumbre, despidió a Alberto con un beso convencional en el rellano de la escalera y a las nueve de la mañana ya estaba en la calle, dispuesta a ultimar los preparativos del viaje. Habían decidido pasar las Navidades en Roma, adonde se llevarían también a mamá Flora, para alejarla de sus nostalgias en las fiestas que se avecinaban. Italia era el único sitio que ella podía aceptar cambiar por su casa, sobre todo después de saber que habían conseguido plaza para la misa del gallo rezada por el Papa. Alberto estaría todo el día en el despacho, había una reunión del gobierno y quizá necesitaran algún papel, decían que iban a discutir otra vez la ley de Asociaciones, «pero ni ley ni nada —le replicó al teléfono la noche anterior Gerardo Anguita—, éstos quieren salirse con la suya y asegurarse su porvenir como sea, a lo más que se atreverán es a hacer lo de Caetano en Portugal, un lavado de cara».

—De todas maneras algo se mueve —trató Alberto de consolarle—, me consta que el almirante ha dado orden de contactar con la oposición tranquila.

—¿Y qué es eso de la oposición tranquila? ¿Quién milita en esa majadería? ¡Si encima querrán que los demócratas bendigan sus tejemanejes!

¿Podía haber una democracia sin partidos políticos? Ésa era la pregunta que perseguía como un fantasma a los doctos intelectuales, profesores, cabezas de huevo reclamados por los fascistas renegados de su especie para que les asesoraran, y la respuesta era siempre la misma, rotunda, sorda, incómoda para quienes la escuchaban: no. ¿Pero por qué no, si existían el café descafeinado, la cerveza sin alcohol y los cigarrillos con filtro? ¿Por qué España no podía romper arquetipos, diseñar modelos, innovar, crear, proponer, demostrar al mundo moderno de lo que era capaz? ¿No habían progresado con Franco, no había justicia social, no habían mejorado los obreros, no existía educación para todos, no se había erradicado el hambre, no se había motorizado al pueblo, no había destape en el cine, no se permitía el *top-less* en las playas? Bueno, en algunas playas y en determinados bares, sobre todo de Barcelona, los catalanes iban siempre adelantados en todo, además el gobierno no se enteraba nunca bien de lo que pasaba allí.

—Desengáñate, Alberto —la voz de Anguita sonaba cordial—, es inútil cuanto se haga. A mí no me parece mal que lo intentes, no me parece mal que estés donde estás, siempre serás mejor tú que cualquiera, pero la libertad es incompatible con toda esta miseria. O ganan ellos o ganamos nosotros. Y conste que en el nosotros te incluyo a ti, no soy tan fanático.

¿Se había equivocado aceptando el puesto? ¿Estaba permitido rechazarlo? Al fin y al cabo era un empleo técnico, profesional, y él, un funcionario.

—Ya te han contaminado para siempre, *caro mio,* pero no te preocupes que, cuando se dé la vuelta a la tortilla, aquí estaré yo para protegerte.

¡Martita siempre tan cáustica! ¿Dónde habían quedado sus entusiasmos, sus objetivos, sus metas? ¿Pero era posible evitar la contaminación cuando el régimen ya duraba casi cuatro décadas? ¿Quién podía permanecer tan al margen de la realidad, tan ausente, que pudiera presumir de no estar manchado, contagiado, corrompido por el poder? No lo estaban los del proceso 1.001, por ejemplo, pero con todo era nada menos que un ex ministro franquista, y además uno que se emborrachaba con agua bendita, quien les defendía. No lo estaban los exiliados a México, a Argentina, hacedores otra vez de las Américas, enriquecidos a destiempo como su tío Ramón, repletas sus bocas de ira contra el franquismo pero culpables, luego, de defender regímenes aún más oprobiosos, antidemocráticos, injustos y brutales, incapaces de echarle una mano a Allende, aterrorizados con Fidel, integrados hasta las cachas en el absolutismo del PRI mexicano. ¿Se podía ser limpio de corazón en un mundo en el que la suciedad, la intriga, la corrupción y el engaño triunfaban por doquier? Lo único decente que tenía a su alcance eran las pupilas irisadas y sobresaltadas de su hijo, dos ojos que preguntaban y esperaban, a diario, inútilmente la misma respuesta que miles, cientos de miles de padres, pugnaban por dar a su descendencia: seréis mejores que nosotros, más felices, cultos e inteligentes, seréis sobre todo más libres, viviréis en un país abierto al mundo, os quitaremos la vergüenza de haber nacido españoles.

Sentado ante una mesita de madera, con la lámpara encendida para combatir la penumbra de la habitación, Alberto Llorés trataba de ordenar las carpetas que en cualquier momento podían ser solicitadas por el director general. Sospechaba que Anguita tenía razón, que no había salida pacífica para el país después de la muerte de Franco, y se preguntaba qué hacía él allí intentando lo imposible, colaborando con el diablo, sabedor de que un día u otro, en fecha quizá no muy lejana, aquello se vendría abajo por fin, y los escombros caerían también sobre su cabeza. Entre el correo del día contempló con curiosidad la carpetilla color canela, alto secreto, sólo para sus ojos como decían los británicos, que la secretaria había depositado en el paquete con destino a la mesa del director. Tentado estuvo de abrirla pero un ridículo y ancestral sentido de la responsabilidad, o de la culpa, le impidió hacerlo. A las nueve y cuarto de la mañana llamó el jefe, se iba directamente a Presidencia por si necesitaban algo, volvería a la hora de comer, a las nueve y veinte entró de nuevo la secretaria, se bajaba a desayunar, que si quería que le subiera un café con leche, no quería, muchas gracias, a las nueve y veinticinco llamó a su casa y ya nadie contestaba, Marta se había dado prisa en salir, poco después oyó la explosión, le pareció una detonación sorda, distante, poderosa, ¿el neumático de un coche?, demasiado potente, ¿un barreno?, no había obras por la zona, ¿gas?, era la explicación más sencilla. Se acercó a la ventana y vio una columnita de humo allá arriba, cerca de la embajada americana. ¡Mira que si han bombardeado a los gringos!, se chanceó para sus adentros.

—¡Ha sido el gas! ¡Ha sido el gas!

Marta se cruzó con el hombre cuando iba a entrar en la peluquería. El otro corría dando voces, embutido en un overol de faena, detrás de un compañero que repetía los gritos, «¡ha sido el gas, ha sido el gas!». No le vio la cara aunque debía de ser muy joven, a juzgar por sus zancadas. La acera se llenó enseguida de gente, curiosos que salían despepitados de sus oficinas, dependientes de aquellas tiendas que ya habían subido el cierre, vecinos, amas de casa, porteros. Hacía frío y el ambiente era húmedo, desagradable. El olor a podrido se extendió rápidamente por el área mientras del subsuelo de la calle empezó a brotar un enorme manantial que amenazaba con inundar la zona. Se acercó intrigada, curiosa, al cráter abierto en la calzada. Al otro lado, a unos pocos metros, un par de individuos que habían emergido de un coche negro se comunicaban con alguien por radio. «Ha habido una explosión de gas. Hemos perdido el coche del Presidente, no sabemos si ha logrado pasar antes, llamaremos al domicilio para comprobarlo.» Se oyó a lo lejos la sirena de un coche de bomberos a cuyo ruido infernal replicaba, risueña, la campana agitada por uno de ellos. Llegaban policías uniformados, circulen, no se apelotonen, ¿no ha habido víctimas?, parece que sí, que en la iglesia han recogido a alguien, dicen que un militar, dicen que un político, dicen que un gobernante, tantas cosas dicen, podía ser una bomba, un atentado, un cañonazo, pero olía tremendamente mal, la pólvora no huele así, sentencia un hortera con el lápiz sujeto en la oreja que curiosea junto a Marta, y el agua marrón, negra, colorada, manando a borbotones por la herida abierta en el asfalto. Es un agua del diablo, aunque no huele a azufre, huele a muerte esta agua, huele a justicia, porque yo lo he visto, Marta, yo he estado allí, le dice el joven de al lado, ¡mira dónde nos vamos a topar!, y ella vuelve la cabeza, le suena la voz, el timbre, incluso el aroma de la piel aunque los ángeles no emanan fragancias, ese aroma distinto que traspasa el hedor del metano, del propano, del butano, de lo que sea que esté hecho el fluido, le mira a los ojos y descubre la cara, sonriente y seria, de Jaime Alvear, yo lo he visto, Marta, he visto a Carrero muerto entre los hierros retorcidos del coche, como una escultura de Julio González, como una escultura de Martín Chirino, como un montaje del pop americano, he visto su luz apagada, doblegadas sus cejas, la frente desierta, he visto su cuerpo desarmado como el muñeco de un ventrílocuo, yo soy testigo, que nadie te mienta.

Estaba en Madrid desde hacía un par de días, había recibido el diaconado y le quedaba relativamente poco para la ordenación. Esa mañana había ido a la iglesia porque le pillaba de paso de unos recados y quería aprovechar para saludar a un compañero jesuita, un hombre maduro al que conocía de unos cursillos. Subió a la residencia de los curas y apenas tuvo tiempo de preguntar, ¿está don Casimiro?, y qué importa si está, el hermano Turpin acababa de dar la voz de alarma, un coche volando, también lo había visto el padre Solís, ¿no era un buey el que volaba en el cuento?, no, un automóvil ha caído del cielo sobre la terraza, el padre Gómez Acebo salió corriendo de su habitación y se topó con el Dodge hecho pedazos y unos cuerpos desmadejados, inertes, en su interior, a los que dio la absolución sin saber cuántos ni quiénes eran, Jaime alargó el paso y contuvo la respiración, en pocos segundos formaba parte del pequeño grupo de hermanos, curas y feligreses que contemplaban incrédulos la escena junto a un par de policías. El coche del Presidente había sido alcanzado de lleno por la explosión, catapultado hacia arriba, ascendió como un cohete, sorteó la altura de la residencia contigua al templo, un colegio de bachillerato vacío porque ese mismo día habían comenzado las vacaciones, y cayó con gran estrépito en un patio interior. Marta escuchó el relato atónita, compartiendo un café con Jaime Alvear en un bar cercano.

—¡Vaya notición! Espera, quiero llamar a Alberto.

Alberto ya sabía, se lo acababa de decir el director.

—Ten cuidado, Martita, nadie sabe de qué va esto, vuelve a casa y quédate con el niño.

Estaba con doña Flora, al abrigo, y ella no iba a dejar de hacer lo que tenía que hacer sólo porque al monstruo ese lo hubieran liquidado, porque lo han matado, ¿verdad?, un accidente no era. Y Alberto, que por supuesto todo era muy raro, que no volvería hasta muy tarde, que no sabía si entristecerse o alegrarse, pero ella sí se alegraba, se alegraba un montón, «¡nos viene como caído del cielo!, ¡huy, vaya chiste más malo me ha salido!», ¿cómo no se iba a alegrar de algo semejante?, habían disparado contra el corazón del régimen. Jaime mostraba iniciales escrúpulos de conciencia, ¿puede celebrarse la muerte de un ser humano, puede un cristiano aplaudir un asesinato?, hasta que le vino a las mientes la reflexión del encierro en La Milagrosa, sí, cuando se trata de un tirano, cuando es la respuesta de los desheredados, los perdedores, los oprimidos, cuando se mata en nombre de la justicia que el pueblo reclama, lo dice el padre Suárez, lo dice el derecho de gentes, es lícito matar al dictador, al valido del dictador, al heredero del dictador, pero entonces, ¿qué hacemos con la pena de muerte? ¿Seremos capaces de condenar la pena capital y satisfacernos por un crimen como éste?

—Chico, a ti te han lavado el cerebro en el seminario. ¿Es justo que muera un hombre por todo un pueblo? Naturalmente que es justo, sobre todo cuando él ha matado a tantos. Sin Carrero todo será más fácil.

—¿Y si lo han liquidado ellos mismos? ¿Y si es un golpe de los militares? ¿Aplaudiremos el asesinato sólo en función de quién lo haya perpetrado? Entonces, ¿el fin justifica los medios?

—Por supuesto que sí, por supuesto que los justifica.

Las meretrices y los gentiles nos precederán en el reino de los cielos. ¿Lo harán también los delincuentes, los que levantan la nueva quijada de burro contra su hermano, vengadores de Abel contra la traición de Caín? ¿Es este último digno de nuestro odio o de nuestra conmiseración? Demasiadas preguntas para una respuesta simple: mucha gente, por lo menos la mitad de los españoles, se alegraría de lo sucedido esa mañana en el barrio de Salamanca de Madrid. Y todos sentirían temor.

Se despidió rápidamente, más confusa de lo que se había mostrado ante su antiguo amigo. Él se alegraba de haberla visto, ¡y en qué circunstancias!, nunca lo olvidarían, quizá se volvieran a encontrar dentro de poco, recuperar los viejos tiempos, pero Marta explica que se marchan fuera, que también se alegra ella de verle, que recuerdos a su hermano, ¿terminó la carrera?, no, ahora se dedica a la farándula, cualquier día le vemos de galán, y se dirigió, apresurada, a casa de la suegra, porque Alberto tiene razón, conviene mostrarse precavida. ¡*Porca miseria,* mira que si nos joden las vacaciones en Italia!...

Cinco

—¡Ejército al poder! Es la única solución.

Primitivo Ansorena no estaba triste como Mirandita, como Ataúlfo, vaya par de caras, pero sí muy cabreado. Lo que faltaba es que comenzaran a cazarlos a todos como a animalillos en sus madrigueras. Casi no había gente en el café a aquellas horas de la tarde, los madrileños se habían encerrado en sus casas, o muertos de miedo o picados por la curiosidad de saber qué decía el gobierno. Pero el gobierno calla, como los monitos de las tiendas de *souvenirs,* no oye, no ve, no dice nada. *«Al comunicar al pueblo español la pérdida dolorosa e irreparable del gran patriota, ilustre marino, prudente hombre de Estado, ejemplo de lealtad y fidelidad, cuya vida ha sido una constante entrega al servicio de España, haciéndose eco del sentir de la Nación, acuerda declarar tres días de luto y testimoniar a su viuda, a sus hijos y familiares el más emocionado pésame.»*

—Ahí lo tenéis —se lamentaba Ruiz de Avellaneda—, después de horas de reuniones, de consultas, de dimes y diretes, lo único que son capaces de explicar es que lo sienten mucho. El poder está en la calle, o vaya usted a saber dónde, porque ellos lo han perdido.

—El Ejército es lo único que nos queda —insistió Primitivo—. Comprendo que no lo queráis, que desconfiéis... lo comprendo a medias. Pero hay que estar ciegos para no darse cuenta de que Franco está mayor y que aquí no controla nadie nada, se lo hacen en los calzoncillos. Mucho plan de desarrollo y mucha vaina pero de lo que importa, de la España por la que luchamos, no quedan ni las sobras.

—Cagaditos y lo que quieras, le han hecho a Iniesta comerse con patatas la orden de movilizar a la Guardia Civil —trató Ataúlfo de defenderse él defendiendo a los demás, porque lo que verdaderamente le preocupa, lo que le quita el sueño y le mantiene cada noche en un aterrorizado duermevela, es que el asunto de los autobuses no acaba de archivarse, aunque a los de Matesa bien que se lo solucionaron, sólo falta ahora que un golpe de barra, un viraje de la política, impida los últimos trámites, quedan nada más que unos cuantos papeles, unas cuantas firmas, o sea que necesita que nada se mueva, que los mismos funcionarios continúen encargados del caso, virgencita que nos quedemos como estamos, todo en este mundo es empeorable.

—¿Y tú crees que el otro le ha hecho caso? Naturalmente ha dicho que sí, que a sus órdenes, pero una cosa es decir y otra obedecer. Si no fuera por los civilones, andábamos otra vez a tiros entre nosotros. Mira, yo ya he cogido la pistola, por si acaso —y mostró con arrogancia su vieja arma reglamentaria.

No había disparos, ni apenas controles, ni sensación de desorden en Madrid después del asesinato, ahora que todo el mundo sabía que se trataba de un atentado, aunque nadie quisiera decirlo en voz alta, aunque el poder se obstinara en dar versiones ridículas, abstrusas, que si murió de un susto, de un infarto, de un escape de gas, de muerte natural... Achile

Samporio llegó a Barajas a las dos de la tarde en vuelo de Alitalia, procedente de Roma. Ninguna medida especial en la frontera, ninguna pregunta fuera de tono, ninguna inspección de la maleta —menos mal, porque si no hubieran podido encontrar la Parabellum, malamente escondida en una caja de zapatos—, aquél era un día como los otros. Camino del apartamento, el taxista le explicó las noticias que la radio escupía con precaución, habían matado al Presidente del gobierno, un marino de cejas abultadas amigo del Caudillo, aunque nadie parece saber quién es el culpable, lo mismo se trata del mayordomo, bromeó con torpeza. Tomaron una bocacalle cercana al lugar del suceso, había corros de curiosos en los alrededores, mezclados con empleados de las compañías del gas, luz y electricidad.

—La zona se ha quedado sin suministro, pero lo restablecerán enseguida. Espero que a usted no le agarre.

Esperanza vana. Tuvo que subir a pie los tres pisos, cargando con el equipaje, resollando. La llave estaba debajo del felpudo. Entró en la casa, las cortinas y las persianas echadas, la luz de la tarde filtrándose por alguna rendija. Olía a cerrado. Maurizio se despertó al oírle. No conocía los sucesos que el otro le explicó en la versión del conductor del taxi, ¡menudo día para llegar a España! Al poco llamó el comisario Centeno, que si estaban bien, que no se movieran, que no anduvieran por ahí, que se cuidaran, que esconditeran las armas y que podía Achile haberse quedado en Italia un par de días más. Centeno era un buen hombre, explicó Maurizio, colaborador, les ayudaba, pero demasiado medroso, muy cuitado, o sería que no le caían bien los extranjeros, aunque cuando los necesitaba bien que tiraba de ellos.

—Aquí estamos todos, franceses de la OAS, argentinos de la triple A, portugueses de la PIDE, supongo que Pinochet empezará a enviarnos alguno que otro más. Aquí estamos todos los desplazados, los huidos, los perseguidos por el mismo poder al que servimos, y tampoco aquí nos quieren, claro, pero se vive bien, hay futuro..., el país no está corrompido del todo.

Achile contempló la cara deformada de Maurizio, aquella cicatriz que le aplastaba la frente, provocando un estrabismo irracional a su mirada, los labios gruesos, carnosos, la nariz enorme, como picada de viruelas o atacada por un enjambre de avispas belicosas.

—¿Y de los otros, de los de enfrente?

—Dicen que el IRA ayuda a los vascos, pero está por ver. En este país las pistolas, salvo en el norte, andan todas de nuestro lado.

La bomba le había estallado cuando la manipulaba antes de colocarla en la consigna de una estación de ferrocarril. Tuvo tiempo de apercibirse del error, retirar las manos como si alguien le hubiera sorprendido, volver la cara y echar el paso atrás, pero no tanto que pudiera evitar que una esquirla de la metralla le hendiera el cráneo, se lo atravesó como si fuera mantequilla, claro que nunca había tenido mucho seso, pero ahora el cerebro se le había reblandecido más que de costumbre. Le buscaban por el asesinato de un juez y su ficha le relacionaba con una familia de la mafia calabresa. Achile Samporio sintió que una arcada le recorría el esófago ante la sola idea de tener que compartir el cuarto con semejante engendro, pero ya se lo habían avisado, ¿qué esperaba?, ¿un hotel de cinco estrellas para cada uno que se tenía que tapar? En ese apartamento caben hasta seis, nueve bien avenidos, había dicho Centeno, es muy céntrico y además no tenemos otra cosa. ¡Para lo que hay que hacer!... ¿Cuál era su misión? Huir, esconderse, desaparecer por unos meses, por unos años quizá, aunque si salía un trabajito ya se lo diría uno que llamaban el Cachorro, un inspector que iba siempre a la zaga del comisario, un tío bregado, de los de primera línea, hasta el punto de que un día casi le matan, antipático, vividor, le gustaría dijo Maurizio, y Achile pensó que no, porque él era un idealista, no un mercenario, él trabajaba por la reconstrucción de su país, el nuevo *risorgimento,* no por *vendettas* oscuras ni al servicio de ningún otro interés. De momento, harían lo que les mandaban. Tenían víveres, libros y un televisor al que era preciso convencer, de vez en cuando, para que funcionara a base de darle unos cuantos porrazos en la caja de madera. Podían resistir varios días sin salir a la calle. ¿Le permitiría Maurizio, al menos, abrir la ventana y ventilar la estancia? No soportaba el hedor.

—Vamos a investigarlos a todos —se impacientó el subdirector general—, franceses, italianos, chilenos, irlandeses, rusos... Esto lo ha tenido que hacer algún extranjero, los españoles no sabrían, no hay infraestructura, no tenemos técnica.

Centeno bajó, aparentemente sumiso, la cabeza mientras Fernández Trigo pidió permiso a su superior para encender un cigarrillo. De acuerdo, pero que no intentara lo de los circulitos en el aire, su torpeza le ponía nervioso y ya no le aguantaba el cuerpo más tensiones. Ahora estaba claro, recapacitaba Centeno, que echaban de menos al coronel Dorado, fue un error prescindir de él, era el único que sabía de esas cosas, el único que podría ayudarles, ¡y para terminar todo como había terminado!, el chico en la trena, el padre en el destierro ceutí, dicen que antes o después le harán general pero la verdad es que allí no se había salvado ni el apuntador. Muy bien, había que investigar a dos mequetrefes de Italia y a un puñado de barrigudos de la OAS, *Organization de l'Armé Secret,* organización del Ejército secreto, ahí es nada, unos cuantos hampones avecindados en Alicante, en Valencia, en el Perelló, ahítos de paella y de arroz con sepia, dispuestos a chivarse de quien sea, a espiar al que sea, a rajar al primero que se cruce en su camino, a cambio de un par de duros, *ah, la France!, Argelie française!,* y mientras nosotros firmando acuerdos con los moros para traernos el gas y dando la limosna de tapadillo a los héroes huérfanos del general Salan, del coronel Lagardère. Pero si no fueron capaces de asesinar a De Gaulle, ¿cómo van a ser ahora los que han puesto la bomba a Carrero Blanco?

—Porque, por lo menos ya tenemos claro algo —explicaba el subdirector a los dos policías, que le miraban aburridos, procurando adoptar un aire de asentimiento—, ha sido una bomba. Cavaron un túnel desde el sótano de una casa de Claudio Coello hasta el centro de la calle, allí alojaron la carga y la hicieron explosionar mediante cables. Los tendieron con toda tranquilidad, por la fachada, como si fueran empleados de la luz, o de la Telefónica. A la Telefónica, ya se sabe, todo el mundo le abre la puerta sin preguntar nada. Hasta parece que uno se subió a una escalera para contemplar mejor cuándo pasaba el coche.

—Y atinó.

Miró con severidad a Centeno, que hizo el comentario como sin dar importancia a lo que decía.

—Los que no atinamos somos nosotros —se irritó el jefe—, mucho Gabinete Psicológico y mucha garambaina y cuando llega la hora de la verdad somos incapaces de arrojar una sola luz.

—Mire, señor —Fernández Trigo midió sus palabras—, nosotros con Dorado mayormente lo que hacíamos era actuar. Investigar también, pero actuar sobre todo.

—¿Qué sugiere?

—Pues sugiere —atajó Centeno— que, mientras no sepamos nada más, lo inteligente es ligar esto al proceso 1.001, a los comunistas. Cualquier pista que nos lleve a ellos servirá para ponernos a cubierto. Otra posibilidad es el FRAP, Frente Revolucionario Antifascista y Patriótico, un grupúsculo violento que tenemos muy infiltrado, se nos ha ido de las manos, pero para estas cosas todavía sirve. Y también debemos prever alguna acción callejera, no es posible que nos vuelvan a coger desprevenidos. Ahora, señor director, con todos los respetos, yo dejaría a los extranjeros en paz. Si han sido ellos, como si han sido los militares, nos vamos a enterar muy pronto, porque ya se encargarán de decirlo.

Miró el reloj al tiempo que terminaba sus observaciones. Eran ya cerca de las siete de la tarde y el cadáver del Presidente había sido trasladado a la sede de Castellana. ¿Podía retirarse? ¿Tenía permiso para difundir lo de los comunistas? Gracias, él se encargaba, no resultaría difícil fabricar unas cuantas pistas.

—¡Pero vamos a ver! —se encabritaba Primitivo Ansorena—, yo es que a los paisanos no os entiendo. Tampoco hay que estrujarse mucho el coco para saber de dónde viene el tiro; pues viene de los enemigos, como siempre, o sea de los rojos. ¿Qué tonterías son esas de que lo han podido hacer los nuestros? Los nuestros van por la cara, sin burletes.

—¿Entonces por qué no hay reivindicación? ¿Por qué el gobierno no habla? Mi hijo me dice que en el hospital no salen del desconcierto —Mirandita había tenido que hacer un esfuerzo real para ir a la tertulia, para pisar la calle en un día como aquél, olía el peligro.

—Tu hijo mejor ni mentarlo, ¿eh?, que ya bastante hicimos por él y mira luego cómo lo paga. En cuanto a lo otro, ¿no lo acabas de oír en la tele? En lo de los terroristas han encontrado un papel arrugado, una cajetilla o algo así, con un número de teléfono. Pues no hay más que marcarlo y ya está, Stalin al aparato. Me juego el pescuezo.

—Yo no me jugaría nada a estas alturas, caballeros, y menos el gaznate, no vayan a rebanároslo —terció don Epifanio, despidiéndose—. Me parece a mí que este gobierno no sabe dónde tiene la mano derecha.

Echó calle abajo paseando, ante la mirada indiferente de los pocos transeúntes que frecuentaban la avenida de José Antonio. Volvió a preguntarse si era el rencor lo que le hacía hablar así o, más bien, la libertad del jubilado. Mientras andaba despacio, alternaba su curiosidad por las caras de quienes se cruzaban en su camino con la que le producían, todavía, los edificios. En la esquina de Barquillo, la colosal entrada del Banco Central, jalonada de cariátides y columnas corintias como si fuera una falla de granito, imposible de ser condenada a las llamas, rivalizaba en mal gusto con el gigantesco emblema de Falange, alzado en la fachada de la Secretaría General del Movimiento desde los tempranos años cuarenta, cuando la iconografía nazi hacía furor entre los españoles y Hitler conquistaba París. Muchos falangistas creyeron en el nazismo antes de todo eso. Europa y América, el mundo entero, se lamían las heridas dejadas por la gran depresión, la gente no comía, la delincuencia aumentaba, entonces llegó alguien con la promesa de un proyecto unitario y pudimos ver el despegue económico de Alemania, su resurgimiento frente a lo que llamábamos las democracias podridas de Occidente. Por eso ahí está nuestra réplica a la cruz gamada, a la esvástica del Reich, al Fascio triunfador, nuestro signo imperial hunde sus raíces en siglos de historia de la España profunda. El símbolo proyectaba su rojo deslucido sobre la pared gris, casi negra ya por la contaminación y la suciedad ambiente, de aquel palacio de la nobleza venida a menos, alquilado por sus dueños para cuartel general del partido único, ¿quién dijo el partido?, ¡hablemos del Movimiento!, los partidos han quedado prohibidos, incluso el nuestro, confrontado a los jardines del Ministerio del Ejército, lindando con la mole afrancesada y severa del Banco de España, cuyos sótanos acorazados aguardaban la devolución del oro que los rusos se llevaron a Moscú cuando la guerra civil. De momento, por lo menos, eran el refugio antiatómico más seguro de cuantos existían en la ciudad. Algún día, pensó, alguien subirá a una escalera para hacer descender esa insignia, la misma que luzco en la solapa de la americana con orgullo y sin ningún ánimo crítico, la que me regalaron en oro y brillantes los compañeros del ministerio cuando mi destitución, la que ha dado sentido a mi vida, por lo menos formalmente, *la mirada clara y lejos y la frente levantada,* como en el himno que cantábamos y que se ha convertido en un esperpento, en un hazmerreír, *voy por rutas imperiales caminando hacia el honor...* y los más jóvenes decían putas imperiales, sólo por jugar, por la rima, sin saber hasta qué punto nos descubrían la verdad de nuestra historia. ¿Dónde queda el honor hacia el que marchábamos, *montañas nevadas, banderas al viento, el alma tranquila, yo sabré vencer...?* Algún día esta esquina se llenará de gente clamando por la libertad, la libertad por la que luchamos, la que les quisimos dar y que los intereses creados, el miedo, la ambición o el error han vuelto a sepultar entre palabras. *Al cielo se alzan las firmes promesas,* ¿quién iba a imaginar que esto acabaría de tal forma, con un Presidente saltando por los aires y la ciudad ensimismada, lejana de sí misma, mientras nadie sabe lo que sucede y todo el mundo se teme lo peor? España vuelve por sus fueros, Valle-Inclán, Arrabal, el anarquismo es lo que nos va, lo que más queremos, lo que nos hace sentirnos a gusto. ¿Por qué no va a haber sido obra de los anarquistas? Nuestra historia está llena de ellos, Mateo Morral a punto estuvo de acabar con el rey, Manuel Pardiñas descerrajó un tiro en la nuca a Canalejas cuando miraba el escaparate de una librería, los anarquistas catalanes se llevaron por delante a Dato, disparándole desde una motocicleta, los rojos perdieron la guerra por culpa de los anarquistas, empeñados en hacer al mismo tiempo la revolución, y ya se encargó Azaña de reprimirlos como era debido en Barcelona. ¿Perderemos ahora nosotros la paz a causa de ese mismo sentimiento de insumisión romántica y abstracción retórica que lleva a nuestros compatriotas al uso de la violencia? No puedo sentir lástima por Carrero, no apreciaba a ese hombre, pero siento pesar por mí mismo, por los españoles, por esta sensación irreprimible y cierta de que durante décadas no hemos hecho sino andar en círculo, sobrevivir, abandonar todo proyecto que no fuera el de permanecer, durar, tantas leyes, tantos recovecos, tanta mazmorra, para ocultarnos la verdad de la buena, que nos hemos vuelto como niños, nos da miedo vivir solos, sin la mirada del padre, sin la voz autoritaria de la ley y el orden, no vayamos a enzarzarnos de nuevo, a pelearnos, a tirarnos de los pelos, a dividir las familias, a disparar contra el hermano, necesitamos el terror para protegernos del terror, necesitamos la fuerza para protegernos de una fuerza mayor, necesitamos saber que hemos vencido, que vamos a vencer, que no hay nada que se interponga entre nosotros y nuestro destino, necesitamos inventar el futuro, crearlo, proyectarlo hacia fuera, quizá tengamos que abandonar este absurdo reclamo de permanente regeneracionismo, amamos a España porque no nos gusta, ¿dónde habrá germinado el espíritu masoquista de los españoles, el estereotipo de sus vicios y virtudes, por qué preferimos vernos reflejados en los personajes del Quijote antes que en la biografía de su autor?

Las meditaciones le condujeron hasta la verja de la Presidencia del gobierno. Se abrió paso con su tarjeta de procurador en Cortes por el tercio sindical, familia-municipio-sindicato, sagrada trinidad de la democracia orgánica, las tres formas de representación natural de los ciudadanos, subió las escaleras pausado, saludando a los funcionarios de caras ensombrecidas, sorteando uniformes, rehuyendo encontrar las pupilas llenas de asombro, de ira, de consternación, reconociendo la afasia profunda de los militares. ¡Ejército al poder! reclamaba Ansorena, mientras vendía aspiradoras a domicilio, televisores a los cuarteles, y autobuses averiados a los alcaldes. ¡Ejército al poder!, como si aquellas barrigas apretadas que los fajines rojos sujetaban lo mismito que si fueran un regalo para esas fiestas, como si aquellas papadas descompuestas, descolgadas de las mandíbulas, apellejadas, tuvieran ya fuerza y arrogancia para impartir órdenes, para hacer sonar el clarín, como si las córneas de sus dueños repararan en otra lectura que la del escalafón, como si les preocupara otra cosa que la masita, el pase a la reserva o la concesión de un estanco o de un puesto de periódicos para la viuda de Fulanito. Churchill, en plena Guerra Mundial, decía que «toda Europa está ocupada por el Ejército alemán salvo España, que está ocupada por su propio Ejército». Aparte de los puros, lo mejor de aquel viejo gordo y canalla fue la dichosa frasecita, como la tan manida del lechero y la democracia, que también era suya, pero ya se acabó, estos soldados no nos valen ni para desfilar en una zarzuela, *soldadito español, soldadito valiente,* no son capaces de invadir nada, y no les cabe una paja por el culo porque les han matado a su comandante y no saben quién diablos ha sido. Contempló el semblante del Presidente Carrero Blanco, emanaba la serenidad de los que mueren recién confesados y comulgados, en gracia de Dios, ojalá hubiera muerto también en gracia de sus semejantes. Los sollozos discretos de los familiares, los murmullos arrogantes de los compañeros de armas, los pésames solícitos de los altos representantes del protocolo del Estado, que anunciaban de continuo la inminente llegada del Príncipe de España, rompían el silencio pastoso, masticable, que enseñoreaba la estancia. Allí yacía, en la urna presidida por el inmenso crucifijo, los cirios ardiendo, la multitud de coronas de flores agolpándose a sus pies, el delfín del Caudillo, el futuro inventado, la continuidad del régimen. Don Epifanio Ruiz de Avellaneda sabía lo que tenía que hacer. Se cuadró ceremonioso, con parsimonia, ante el ataúd, compuso la figura, levantó el brazo y esbozó sin marcialidad alguna el saludo falangista, el mismo de las centurias hitlerianas, de las centurias fascistas, de las centurias de Roma, al tiempo que sus zapatos de Loewe propinaban un discreto taconazo, apenas sonoro, inaudible casi para la concurrencia, mientras susurraba sin convicción la frase ritual, «a tus órdenes, almirante», y musitaba mentalmente la estrofa del himno que había venido canturreando durante el paseo, *hasta las estrellas se encienden en mi fe.* El destino del régimen ya sólo dependía de la trayectoria de los astros.

Seis

A Gerardo Anguita las noticias le agarraron en su casa de la sierra y se pasó gran parte de la mañana llamando por teléfono, pegado a la radio, mirando la televisión, aunque no había forma de enterarse de gran cosa salvo, por fin, de las virtudes inmarcesibles de la víctima, a la que poco faltaba para elevar a la santidad. Alberto le proporcionaba las noticias oficiales y Eduardo Cienfuegos los rumores de la redacción. No importaba que las líneas estuvieran intervenidas, podían decirse lo que quisieran, no tenían nada que ocultar, ellos no eran terroristas sino revolucionarios de a poquito y lo único que se permitían era contarse algunos chistes de última hora, como por ejemplo ese en el que Carrero coge un taxi y pide que le lleven a Claudio Coello, «¿a qué altura de la calle le dejo?», pregunta el conductor, ¡jo, qué malo!, o ese otro en el que Fernández Miranda va a ver a Franco y no sabe cómo comunicarle el atentado, hasta que por fin se presenta sonriente y con dos mechones de pelo oscuro y espeso en sus manos, diciendo «¿de quién son estas cejitas?», y luego, agitando un enorme amasijo de carne, «¿de quién son estas orejitas?», hombre, éste, además de malo, es de un gusto pésimo, pero ¿dónde está escrito que el buen gusto sea un valor revolucionario?, ¿dónde está escrito que no lo sea?, claro que si a los españoles, mediada la tarde del día de autos, ya

les había dado por hacer chistes, si las redacciones trabajaban a toda máquina para sacar ediciones especiales, si Franco hacía mutis por el foro y el gobierno no
decía más que las majaderías de turno, entonces resultaba evidente que no había que temer ningún golpe ni nada por el estilo: el régimen estaba perdiendo,
quienes hubieran matado al Presidente eran amigos,
gente bien, quienquiera que haga una cosa así es más
que legal, tenemos que estarle agradecidos. Ahora
podremos ver —señala Anguita— si lo de la ofensiva
institucional iba en serio o si las leyes funcionan como si nada hubiera pasado, si el Príncipe se convierte
en su día en un rey franquista, familia-municipio-
sindicato, la tríada prodigiosa como una mafia china,
como un número de la cábala, en un rey de opereta,
un rey sin monárquicos, sin demócratas, sin pueblo,
sólo con unos cuantos militares, unos cuantos curas
—cada vez menos curas, ¿eh?—, y unos cuantos ricos
sujetándole la corona, acomodándole el cetro, apun-
talándole en el trono, para demostrar que la obra del
Caudillo trasciende, traspasa, se proyecta en el tiempo, por los siglos de los siglos. Y vamos a ver también
qué cara pone el viejo, interviene Eduardo, si es que
pone alguna, si no se le han paralizado los músculos y
helado el trigémino, ¡vaya desconcierto debe de tener!, como no sea que lo haya matado él... éste es capaz de todo, traicionó a la monarquía, traicionó a la
república, traicionó a sus compañeros de armas, traicionó a los nazis, traicionó a los moros, traicionó a la
Falange, traicionó al Papa, y ahora es capaz de traicionarse a sí mismo, a lo mejor es que ya no sabe hacer
otra cosa, porque la traición le corre por las venas como la sangre, como el aire por los pulmones, como

los jugos por el cuerpo, y eso que pocos jugos deben de quedarle, reseco como está, como no sean esas lágrimas pérfidas y mentirosas, éste traiciona hasta el llanto que suelta delante de las visitas para demostrar que es humano y no diabólico, claro que si fuera un demonio ya le habrían echado del infierno por traidor. Ten cuidado, interrumpe Anguita, que pueden estar escuchando. Y Cienfuegos, que se caga en la puta madre del cabrón que esté oyendo, grabando, interviniendo y todo lo demás, que sólo quiere que le den mucho por el culo y que le guste, aunque eso piensa que no lo debiera haber dicho teniendo al otro lado del aparato a Gerardo, al que también le gusta y quien tan en secreto lo lleva, cuando resulta que lo de su homosexualidad es ya *vox populi*.

—Esta conversación no es para el teléfono, ya te llamaré —acabó Anguita.

Ni para el teléfono ni para nada, esta conversación no debiera haber existido así, ni Eduardo tenía derecho a permitirse indirectas sobre sus gustos sexuales, ¿se metía él con su alcoholismo, tan pronunciado que se ponía piripi sólo de oler un perfume? No brindará con champán esta noche el compañero Andrés, sometido a una cura de desintoxicación acelerada, acribillado a jeringazos de sueros misteriosos capaces de tumbar un elefante pero que le devolverán la salud del cuerpo y la del alma también; tampoco yo lo haré, no tengo nada en la bodega ni nadie en la casa si, finalmente, no vienen los Alvear, sólo una sirvienta renegrida y chupada que me hace pollo al chilindrón los viernes, patatas con carne los martes y paella los jueves, no tengo amigos y no me voy a emborrachar solo, aunque éste sea un día grande para la vida de España, Alberto, tenlo por seguro, no te rindas al miedo, ¿te acuerdas que anoche todavía creías en la li-be-ra-li-za-ción, menuda palabreja, ahora sí que nos vamos a liberalizar de un golpe todos, un golpe desde el cielo, ¿a qué altura de la calle le dejo?, pues no es tan malo el chiste ese que cuentan, no es tan malo, hombre. En fin, habrá que decirle a don Epifanio que se ha cubierto de gloria, que nos hemos cubierto todos, tanto estrujarnos la mollera para encontrar la cuadratura del círculo, para hacer de éste un país moderno y ahora viene no sé quién y nos moderniza él de un estacazo.

Comió con el televisor encendido, la radio puesta, el teléfono a mano. He ahí los atributos del hombre: un conglomerado de cables destinado a conectarle con los demás. Si Marx hubiera conocido la bomba atómica, si Marx hubiera conocido la televisión, los modernos medios electrónicos, si hubiera visto como él la llegada de los astronautas a la luna, un paso muy grande para un hombre, pero muy pequeño todavía para la humanidad, ¿habría sido marxista Carlos Marx? Francisco Alvear le hizo la pregunta a bocajarro, junto a la taza de café, el puro humeante del que un día fuera el compañero Pablo, inundando la habitación de aromas oscuros, con olor a pecado de los permitidos por la santa madre Iglesia. Habían cumplido su palabra, ¿cómo no la iban a cumplir, hombre de poca fe?, ¡con razón elegiste el alias de Pablo!, habían acudido ambos hermanos a verle, pese a lo complicado de la fecha y a la posibilidad de encontrar controles en la carretera, que no los hubo, aunque lo de llevar un cura a bordo es casi un salvoconducto, bromearon. Allí estaban y hubieran querido que la alegría del reencuentro iluminara sus semblantes, pero los acontecimientos del día devoraban su conversación. Sí, Anguita se acordaba muy bien de la noche de la llegada a la luna, las discusiones sobre lo lícito y lo probable, sobre la técnica y Dios, el hombre y sus conquistas científicas, ¿qué tal está mi novia?, doña Sol le enviaba recuerdos, desde que Jaime se fue al noviciado habían perdido casi todo contacto entre ellos, el padre Mario a veces la visitaba, ya sabía, envejeciendo y acordándose de su Manuel. ¿Habría sido marxista Carlos Marx después del éxito de la misión Apolo? ¿Y por qué no? Los motivos seguían ahí: la miseria, la opresión, la esclavitud, la explotación del hombre por el hombre, no habían sido desterrados por el empleo de la técnica, la revolución sigue teniendo sentido, aunque no la hagamos nosotros, sentenció rotundamente Gerardo.

—No olvidéis, en cualquier caso —añadió Francisco con prosopopeya—, que la revolución es también la muerte.

—Y también la vida. El asesinato de hoy puede abrir caminos de esperanza.

La opinión de Jaime sorprendió a Anguita. Durante la conversación se había dado cuenta de que aquellos dos años no habían pasado en balde y el muchacho ya no era el querube alado de sus primeros días de amistad; se comportaba como un hombre maduro, recio, disciplinado consigo mismo, consciente de su misión, dispuesto a cumplirla. Reconocía apenas al antiguo amigo y éste parecía guardar unas distancias más que evidentes, logrando mantener en la entrevista una formalidad casi protocolaria que no venía a cuento.

—He dado muchas vueltas al tema —añadió— y ya no tengo ni la más mínima duda: la muerte del tirano no sólo es lícita a la luz de la fe, de la teología moral, sino que puede ser incluso conveniente. Me alegro de que se haya producido.

Contó luego la casualidad que le había llevado a presenciar, en primera fila, el resultado de los hechos, su encuentro con Marta, la facilidad con que se entraba y salía de la iglesia de los jesuitas en los minutos siguientes al atentado, la curiosidad de que nadie le hubiera solicitado su filiación ni anotado su presencia. Por lo demás, no había vuelta de hoja: el uso de la fuerza estaba justificado en según qué casos, y ése era uno de ellos.

—Recuerda, de todas maneras, lo de Bossuet —apuntó Anguita—, «*si la justice n'est pas forte il faut que la force soit juste*», ¿o la frase es de Fénelon?, ¡qué lío!, esos dos siempre van juntos, está bien matar al tirano, está bien el uso de la fuerza, pero debemos saber someterla a criterios de justicia. Eso en una democracia queda resuelto con la observancia de la ley, el monopolio legítimo de la violencia lo tiene entonces el Estado.

—Pero en una dictadura debe reconocérsele también al pueblo, el pueblo es sujeto de derechos —trató de discutir Jaime, un punto enojado por el aire profesoral que el otro estaba acostumbrado a utilizar con él.

—Como colectividad organizada también lo es. Hay derechos que son de todos en general y de nadie en particular, pero es algo no admitido comúnmente.

A falta de licores, brindaron con café por los días venideros. ¿Tenía eso algo que ver con la caridad de los cristianos?, porque los tres lo eran. ¿Rogarían a Dios por las almas de todos los fieles difuntos? De todos menos uno, rieron, ¡por nosotros que se achicharre en el infierno!, o que se aburra en el cielo, apostilló Francisco. Se despidieron temprano, abrazándose con fuerza, como en los tiempos pasados, ¿olvidados también? Al hacerlo, Gerardo buscó, sin hallarlo, el perfume natural de aquel Jaime que había conocido en la universidad, en las acampadas, en las reuniones de la calle Embajadores, en las ejercitaciones espirituales, en las meriendas interminables en casa de doña Sol; investigó el aroma que exhalaban los espíritus puros —pues, contrariamente al sentir general, él sabía por la experiencia de su propia pituitaria que los ángeles emiten fragancias y hasta feromonas, sería capaz de distinguir entre mil ese peculiar olor a ángel que se convierte en hedores de azufre después de su caída—, escudriñó sin encontrarlo el antiguo candor de su amigo, la inocencia de aquel muchacho que se había echado en el regazo de la religión llevado de su espíritu revolucionario, y no fue capaz de percibir nada diferente al tufillo infame y peculiar de todos los clérigos, incluso los más jóvenes, el aliento saturado que sale de su boca y la insultante acidez que emana del traje, confeccionado a base de paños fuertes, pesados, abrigadores sólo a cambio de ser capaces de transportarlos como una carga, como una cruz moderna, llena de polvo y de arrugas. Si hubiera sido un sentimental, a Gerardo Anguita se le habría escapado una lágrima por su pasado, la oportunidad perdida de descubrir el cuerpo y la mirada de Jaime más allá de las discusiones políticas, de las sublimaciones religiosas, de las estúpidas e inconsecuentes disputas pseudofilosóficas sobre el origen del bien y del mal, más allá de las veladas sociales con doña Sol, las medidas y torvas invitaciones a comparecer en una reunión de la célula, la persecución, infame por secreta, a la que en definitiva había sometido al muchacho durante meses, años, en la ignorancia mutua de la atracción sexual que sobre él ejercía. Si no hubiera sido así, si hubiera existido algo más que el atractivo físico o que su morbosa tendencia hacia la seducción, Gerardo habría ido a visitar a Jaime al noviciado, habría prolongado las interminables tenidas que acostumbraban, buscado el momento de compartir con Francisco la afición al teatro y de coincidir con su hermano en los momentos importantes de su vida. Entonces Jaime podría haberse abierto a él, descubrirle su escondite, participarle la catástrofe vital de su experiencia, las continuadas y periódicas visitas del Maligno durante las interminables vigilias a las que un insomnio pertinaz, contra el que no existían pastillas, ni remedios químicos ni ayuda psicológica, le obligaba. Podría haberle explicado que ya había comprendido que su vocación no consistía en una llamada de Dios sino en la única defensa posible frente a las persistentes demandas del diablo, y que vivía su religión, su inminente sacerdocio, como una agonía interminable, víctima de la amenaza a la que un día había creído vencer en la casa de ejercicios de La Milagrosa, sin comprender entonces que el mal forma parte de la naturaleza humana y que la única manera de sobrevivir era acostumbrarse a su presencia o descabezarlo de un tajo, como san Jorge hiciera con el mítico dragón, un monstruo odiado y perseguido en las culturas cristianas pero venerado como el símbolo de la fertilidad en las orientales, y ahora se preguntaba si no era Carrero pre-

cisamente el dragón del régimen, la encarnación ambivalente del mal profundo del franquismo y del valeroso guardián del Vellocino de Oro, dispuesto a echar
fuego por la boca si su amo y señor era agredido o
invadido su territorio por algún intruso. Podría haber compartido con su antiguo amigo la sensación de
vértigo infinito que produce pretender hacer el bien
sólo para combatir el mal, haberle ayudado a comprender que ése es el primer escalón de la caída de los
ángeles, el motivo de la pérdida de su fragancia, la
sustitución de sus candores por sus iras, a veces dis-
frazadas de santa indignación, el camino iniciático
hacia el fanatismo religioso. Pero nada de eso podía
suceder ya porque ningún pasado regresa nunca sin
mácula, sin corrupción, sin adherencias que no le hagan diferente, irreconocible. El paso del tiempo había
sepultado la confianza entre ellos. Salió de la casita
serrana de Gerardo con la inasible sensación de que
no se volverían a ver nunca más, y se sintió turbado al
pensar que recordaría aquella fecha, un día memorable para el relato del devenir de España, no tanto por
los acontecimientos políticos de los que había sido
testigo sino por haber percibido el momento exacto
de la revelación, el instante en el que traspasó el um-
bral del purgatorio de los vivos y vio que su futuro tenía el rostro de la soledad.

Siete

¡Por fin ya estaba todo claro! La pista etarra, investigada con precisión, eficacia y contundencia por los servicios policiales de Carlos Arias a espaldas del gobierno, había dado sus frutos. Entre los enseres abandonados en un piso franco por quienes se sospechaba pudieran ser autores del atentado, surgió un dato añadido: un número de teléfono garrapateado sobre un papel, un trozo de cartón, no sabía aún si se trataba de una cajetilla o del estuche de una medicina. ¿Se imaginaban de quién era?, de uno de los capitostes del Partido Comunista en el interior. Ya lo dice la canción, por el humo se sabe dónde está el fuego.

El subdirector general no cabía en sí de gozo, que detengan al que sea inmediatamente, o mejor no, que no lo detengan todavía, no vayamos a estropearlo antes de tiempo, dejémosles enseñar el juego, ahora que ya controlamos la tranquilidad española, ahora que ya sabemos que el país está en paz, las guarniciones en calma, los capitanes generales en el duelo y los grupúsculos de extranjeros bajo vigilancia. Ya no podrán seguir acusando al ministro de Gobernación de mano blanda, de inoperancia, ni de todas esas cosas que le imputan, como si él hubiera sido casi cómplice de los terroristas, como si hubieran matado al Presidente por su culpa, como si se tratara del único responsable de la seguridad del Estado, ya no tendría Carlos Arias que seguir dándose golpes de pecho ante todo el mundo, «¡me han matado al Presidente, me han volado al Presidente, qué bien les ha salido a los cabrones!». ¿No se había empeñado Carrero en crear aquel fabuloso departamento de contraespionaje a cuyo frente estaba uno de los inventores del Gabinete Psicológico?, ¿por qué se iba a enterar la policía de lo del túnel y no los militares al servicio del almirante?, ¿y cómo iban a poder hacerlo éstos si a lo que se dedicaban era a confeccionar listas de masones, listas de rojos, listas de periodistas, listas de profesores, listas de estudiantes? Lo importante era que ya manejaban una pista cierta que les llevaba al País Vasco y otra que les acercaba a los comunistas, indicios razonables de acuerdo con los cánones de cualquier investigación, pruebas que no habían tenido que fabricar contra la aviesa sugerencia del comisario, a Centeno va a haber que jubilarle, está chocheando, aunque a decir verdad no sé si las han fabricado o no, nada me han dicho, pero tanto monta. Lo que conviene entonces es darles cuerda, que no sepan que sabemos, que sigan creyendo que nos hemos caído de un guindo.

—Y usted, Centeno —añadió—, ya puede retirarse.

Se preguntó si le estaría permitido también dar por terminada su jornada de trabajo y supuso que sí. Hizo unas cuantas llamadas más, al italiano Maurizio otra vez que no se muevan, a Gaston Duchamp, el hampón de la OAS, para lo mismo, al coronel Dorado por decirle lo que le echaban de menos, a casa para saber cómo estaba su madre y advertir de que no iría a cenar. Les amenazaban días difíciles, largos, enrevesados, no convenía emplearse a fondo desde el primer momento so pena de venirse abajo cuando menos convenía, reparó en que aún no había hablado con Delfina, ¿cómo estaría, se habría acomodado, le afectaban las noticias?, seguro que no porque ella iba a lo suyo. Fernández Trigo andaba liado movilizando las pandillas por si había manifestaciones, que alguna estaba anunciada, ¡había que ser gilipollas para salir contra el régimen en un día como ése!, o quizá no, quizá era el momento más adecuado para hacerlo, porque el gobierno parecía más preocupado por la violencia de la extrema derecha que por cualquier otra, ¿serían caraduras?, la ultraderecha había sido una creación suya, la controlaban mucho más de lo que ahora pretendían reconocer. Introdujo la llave en la cerradura y sintió un calosfrío, una especie de descarga eléctrica, cuando escuchó la voz de la negra saludarle desde el cuarto de baño.

—¿Eres tú, mi pichina?

Nunca habría supuesto antes de conocerla que le acabaría gustando un apodo así y, sin embargo, ahora se sentía feliz de oírlo al entrar en aquel apartamento del barrio de la Concepción y hacerlo como si fuera su hogar, al fin y al cabo pagaba él, feliz al percibir el ambiente untuoso, deslumbrado por el brillo de la madera barata de los muebles, contento como un adolescente mientras se deslizaba sobre las alfombras de fibra imitación persa, se arrellanaba en el tresillo de plástico imitación piel, descalzaba sus pies abarrotados de durezas, atormentados por los juanetes, torturados por aquellas uñas que se le retorcían hacia dentro buscando sus raíces y horadándole igual que los clavos a Cristo, y aguardaba la aparición de aquella negra gigantesca, la boca grande, las piernas grandes, las tetas grandes, sonriéndole de arriba abajo con sus dientes blancos y enormes como colmillos de jabalí, sonriéndole con su lengua encarnada, sus manos hábiles, con sus hombros enhiestos y su abdomen lascivo, antes de descorrer la cremallera para buscarle ese amasijo absurdo de pellejos con forma de pene asustadizo, «la llamo mi pichina porque es mía y porque es diminuta como las coquinas del mar, como los luceros del cielo en las noches de Guinea, un día tienes que venir a Guinea, cuando se vaya Macías y la gente no se muera de hambre, pero yo haré que mi pichina crezca y se multiplique, inventaré de nuevo el milagro de los panes y los peces, ¿o de los penes y los peces? —rió—, que es el que más me gusta de cuantos nos contaba el padre blanco, a él también le encantaba que se la meneara, no creas, y la tenía todavía más pequeña y arrugada que tú». Ismael Centeno se deja hacer indolente mientras piensa que lo correcto es relacionar el asesinato con los comunistas, con los sindicalistas, con el proceso 1.001, se le hubiera ocurrido a cualquiera pero estos nuevos son muy tozudos, creen en lo que dicen, no han aprendido nada de política, no saben pensar. Él no deja de hacerlo, en cambio, ni que se la chupe o no la otra va a dejar de cavilar, de imaginar cómo hubiera sido su vida de no haberse metido a policía, de no haber insistido su madre en que lo hiciera para honrar la memoria de sus mayores, si se hubiera casado y formado una familia en vez de seguir viviendo con aquella anciana nonagenaria, husmeando en las alcantarillas de la ciudad, buceando en las cloacas de la existencia ajena, para acabar enamorándose de una puta, pero a los policías es lo que nos va, es como nos sentimos a gusto porque nos evitamos complicaciones y ésta además de guapa es bastante culta, mucho más que las de la Península, hubiera sido profesora o poeta si no es por la mierda de política, que la obligó a exiliarse y a buscarse la vida. Además yo no ando de chulo por esos andurriales como otros compañeros, ni regento bingos ni trafico con marihuana, yo sólo he utilizado a la negra para que vigilara al Cipriano, y aun eso por casualidad, porque se cruzó así la historia y no iba a desperdiciar la ocasión que, para lo que valió, bien me la hubiera podido ahorrar igualmente, todo lo que sé ahora es cómo mea Sansegundo, cómo se le mean encima sobre todo, que tiene el semen igual de oscuro que su semblante, que vive solo, lee mucho, habla poco y le gustan los Beatles, o a lo mejor no le gustan, a lo mejor lo que le va es Manolo Escobar pero dice que prefiere a los otros para dárselas de intelectual, eso es muy común en los desclasados. No sé nada de ese supuesto agente del KGB sino que no puede ser un agente, un confidente tal vez, estos rusos no se fían ni de su sombra, no les gusta que Carrillo veranee con Ceaucescu, no quieren que nadie se les vaya de las manos, quizá Sansegundo ha picado el anzuelo y se paga el pis que bebe con el oro de Moscú, cambia el oro por los orines, pero para ese viaje no quería ver yo a Delfina sometida a tantas vejaciones, Delfina va a ser mi mujer aunque ella no lo sepa, no sé si he de atreverme a hacerlo oficial, no mientras siga en el servicio, estas cosas están muy mal vistas, Delfina va a alegrar el resto de mis días, me cuidará cuando me ponga enfermo y no tenga fuerzas ni para interrogar a un estudiante ni para redactar un expediente ni para fabular una conspiración, cuidará de mí como lo que soy, un anciano funcionario metido a detective por el afán de saber, el conocimiento nos otorga el control sobre las cosas, sobre las personas, mi seguridad depende de mi información, lo mismo que la del Estado estriba en lo que seamos capaces de averiguar nosotros, pero el almirante insistió en que intervinieran los militares, los soldados están bien para hacer la guerra nada más, meterlos a policías es un error, van de mequetrefes y se creen caballeros, les gustan las fiestas sociales, las embajadas, les molesta mezclarse con el pueblo, lo desprecian, todo muy tecnificado, eso sí, mucho micrófono oculto, direccional, mucho análisis psicológico, mucha prospectiva como se llama ahora, y de los sopapos a los detenidos, de los sobornos a los chivatos, nos encargamos nosotros, ¿qué diría la mujer del señor teniente coronel si se enterara de que anda de putas por la noche por necesidades del servicio?, pero Centeno puede hacerlo y a Trigo le va mucho organizar saraos con droga, son lo que son, mercenarios sin honor, sin más moral que la eficacia, sin más horizonte que su depravada conciencia. Tardó poco en correrse, siempre le pasaba eso con Delfina, la chica le rejuvenecía, le quitaba años, le devolvía el vigor perdido, abandonado en las comisarías, en las rondas nocturnas, en los innumerables, tediosos, despachos con la superioridad, siempre en compañía del otro, Centeno y Trigo, Trigo y Centeno, aguantando siempre la misma bromita, «¡hombre, parecen ustedes la campaña cerealera!», Delfina le devolvía su imaginación, arruinada en los escritorios en los que redactaba los informes que una y otra vez denunciaban lo mismo a las mismas personas, ahora también los militares ha-

bían tomado la iniciativa en eso y la carpetilla canela
había sustituido a los cuidados legajos que él mismo
expedía para conocimiento de Dorado, alto secreto,
un secreto que se fotocopiaba, se distribuía, se abandonaba sobre las mesas de las secretarias. Mientras la
Caoba preparaba algo de comer agarró la última entrega del dossier, estúdieme esto, le había dicho el
subdirector general, el ministro piensa que podemos aprender de los servicios de Presidencia, yo no lo
creo pero vamos a ver qué dice. «*Informe para mandos
sobre la subversión comunista en la administración del Estado.*» Lo ojeó con atención moderada hasta que topó
con un nombre para él familiar, «*Alberto Llorés, destinado en el gabinete técnico de la vicepresidencia del gobierno:
algunos le describen como compañero de viaje pero otros indi-
can que podría prestar servicios de enlace con el Partido
Comunista en alguna de sus diferentes modalidades y escisio-
nes. Mantiene vinculaciones, por matrimonio, con movimientos subversivos italianos. Se le han apreciado tendencias
favorables al régimen de Salvador Allende en Chile, lle-
gando a interesarse por la publicación de una esquela en los
periódicos en memoria del mismo*». Ismael Centeno sonrió con desgana. ¡A estas alturas le iban a decir a él lo
del Albertito!, aunque lo de la esquela no era verdad,
lo de la esquela era un invención del propio comisario,
una trampa que hasta los militares se habían tragado.
Había escrito decenas, casi cientos de folios, avisando
que el tal Llorés, con su vitola de chico bien y aplica-
do, era un individuo peligroso por lo melifluo, un auténtico emboscado, encima protegido por Ruiz de
Avellaneda, que se creía en posesión de la verdad y
que pensaba que porque había estado entre los primeros de Falange ya tenía bula para todo. Ahora iban

a enterarse los secuaces de la Presidencia, se convencerían de que no era inútil el trabajo que ellos hacían, que era imposible prescindir así como así de la policía, ningunearla, relegarla sólo a las tareas sucias y duras.

—¡Funcionó, lo acaban de detener!

Eran casi las cuatro de la madrugada cuando la voz del inspector sonó excitada, al otro lado del teléfono. Simón Sánchez Montero, miembro del comité central del Partido Comunista de España, había sido apresado en un apartamento de Madrid, acusado... ¿de qué se le acusaba?, de momento de nada, de que un papel con su número de teléfono había aparecido en un piso, al parecer de ETA, se le inculpaba además de ser comunista, aunque pacífico, de pertenecer a la dirección de Comisiones Obreras, y de no abrir a la policía a la primera, él dijo que no les había oído, que dormía profundamente. Se presentaron sin saber muy bien a quién buscaban pero seguros de que caería un pez gordo, un par de secretas aguardaron en la calle, emboscados entre los coches, y se vieron envueltos en un tiroteo extraño, no estaba muy seguro Trigo de con quién, pero había un herido grave, quizás uno de los terroristas.

Cipriano Sansegundo, que vivía unas calles más arriba, no pudo oír las detonaciones porque a esas horas ya no se encontraba en casa. «Tápate —le había dicho un camarada esa misma tarde—, deliran como locos a la busca de un culpable, el que sea». «Oye —preguntó el compañero Lorenzo—, ¿tú crees que el partido está metido en la lucha armada?». Y el otro, que imposible, que hace ya tiempo que se anunció el pacto por la libertad, una estrategia pacífica para lograr la democracia, que Carrillo no se involucra en eso y aquí se hace sólo lo que dice él, a lo mejor son otros comunistas, facciones incontroladas, sectas más o menos respetables, más bien menos, ¡a ver cuándo se entera todo el mundo de que el Partido Comunista es un partido de orden!, lo es en Francia, lo es en Italia y lo será en España, pese a todas las dificultades, aunque esta madrugada, claro, el cava va a correr a litros por las gargantas de los compañeros y eso que a nosotros la muerte de Carrero nos ha jodido, ha habido que desactivar las huelgas y las manifestaciones preparadas por el juicio a los de Comisiones, la gente está muy asustada, la movilización de masas se nos ha ido al garete, los del juicio temen que les pasen a todos a cuchillo, a ellos y a sus abogados, la gente está muerta de miedo, los guerrilleros de Cristo Rey se han lanzado a la calle, cuidado no sea ésta una nueva noche de los cristales rotos, la gente está debajo de la cama preparándose para lo que se nos viene encima.

Cipriano Sansegundo cerró la puerta de su casa tras de sí, después de esperar más de media hora a que el taxi-teléfono atendiera su llamada y antes de decidir siquiera dónde dirigir sus pasos, luego pensó en Ramón Llorés, «si quieres algo, estoy en el Palace». No había tráfico ninguno y la neblina cubría el paseo de la Castellana, por lo que el edificio de Presidencia casi no se distinguía a través de la ventanilla del coche. Cuando lo rebasaron, el conductor intentó un diálogo imposible sobre el suceso del día. Había que desconfiar de los taxistas, la mayoría eran guardias pluriempleados o confidentes de la bofia, se mostraban siempre cabreados con casi todo y así tiraban de la lengua a los clientes, o sea que mejor no decir nada, contestar con monosílabos. El vestíbulo del hotel estaba desierto, el conserje le miró con cara de pocos amigos y se resistió a ponerle al habla con el huésped de la 125, no insistiría más de dos timbrazos, al primero contestó Ramón y pidió que subiera su invitado. Cipriano se sintió cohibido por la espesura de la moqueta que cedía a su paso, el silencio de los corredores, la severidad del ambiente que le recordaba al de los museos o los templos. Ramón le hizo pasar mientras enviaba una crónica a Nueva York. «Encantado de recogerte, faltaría más, aquí hay dos camas y yo suelo utilizar nada más que una», le recibió en calzoncillos, alternando sus palabras de bienvenida con el dictado al teléfono en inglés mientras se paseaba nervioso por la habitación, le invitó a sentarse junto a la radio, una emisora de la resistencia que en ese momento interrumpió sus emisiones para leer un comunicado de la organización terrorista vasca en el que se reivindicaba la autoría del asesinato del Presidente, habían tardado varias horas en hacerlo público para dar tiempo al comando a que se pusiera a cubierto, ahora estaban ya a salvo y en lugar seguro.

—*Shit!* —gritó Ramón al oírlo—, ha cambiado todo, ¡qué comunistas ni qué ocho cuartos!, ¡los asesinos son nacionalistas vascos! Llamo en un ratito, ¿eh? —colgó y se dirigió a Cipriano—. ¿Tú crees que el partido tiene relaciones con ETA?

—El partido tiene relaciones con todo el mundo —contestó con gesto aburrido—, pero no lo encontrarán metido en esto, somos gente de paz.

No darían más vueltas a las cosas, no merecía la pena, había sido una jornada llena de tensiones, no sólo por la noticia impresionante del atentado sino porque la vista del 1.001 continuó por la tarde, el gobierno insistió en que sucediera así, en que se terminara cuanto antes, en que no pareciera que nadie era capaz de doblar el pulso al poder, de esa forma las declaraciones altisonantes de los procesados, sus alegatos en nombre de la libertad, las peroratas tan minuciosamente preparadas para provocar los movimientos de masas que anunciaran el fin del franquismo, se disolverían para la prensa entre el estruendo de la bomba de Claudio Coello, mientras los reos solicitaban, reclamaban, exigían, que les pusieran a todos en una misma celda no fuera a ser que cualquier vigilante nocturno se tomara la justicia por su mano y apareciera alguien colgado de una cuerda a la mañana siguiente. Pero nada de eso atormentaba ya a Cipriano Sansegundo, el compañero Lorenzo. Tendido un poco más tarde en el lecho, junto al del antiguo líder de su pequeño grupo, procurando conciliar el sueño sin necesidad de acunarse con una música de fondo, contra lo que era su costumbre, meditaba ahora sobre cuánto y cómo habían cambiado las cosas en los últimos años para sus camaradas de entonces, metido el uno a cura, el otro a socialista, porque Anguita ha entrado en el PSOE de eso estoy seguro, y el otro a periodista gringo, hasta el borrachín de Andrés pretende la desintoxicación, si sigue así le lavarán por fuera y por dentro. Todo fluye, decía Heráclito, ¿quién será ese Heráclito al que me gusta citar en mis charlas?, todo cambia menos para mí, aunque para mí también, un día pierdo a Delfina y otro acabo durmiendo en la cama de un hotel de lujo, sin embargo para eso ha sido necesario que volara por los aires todo un Presidente del gobierno. Como dirían los Beatles, ¡qué noche la de este día!, *a hard day's night,* me gustaría saber su verdadera traducción.

Ocho

Regresó a Madrid después de permanecer oculta durante meses en la covacha de unos militantes vascos de la izquierda no traidora, como ella acostumbraba a decir. Enriqueta confiaba en que Trigo no la hubiera reconocido en la refriega, convencida como estaba de que habría repasado una y mil veces las fichas policiales escudriñando un rostro que cuadrara con sus ojos y habría hurgado, sobre todo, en el armario de su memoria, «los policías tenemos una memoria de elefante, ésa es nuestra mejor arma de trabajo», amenazaban siempre, pero ya sería menos. Los detectives no encontraron la bala que le rozó el hombro izquierdo al Cachorro, originándole un desgarro muscular discreto y una pequeña hemorragia, cuya importancia fue convenientemente exagerada por las notas oficiales y la flatulenta vanidad del herido que, de paso, obtuvo dos semanas de baja y una mención para la medalla al mérito policial. Los responsables de la investigación estaban mucho más ocupados en el análisis de la pica de fabricación casera que había perforado el corazón de otro agente, causándole la muerte inmediata y propiciando tal conmoción política que, se aseguraba, el Caudillo había adelantado el nombramiento de un Presidente de gobierno al verse acuciado por la ansiedad que se cernía sobre el natural conformismo del país, amenazado no sólo por los enemigos del régimen sino también por la intransigencia falangista frente a los oficiosos intentos de abolición de sus más preciados símbolos externos, como el color de la camisa nueva, ensalzada desde antaño en el mismísimo himno del partido. Pasados unos meses, la compañera Cristina pudo casi estar segura de que la policía, si la andaba buscando, no sabía quién era. Se aventuró a llamar a casa de sus padres con cualquier pretexto, no percibió nada que le indicara una especial preocupación por su persona y, cuando a Manuel Dorado le llamaron a filas sorpresivamente, anulándole la prórroga de la que disfrutaba y enviándole a un batallón de castigo de acuerdo con las indicaciones del alto mando, nadie le interrogó ni por su presencia en la manifestación ni, mucho menos, por la de su amiga Zabalza. De modo que un día decidió salir de las catacumbas y asomarse a su deshabitado pisito, por cuyo patio seguían ascendiendo las escalas del saxofonista y evaporándose los ripios de los estudiantes, sin que ni uno ni otros parecieran haber progresado mucho en lo afinado de sus melodías. Se mudó justo a tiempo de poder dar cobijo a un trío de chilenos fugitivos de su país, uno de ellos militante del Movimiento de la Izquierda Revolucionaria, que lograron escapar de aquel matadero humano regentado por los militares. Fue por exhibir su solidaridad personal, y no debido a ninguna consigna o instrucción política, por lo que se vio empujada a presentarse en la concentración ante la Audiencia, pero una vez que comenzaron las cargas policiales, y el mentidero a agitarse de rumores sobre lo sucedido en la explosión, regresó a casa, los cánones mandaban esperar y ver. Como Enriqueta se vanagloriaba de no tener tele-

visor, invento frente al que había decidido declararse
objetora de conciencia, entre otras cosas porque de esa
manera aliviaba sus estrecheces económicas, procuró
seguir las noticias por la radio, cuya antena estaba
ocupada la mayor parte del tiempo por música clásica.
«Ya tenemos algo más que agradecerle al atentado»,
pensó, «ha mejorado la programación». Compartió
con sus huéspedes la tensión del día, pensaba que
aquel momento era uno de los culminantes de su pequeño currículum revolucionario, avizoraba la hora
en la que alguien saliera de su escondite y convocara
al pueblo para la construcción de un nuevo orden social, hasta que sus amigos la sacaron del ensueño con
las narraciones acerca del vértigo que habían conocido
en Chile. Su historia personal era la de miles de compatriotas desde que aquel fatídico 11 de septiembre se
presentaron en casa de Lucho, a detenerlo a culatazo
limpio, y a golpes lo llevaron a la cárcel Central, «tu-
viste suerte, Lucho, de no acabar en el Estadio», comenta Patricia, apenas con diez días de estancia en
Madrid y una tripa protuberante, propia de un embarazo de meses, «casi cinco ya, pero cuando el pino-
chetazo nada se me notaba». Le agarró la asonada
en la universidad, alumnos y profesores se encerraron
allí por sugerencia de los partidos, luego dieron con-
traorden, todo el mundo a su casa, pero ya era tarde,
ya andaban los milicos con tanques y ametralladoras
bombardeando el recinto y la gente no tenía con qué
defenderse, se ocultaban bajo las mesas, detrás de
los encerados, en los armarios, las balas atravesaban los
improvisados parapetos y la gente moría, salpicadas
de sangre las paredes de las aulas, de los comedores, de
los pasillos, cuando acabaron los fuegos comenzaron

los golpes, los insultos, todo el mundo al suelo o contra el muro, las manos en la nuca, las piernas abiertas, en unos microbuses los condujeron al Estadio, las mujeres a un lado, los hombres al otro y el militar aquel, encumbrado su físico sobre una caja de cervezas, «se dirigió a nosotros, éramos los primeros presos que ingresaban en el Estadio Nacional, nos sentamos en las gradas y presentíamos que iban a acabar con todos, "pero yo me voy a marcar una gauchada", dijo el capitán, "y voy a dejar irse a las hembras, las preñadas primero, luego todas", porque éramos demasiadas o esperaban gente de mayor relumbre, por la puerta ya llegaban muchos otros, mujeres también, hombres sobre todo, andaban con dificultades pues ya habían sufrido torturas». Patricia salió del Estadio, tiempo habría de comentar cómo organizó la fuga del país, ahora estaba aquí, «gracias, Cristina, por tu hospitalidad pero ten cuidado, todos vamos a tenerlo, si eres creyente rézale al cielo para que el Ejército no se mueva, y si no al papacito Stalin, que a lo mejor lo consigue por otros medios». «Lo peor de todo es el miedo —añade Arturo—, el miedo destruye las conciencias, seguro que hay mucha gente ganando ya la frontera con Portugal, por si el golpe es de izquierdas, y otros la de Francia, por si es de los de siempre».

—Pero lo que tenemos que impedir a toda costa es una revancha de la extrema derecha —al ministro se le menean los papos y le tiembla el párpado izquierdo cada vez que se excita—, que controlen las bandas, protejan a los del 1.001, a los abogados, a las familias, no consientan alborotos.

Frente al tribunal donde los sindicalistas son juzgados por tres jueces de toga ennegrecida, Lobo dirige el coro de su manada, «asesinos, comunistas, matémoslos a todos», mientras en la sala la densa apologética de los defensores sucumbe ante el pánico obediente de los magistrados. Están juzgando a los líderes del mañana, aunque quizá, ¿quién sabe?, de su propia sentencia depende que no lo lleguen a ser nunca.

—En Santiago, a Lidia Aldermann la tiraron del trabajo sólo porque decían que su hermano era comunista y del KGB. Fue el jefe, que se asustó —comenta Patricia.

—Y en Valparaíso vieron asesinar a tiros, por los soldados, a los hijos que no querían denunciar el paradero de sus padres perseguidos.

Los papos del ministro son los de un bulldog pequeño cuando da órdenes a su director general, ¿tuvo tiempo de ir a comulgar hoy, coronel?, sí señor ministro, como todos los días, extreme la precaución, vea lo que le pasó al almirante por no cambiar el recorrido, y el tic del párpado se le acentúa, ya está claro que el golpe viene de fuera pero es necesario mantener la calma, sujetar la ira de los más leales, que no tomen la justicia por su cuenta, no vayamos a hacer como los chilenos, se les fue la mano, aunque mejor sería eso que nos llevaran a nosotros por delante, el país no puede escapársenos.

Se les va, se les escapa el país por la senda del pánico reprimido, quiere huir de sí mismo, destruir sus anales, comienza a maldecir los genes que le alumbraron, se zambulle en el miedo, lo abraza, lo consume hasta el llanto, no lloran los españoles la muerte de un cabecilla, lloran por ellos, por sus familias lloran, por su oscura tendencia a la división y el odio. En la medianoche del 20 de diciembre de 1973, Madrid es una ciudad escondida y desierta, un cementerio de tumbas vacías. Alberto Llorés conduce pensativo su automóvil por las calles brumosas, bajadas las persianas de los edificios, cerrados los portales a cal y canto, ya ni serenos quedan a los que palmear. Los semáforos cumplen con el ritual de su ritmo, verde-amarillo-rojo, como la bandera de una república recién inventada, pero nadie los ve porque no hay transeúntes, ni coches, ni la ronda, nadie guarda hoy el sueño de los madrileños. La radio alterna la música de Bach con declaraciones sobre el magnicidio, esta palabra se ha impuesto desde las consignas oficiales aunque los exégetas, los puristas, los impertinentes, se empeñan en señalar que magnicidio sólo es el de los reyes o los jefes de Estado, no los primeros ministros. Da lo mismo, el asesinato del almirante lo es, el almirante era el futuro del régimen, el presente de España, la garantía de perennidad. Artemio Henares improvisa unas declaraciones que el locutor le solicita sobre los acontecimientos, como al resto de los ocasionales directores de diarios, con sus jefes naturales en Panamá, amachambrados al teléfono. El cinismo de los que hablan por la emisora hace todavía más tenebrosa la noche. «Un hombre fundamental para la historia de España, un gran soldado, un gobernante ejemplar, un padre de familia admirable, un honesto servidor de la patria, el mejor amigo del Caudillo», ¿nunca hizo nada mal este lugarteniente de las sombras? Marta le espera levantada, se irán a Italia, como estaba prometido, nadie sabe nada Martita, y no sólo el pavor, también la ambición les atenaza, se reparten los puestos del nuevo gabinete, intrigan desde el fondo de sus corazones, desde la superficie de sus pecheras condecoradas, a rey muerto rey puesto, pero Carrero no era el Rey, sino su valido y sin embargo no me cabe duda, hoy no sólo ha caído el almirante, es Franco en persona la primera víctima del atentado, el régimen ha saltado por los aires y este silencio sordo de las calles es un preludio antes de que los tambores nos convoquen a las hazañas bélicas. Los militares, los millonarios, los sacerdotes, los chupatintas, las amas de casa, los adolescentes, todo el mundo conoce la guerra civil, todo el mundo la ha vivido, incluso los que nacieron mucho después, el general de generales se ha esforzado durante lustros en mantenerla presente, activa. Las fechas heroicas, los nombres heroicos, las gestas heroicas del Alzamiento nacional jalonan una historia silente de terror, fusilamientos, purgas y mordazas, las gentes trabajan y andan sin mirar a la cara de sus semejantes, marcando el paso a los sones del tararí del Nodo, en las escuelas, en los seminarios, en los cuarteles, en las fábricas, en las oficinas, los españoles han aprendido a bajar la testuz, a cambiar la siesta por el pluriempleo, a tirar adelante sin fijarse en su entorno como no sea de reojo, sin volver la cabeza hacia el rostro inmutable del pasado, pero el tronar de una bomba bajo el pavimento les ha devuelto a la realidad. Este país vive del miedo, se alimenta del miedo, aprende del miedo pero, al fin, el régimen ha muerto. Sólo fantasmas lo habitarán mañana.

¿Son fantasmas, empero, esos jóvenes airados que amilanan el aire con sus gritos? «Tarancón al paredón», espeta el Lobo y se le hincha el gaznate de furia y de avaricia, las venas del pescuezo van a estallarle y los granos de la cara se le tornan blanquecinos, casi purulentos. «Caray, Lobo, estás hecho una fiera», susurra admirada la rubia de al lado, su boina roja ladeada sobre la cabellera que desafía al viento gélido de la sierra. ¿Son fantasmas esos hombres maduros, esas ajadas doñas que persignan el aire con sus aspavientos? «Ejército al poder», exclama Primitivo, y Ataúlfo corea, a ver si se le arregla el papeleo, mientras Miranda masculla una jaculatoria al paso del armón, no le gustan los insultos a la Iglesia, el clero ha apoyado siempre al régimen, el franquismo es la suma de los curas y los militares, la actual inquina está injustificada. ¿Son fantasmas esos miles de gentes volcadas en las aceras, rezando a Dios e insultando a sus profetas, cuadrándose marciales ante el féretro cubierto por la bandera patria, mientras el cortejo avanza misterioso y firme bajo los árboles desnudos del invierno?

—No son fantasmas, sino provocadores —señala Centeno, que arrastra un semblante de sueño y de halago—, le aseguro, señor subdirector, que nosotros no los hemos enviado, nosotros estamos para colaborar —y el subdirector, que de su lealtad está convencido, pero ese Trigo es un hombre alocado, un poco chulo, no me gusta mucho, y el comisario, no se preocupe usted, yo me encargo de sujetarle.

El gobierno en funciones ya envía mensajeros a la oposición, a los comunistas, a los demócratas, a los disidentes, que no se dejen ver, que guarden la calma, que no hagan olas, pies quietos hasta que todo pase, no caigan en provocaciones, no den pretexto a los fascistas, nosotros no lo somos, no importamos doctrinas foráneas, creemos en la España eterna, permanente y durable, administramos su paz, su desarrollo económico, la crisis del petróleo, el crédito turístico. Francisco Alvear consuela a doña Sol, que se lamenta por la ausencia de su querido Manuel, y Amelita Portanet se desespera porque no encuentra unos cosmos que anda buscando para la cena de Navidad, muchas tiendas han cerrado, los colegios han adelantado las vacaciones, el país se quita de en medio, y ella todavía no ha terminado de comprar las flores y los regalos de papá Noel, mientras Alberto y Marta embarcan con toda la familia rumbo a la Italia eterna, Cipriano Sansegundo regresa a su casa, impresionado todavía por el tacto de las sábanas de hilo del Palace, dispuesto a resistir la tentación que emana de ese mundo de lujo, intangible para el pueblo, Esteban Dorado acuartela a las tropas y arenga a los oficiales para que sigan lealmente las órdenes del mando, y Julianito Sigüenza arrastra su pata de palo por entre los chopos del parque de la Empeatriz.

«Rojos, asesinos» vitupera el pueblo, «viva la Guardia Civil», miles de soldados cubren la carrera, codo con codo, corazón con corazón, espalda con espalda, cientos de policías, distribuidos estratégicamente, se mezclan con la plebe, se escurren entre los corros de ultraderechistas, se confunden con los grupitos de jubilados, se entremezclan con los curiosos, las señoronas y los paniaguados que han salido a la calle, ¿cincuenta mil en total, cien mil?, esta vez no podrá hablarse del millón de asistentes, el pueblo de Madrid se ha encerrado en sus casas. Como quiera que sea, don Epifanio Ruiz de Avellaneda estima que son muchos los que han venido a rendir el último adiós a su capitán, a sacudirse el espanto y darse ánimos entre todos, *Cara al sol con la camisa nueva...*, ahora que ni nuestros uniformes nos dejan ponernos..., *me hallará la muerte si me lleva y no te vuelvo a ver...,* ahora que nuestros himnos extinguen sus ecos, nuestros proyectos se desvanecen, nuestras ideas y nuestros hombres mueren, «Franco-Girón» se atreven a reclamar los más desvergonzados, y el subdirector general dice que canten, que canten y griten todo lo que quieran, pero que ni se les ocurra la más mínima agresión, que protejan al cardenal de Madrid, que protejan a los comunistas, a los socialistas, a los demócratas, a los liberales, que protejan los medios de comunicación, que se protejan a sí mismos, no vaya a surgir otro comando del infierno, no vaya a ser que los servicios extranjeros estén involucrados.

—Artemio, ¿tú sabes que han mandado policía a la puerta del periódico, por si nos atacan? Una pareja de guardias —comenta Eduardo al redactor jefe cuando todavía no ha aterrizado el avión del director que le devuelve del trópico.

—¿Y qué va a hacer una pareja contra esos energúmenos? —ríe el ogro—. Mira lo que hay debajo de mi mesa, si llega alguien, se va a encontrar con eso.

Se agachan los dos y Eduardo ve ahora que el recipiente alargado de madera, sujeto hábilmente con tornillos al tablero, está ocupado por un gigantesco revólver.

—Esta repisita la puso ahí oculta, hace décadas, un antiguo editor del diario, es tan grande para poder colocar un naranjero, una metralleta de las de antes, con el peine en forma de torta. Tenía mucho miedo a los del maquis, estaba convencido de que cualquier día se presentarían en la redacción a por él, a saber qué habría hecho. O sea que ante una urgencia bajaba la mano, como si se rascara un huevo, y le metía cien balas en el cuerpo al agresor. Bueno, mi Magnum no es un subfusil pero hace las veces, cuando me llamaste a casa ayer fue lo primero que me eché al bolsillo. ¿No tienes una pistola? A veces es importante estar armado. Puedes comprar una y dejarla en la taquilla del periódico. Allí no mira nadie nunca.

El compañero Andrés renegaba de la violencia, no creía en la fuerza, murmura el otro para sí, ¿será distinto el periodista Cienfuegos? Luego sonríe, sale a la redacción y comienza a pedir un fotógrafo a voces.

Foto Liborio deambula por la calzada de la Castellana arrastrando una voluminosa maleta con cámaras, flases, trípodes y demás trebejos de la profesión, mientras Ramón Llorés, desde una especie de tribuna reservada a los periodistas, contempla las caras de estupor de los dignatarios extranjeros, entre las que resaltan el semblante terroso y agrio del Presidente portugués y la expresión de distancia del vicepresidente de los Estados Unidos. Los gringos han enviado una representación de alto copete para que se vea que no han sido ellos, que no tienen nada que ver con el crimen, incluso acaban de detener en plena calle a un sospechoso que resultó ser de la escolta oficial de la embajada, «los del FBI son tan torpes como nosotros, pero en inglés», se malicia Centeno. Sin embargo no es el jaleo ambiente, que contrasta con el silencio del duelo, no son los gritos ni las bravuconadas, ni tampoco el vistoso cortejo de militares con el fusil a la funerala, ni el paso procesional y solemne del armón con el ataúd, lo que luego atrae el interés de Ramón. Sus ojos quedan prendidos de dos figuras singulares e impresionantes, la del arzobispo de la capital, abriendo el cortejo, con el rostro desencajado pero el talante firme frente a los insultos, igual que el día anterior lo estuvo ante los murmullos y sarcasmos que tuvo que soportar en la capilla ardiente, y la del Príncipe de España, que desfila vistiendo el uniforme de Marina, en un póstumo homenaje al almirante fallecido, solitario e impertérrito detrás del féretro, presidiendo el duelo. El chaleco antibalas, bajo la guerrera, hace que ande más erguido, todavía, de lo que es habitual en este joven apuesto, heredero de reyes y quién sabe si Rey algún día él mismo, que avanza en silencio, imponiendo autoridad y respeto a su alrededor, ofreciendo un blanco fácil, definido y preciso, para cualquier francotirador apostado en las terrazas pues no ha habido tiempo, ni ganas, ni convicción, de organizar el acto con las medidas de seguridad adecuadas. Ahí va el monarca breve que nos anuncian nuestros antiguos camaradas, medita Ramón, uno de esos supuestos borbones idiotas, caricaturizados lo mismo por el genio implacable de los hermanos Bécquer que por las cuchipandas fascistas, los lectores americanos agradecerán este toque singular de folclore político, como buenos republicanos que son, les encantan los reyes y se muestran benévolos y admirados con ellos. Franco no ha querido asistir al sepelio, encerrado en un mutismo solitario, sería un toro en tablas si todavía alumbrara más fiereza que crueldad, pero ahora se dedica a hacer acopios de ánimo para el funeral del día siguiente, por eso todas las miradas se centran en la imponente efigie de ese joven Príncipe que encabeza el cortejo de gobernantes, diplomáticos, familiares, generales de todos los cuerpos del Ejército, tras los que, contenidos por un cordón policial, avanza una horda de arrogantes lloricones brazo en alto, dando vivas al general Iniesta, a la Guardia Civil, y mueras a la ETA, al obispo y a los comunistas. Si Enriqueta Zabalza hubiera estado aquí, habría comprobado que la cola del entierro en nada se parece a la serpiente emplumada que ella ha visto en el pueblo cuando el pueblo se muestra, antes bien parece el rabo enroscado y palpitante de un dragón herido de muerte que, como en las pesadillas de Jaime Alvear, bulle y se revuelve en medio de formidable estertor. Centeno puede vislumbrar, entre los apretujones, las caras de curiosidad de Achile y Maurizio, mezclados en medio de un pequeño gentío de gañanes bien vestidos que corean las arengas de los líderes ultraderechistas. Ahora se disuelve el cortejo y desfilan las tropas, pero el heredero del trono quiere acudir al cementerio, *dies irae dies illa,* quiere ver caer la tierra a golpes de pala sobre la caja de caoba, *quantus tremor est futurus, quando judex est venturus,* sepultando la historia de la España reciente, *lacrimosa dies illa,* que se había adjudicado a sí misma la condición de eterna. ¿Qué queda de ella ahora? Lo mismo que aún resta de su vencido timonel: un cuerpo inerte acicalado por los taxidermistas de la política, destruido por completo en su interior, *blast sindrom,* una España que nadie quiere, ni aun los parteros de su nacimiento, de la que se avergüenzan sus hijos más jóvenes y por la que se dividieron hasta el exterminio las generaciones. Ésta es la España hundida y tiritante que le lega al futuro la voluntad de imperio. Muere como había venido al mundo, con los hombres empleando la fuerza para torcer su natural destino. Y nos deja perplejos, desarraigados, solos. Frente al miedo.

Madrid, septiembre de 1999

Este libro
se terminó de imprimir
en los Talleres Gráficos
de Unigraf, S. L,
Móstoles, Madrid (España)
en el mes de enero de 2000